W9-CRX-401

Кшиштоф Занусси

Krzysztof Zanussi
Strategie życia
czyli jak zjeść
ciastko i je mieć

Кшиштоф Занусси

Как нам жить?

Мои стратегии

Перевод с польского
Дениса Вирена

издательство АСТ

Москва

УДК 791.44.071.1(438)
ББК 85.373(3)-8
З-28

Художественное оформление и макет Андрея Бондаренко

Занусси, Кшиштоф.
З-28 Как нам жить? Мои стратегии / Кшиштоф Занусси ; пер. с пол. Д. Вирена. — Москва : Издательство АСТ : CORPUS, 2017. — 336 с.

ISBN 978-5-17-095121-5

Кшиштоф Занусси — выдающийся режиссер, сценарист и продюсер. Один из ярких представителей "кино морального беспокойства", автор классических фильмов "Иллюминация", "Защитные цвета", "Год спокойного солнца"... Автор ряда книг мемуарно-публицистического характера, из которых на русский язык переведены "Пора умирать" и "Между ярмаркой и салоном". В новой книге основные события биографии автора становятся поводом для философских размышлений, прежде всего этического характера, а включенные в текст фрагменты его замечательных сценариев, в том числе и нереализованных, иллюстрируют различные тезисы автора и заставляют задуматься о возможностях, предоставляемых человеку судьбой. О том, сколькими способами можно прожить жизнь, и есть ли среди них наиболее правильный?

УДК .44.071.1(438)
ББК 85.373(3)-8

ISBN 978-5-17-095121-5

Содержание

Предисловие

Название "Жизненные стратегии"[1] я использую всякий раз, когда меня приглашают прочитать лекцию, а чаще цикл лекций на столь широкую и неопределенную тему, как жизнь. Я уже человек старый, хотя не чувствую и не понимаю этого. За моими плечами три четверти века и позади, несомненно, самое главное: детство, молодость, учеба, профессиональная карьера, создание семьи, путешествия, политическая и гражданская активность. Все это еще не подошло к концу, но я не жду никаких революционных переворотов, кроме того, что рано или поздно (хорошо бы попозже) наступит… пора умирать. Эти слова я вынес в заглавие своей предыдущей книги, которую решил продолжить. Однако это не будет "Пора умирать, часть вторая". Там я писал о жизни и работе, немного о людях, с которыми встречался, и затрагивал проблемы, казавшиеся мне важными. Сегодня я похожим образом выстраиваю свои авторские лекции в разных частях света. Не звучит ли слово "лекции"

---

1   На польском книга выходила под названием *Strategie życia czyli jak zjeść ciastko i je mieć* ("Жизненные стратегии, или Как съесть пирожок, чтобы он остался цел"). — *Здесь и далее примеч. пер.*

слишком серьезно? Скорее, это беседы, как правило, иллюстрируемые фрагментами моих фильмов. Эти киноцитаты не дают представления обо мне как художнике — напротив, разрушают целостность того, что я стараюсь создавать в искусстве. Я мог бы использовать на лекциях ленты других режиссеров, но это было бы нечестно по отношению к коллегам, поскольку такие презентации обычно портят художественное впечатление.

Общение со зрителями я считаю обязанностью, ведь если я публично высказываюсь, снимая фильмы и выступая по телевидению или радио, если пишу статьи, это значит, что я обращаюсь к людям и, когда они хотят продолжить разговор, должен пойти им навстречу. Не имеет значения, что приходится делать большие усилия, тратить много времени на дорогу, подвергаясь при этом риску, что с совершенно незнакомыми людьми не удастся установить контакт и, стоя с микрофоном в зале кинотеатра или клуба, я не смогу донести до них то, что лучше умею выражать на экране или бумаге. Каждая встреча требует мобилизации всех сил и становится определенным вызовом.

Несмотря на это, встречаясь с публикой, я не только выполняю долг, но и очень часто испытываю истинную радость, особенно когда общаюсь с молодежью. Это не самые простые для меня разговоры. Я уже весьма пожилой (пишу так, хотя совсем в это не верю), молодые обычно не знают моих фильмов, и, видя перед собой незнакомого человека, они оценивают, можно ли доверять тому, что я говорю. Оценивают, порой задавая трудные и даже бесцеремонные вопросы, а порой молча, вынуждая меня сделать первый шаг. И только если я как-то заинтересую их, спровоцирую или заставлю в чем-то убедиться, они включаются в беседу.

Большинство встреч происходит вдалеке от столицы (в которой я живу), там, куда по разным причинам неудобно добираться, и именно они оказываются самыми интересными. Люди в небольших городках чаще высказываются напрямую, без обиняков и не вставая в позу, которая в компании городских снобов нередко делает общение невыносимым. А превыше всего я ценю то, что они говорят серьезно и не пытаются вытягивать из меня забавные случаи из жизни, интригующие подробности, веселые байки и сплетни о сильных мира сего, которых я встречал на своем пути и о которых могу рассказывать, хотя эти анекдоты мало что значат.

Удачными я считаю те встречи, на которых мы беседуем всерьез, когда люди хотят вслух размышлять о жизни и рассуждают о том, что в ней имеет ценность, а что нет. Разумеется, у меня нет точных ответов, как, пожалуй, нет их ни у кого. Каждая человеческая жизнь складывается по-своему, и, к счастью, простых рецептов не существует. Возможно, рецепты вообще бессмысленны, и тем не менее полезно задумываться, разговаривать, наблюдать за судьбами других, чтобы лучше управлять своей собственной.

Я бы хотел выстроить эту книгу, опираясь на разнообразный опыт, полученный в ходе такого общения. Прошу отнестись к ней легко и снисходительно. Если хотя бы одна сформулированная здесь мысль читателю пригодится, я буду рад — значит, силы потрачены не впустую. На многое я не рассчитываю, ибо знаю, сколь многого не знаю.

Предыдущая фраза прозвучала, как цитата из Сократа. Мой друг, итальянский писатель Рокко Фамильяри, в одной своей книге написал: "Чем старше я становлюсь, тем больше уверяюсь в своей неуверенности". Вроде бы забавно, а на самом деле страшно. Мы хотим, чтобы с возрастом у нас прибавлялось уверенности в себе. В общем так и происходит, но при этом пространство наших мыслей постоянно увеличивается. Сомнение должно быть не целью, а средством быть начеку. Не испытывая сомнений, мы впадаем в стагнацию, рутину, бессмыслицу. А сомневаясь сверх меры, рискуем заработать психическое заболевание. Остается срединный путь, гармония, и я хочу возвращаться к ней снова и снова, делясь с читателями соображениями и взглядами, в которых достаточно глубоко убежден. Я пишу "достаточно глубоко", а значит, сохраняю осторожность, ибо знаю: то, что сегодня кажется мне некоей истиной, завтра может измениться. Под влиянием нового опыта я могу сформулировать мысль по-другому, а ту же самую проблему в ином ракурсе увидеть будто впервые. До тех пор пока жив разум, нужно искать более удачные определения, стараться точнее формулировать те предчувствия, из которых складывается то, что называется немодными нынче словами "жизненная мудрость".

Я использовал два понятия: "взгляды" и "убеждения", — пытаясь показать, что они очень важны, в то время как прекрасно понимаю: это совсем не так. Папа римский Иоанн XXIII сказал однажды об одном своем друге: "Мы были очень близкими людьми. Правда, нас разделяли взгляды, но это не имело значения".

Когда взгляды могут не иметь значения? В том случае, если мы разными путями, но искренне ищем истину. Если два физика не согласны по какому-то научному вопросу, разве они должны перестать дружить? Нет. Я начал с физиков, поскольку изучал эту дисциплину в университете и сохранил к ней большую симпатию. Разница во взглядах может не иметь значения даже в политике, при условии что противники не ставят под сомнение добрые намерения противоположной стороны. В правительственной комиссии по культуре у меня несколько сроков подряд был оппонент, выступавший против поддержки кинематографии из госбюджета. Я полагаю, что такая поддержка нужна и полезна, она работает на благо национальной культуры, ведь только при государственной помощи могут сниматься фильмы сложные, предназначенные для более требовательных зрителей, коих не так уж много, чтобы выручки от купленных ими билетов хватило на покрытие производственных расходов. Частичное финансирование национальных фильмов принято во всей Западной Европе. Просуществовав сто лет, кино оказалось приравнено к театру и музыке, за развитие которых доплачивает любое западноевропейское государство. Мой же оппонент доказывал обратное. Но однажды мы случайно встретились в поезде и прекрасно пообщались на разные отвлеченные темы, не касаясь того, что нас разделяет.

Итак, мы умеем жить в мире, полном различных взглядов, но сам факт существования различий время от времени заставляет нас усомниться в своих убеждениях. Что же я могу предложить читателю, не гарантируя, что провозглашаемые мною взгляды — это истина в последней инстанции? Понятно, что сам я постоянно думаю о своих взглядах. Но вы? Как могут вам пригодиться размышления пожилого кинематографиста, собравшего ответы на вопросы, которые задавали ему зрители?

Что дает мне основания верить в смысл такого разговора? Я отвечаю на вопросы так полно, как только могу, иногда сбиваясь и поправляя себя в надежде, что новый ответ лучше предыдущего. Когда я смотрю в глаза слушателям, у меня складывается впечатление, что мы вступили в диалог, и тогда наступает их очередь говорить. У каждого из вас —

слушателей или читателей — своя жизнь, за вас я ее не проживу и не могу даже пытаться решать стоящие перед вами проблемы. Значит ли это, что все мои действия бессмысленны? Необязательно. Надеюсь, я смогу помочь кому-то упорядочить собственные взгляды, придать им большую ясность. Быть может, кто-то разрешит для себя некое противоречие или, по крайней мере, задумается о нем.

Я подчеркиваю свою старость так, словно этот факт должен вызвать у читателя доверие к моей роли ментора. Тем временем старость сама по себе не гарантирует ни мудрости, ни авторитета. Однажды кто-то напомнил мне, что еще в недалеком прошлом авторитет старейшины рода был основан на состоянии, передававшемся по наследству: крестьянин по своему усмотрению передавал детям землю, мещанин при жизни определял наследника, аристократ мог без труда лишить наследства неблагодарных потомков и, повинуясь капризу, одарить недостойного человека, если испытывал к нему симпатию. Поэтому патриарху повиновались, и демонстрировать ему уважение было в известной степени необходимостью.

Сегодня, когда имущественное принуждение стало исключением, старик может построить свой авторитет только на мудрости, то есть на суммарном опыте, накопленном за долгую жизнь. Я с грустью замечаю, что мало кто пользуется этой привилегией. Наблюдаю множество пожилых людей, которые неумны, возможно, даже больше, чем в молодости. От молодых они могут ожидать заботы, положенной слабым, но никак не уважения к своим взглядам.

Следовательно, и я, называя себя старым, не могу по одной этой причине рассчитывать на почтение. Более того, несмотря на свой возраст, я не чувствую себя особенно просвещенным. Я по-прежнему борюсь с собственной глупостью и ничтожностью, как делал это на протяжении семидесяти лет, с того момента, как что-либо помню. Я все еще спрашиваю, вместо того чтобы давать менторские ответы, и хочу, чтобы эта книга состояла из вопросов — самых простых и самых главных. А мой опыт пусть послужит примером того, что поиск ответов на них занимает у думающего человека всю жизнь.

Это вопросы "Как устроен мир?" и "Какие законы в нем действуют?" (если они вообще существуют). Попытки дать на них ответ подскажут нам, как жить, какой выбор верен, а какой плох.

Даже самый закоренелый фаталист допускает мысль, что иногда что-то зависит и от нас самих. Мы оказываем реальное влияние на происходящее чаще, чем кажется, а в ситуациях, нам совершенно неподвластных, способны, по крайней мере, решить, какую позицию занять по отношению к превратностям судьбы. Человек, страдающий серьезным заболеванием, передающимся генетически, может пытаться контролировать мысли, может выбрать способ переживания своего горя: ругать судьбу или примириться с ней, радоваться жизни или отвергать все разом. У каждого человека, независимо от обстоятельств, есть возможность принятия какой-либо жизненной стратегии, концепции самого себя, которую он будет реализовывать.

В этой книге я опишу несколько типичных жизненных стратегий, почерпнутых из моих наблюдений и опыта. Проиллюстрирую их примерами из собственной практики, а также из сценариев и фильмов, сделанных на основе подслушанных и нередко автобиографических мотивов.

Термин "стратегия" относится сегодня прежде всего к управлению и маркетингу. С ними же связано еще одно полезное понятие — "альтернативные издержки". Главная сложность при совершении выбора заключается в том, что, выбирая одно, мы отказываемся от другого. Это и есть "альтернативные издержки": мы субъективно оцениваем выгоду, от которой отказались, которую, принимая решение, упустили. В тривиальной форме эту дилемму можно сформулировать следующим образом: как съесть пирожок, чтобы он остался цел. Извечный конфликт желаний.

Самым распространенным примером этого противоречия является выбор между возвышенным, духовным и практическим, материальным. Мы хотим обладать. Хотим быть богатыми. Этого можно добиться тяжелым трудом, а можно — продав свою свободу, достоинство, честь и самоуважение. Самый легкий путь к материальному успеху — бесчестность. В этом смысле быть порядочным невыгодно, хотя мы верим, что в нравственном плане — необходимо. Честность дарит нам чувство собственного достоинства, но иногда мы стыдимся своей наивности: не воспользовались случаем, а ведь можно было извлечь из него пользу; поступили благородно, но непрактично. Мы точно высчитываем альтернативные издержки и задумываемся: а стоило ли? Может, нет, если мы чувствуем себя проигравшими?

Я хочу поделиться своими наблюдениями на эту тему, а также сомнениями, коих у меня предостаточно. И все-таки я верю, что в жизни есть шанс отыскать какие-то основы смысла или порядка. Исходя из личного опыта, я полагаю, что некие правила существуют. Искусство в том, как их применять, примерять к конкретной ситуации.

Может ли опыт других людей пригодиться нам? Разве не правы те, кто повторяет, что невозможно учиться на чужих ошибках и приходится совершать их самому? У меня нет однозначного ответа. Конечно, ничто не заменит личного опыта, хотя как учитель (а я являюсь им всю взрослую жизнь) должен отметить значение повествовательного искусства, которым занимаюсь сам и благодаря которому мы узнаем чужие истории и приобретаем опыт других людей. Именно для этого мы читаем Шекспира и Бальзака, Чехова и Конрада (называю произвольно тех, кого очень люблю). Об этом с иронией говорил Бертран Рассел, утверждая, что не стоит повторять те же самые ошибки, ведь всегда можно совершить столько новых.

Понятие "альтернативных издержек" придает нашему выбору экономический характер, а ведь выбор не всегда касается материальных вещей. Есть люди, неустанно подсчитывающие убытки, есть и такие, кого расходы не волнуют. Первые живут осторожно, поскольку прежде всего хотят сохранить пирожок, вторые — ненасытно, жадно, буйно, они съедают пирожок и краткий миг наслаждаются его вкусом. О них можно сказать, что у них богатая жизнь, но это совсем не обязательно означает жизнь в богатстве. Бывают богачи, жизнь которых бедна и даже убога, потому что они живут скучно, неинтересно, тогда как легендарный грек Зорба из фильма Михалиса Какояниса умел жить полной жизнью, не имея ничего. И все же большинство из нас ищет середину, старается сохранить равновесие между этими крайностями, что, как выясняется, необыкновенно трудно.

Многие жизненные указания содержат в себе противоречия, сталкиваясь с которыми современный человек не может найти удачного решения. Библия гласит, что нужно потерять жизнь, чтобы найти ее. Не будет ли преувеличением сказать, что этот мыслительный конструкт напоминает дилемму с пирожком? Съесть, чтобы он остался цел. Так жаль отказываться от жизни и так сильно хочется обрести ее в какой-то улучшенной форме. Об отречении от жизни говорят не только христиане. Похожую мысль мы находим в учении Будды, в Коране и в Ведах. Как видно, это универсальная дилемма. И ее точно не решим ни я, ни вы. Ни на этих страницах, ни в жизни. Но о ней стоит думать.

Это приведет нас к другому вечному вопросу, заключенному в великой литературе, главным образом в русской (по-русски, кстати, этот вопрос звучит наиболее выразительно, и его трудно перевести на неславянские языки). "Как жить?" — вопрошают персонажи Чехова и Достоевского. "Как жить?" — спрашивает Клим Самгин, герой романа Горького. Мне довелось смотреть телесериал по мотивам "Жизни Клима Самгина" на фестивале в Монте-Карло. Снятый на русском языке, он шел с английскими субтитрами, и вопрос "Как жить?" был переведен: *What should I do?* ("Что мне делать?"). Думаю, в этом переводе отражена вся пропасть между мышлением Востока и Запада. Русский человек ставит вопрос очень широко, неопределенно, и к этому его подталкивает сам язык. Английский язык — продукт другой культуры и других взглядов. Русский вопрос касается самой сущности жизни. "Как жить" перед лицом страданий, несправедливости и зла, осознавая невозможность исправить этот мир? Англичанину нужна практическая задача — что надо делать, ибо действие для него — основное содержание жизни.

Поляки по своей природе принадлежат к культуре Запада, воспитаны в латинской традиции и должны быть ближе к англосаксам, нежели к русским братьям-славянам. Я считаю так, поскольку культурные связи сильнее, чем этническое или языковое родство. Мне особенно легко говорить это потому, что по одной моей фамилии ясно: будучи поляком, я не являюсь славянином. Впрочем, мой случай не имеет значения. Я вспомнил проклятый вопрос великих русских писателей, чтобы задать его себе и вам: “Как жить?”

Можно ли в принципе ответить серьезно на столь общий вопрос? Разумеется, нет, и для меня это абсолютно очевидно. На любого, кто пробовал бы однозначно решить эту проблему, посыпались бы заслуженные издевки. Почему вдруг кто-то должен узнать то, чего веками не может понять все человечество? Не может, но ищет — и все люди, и каждый по отдельности. К этим поискам я и хочу обратиться. В нашу эпоху, полную сумбура, когда столько вещей встало с ног на голову, возможно, стоит прислушаться к некоторым жизненным наблюдениям, чтобы давать собственные, частичные ответы.

Говоря о сумбуре, я имею в виду перемены, произошедшие в Польше и во всей Центральной Европе. Это настоящая революция. В течение десяти-пятнадцати лет полностью изменилась жизнь, изменились условия, в которых мы делаем наш выбор. Изменилось ли принципиальное понимание того, что есть счастье, что наполняет жизнь смыслом? С виду — да. На нас свалилась такая огромная свобода, что мы до сих пор не в состоянии это осознать. Еще каких-то двадцать лет назад мы покупали в магазинах то, что было (и потому носили что попало), ведь чаще всего нужные вещи там отсутствовали. Сегодня же товаров столько, что выбор оказывается нам не под силу. Но мы выбираем не только одежду. Мы выбираем образ жизни (а раньше жили как придется). Выбираем политические партии и парламент. И чем больше свободы, тем больше неизвестных (когда не было стольких возможностей, люди делали то, что могли). На фоне такого выбора вопрос "Как жить?" можно считать обоснованным и, кроме того, очень практическим. Сегодня молодым людям в Польше труднее, потому что больше зависит от них самих.

Формулируя в предлагаемой книге разные мысли, я не хочу быть один. К сожалению, у меня нет ни обширного книжного собрания, ни возможности сидеть в публичных библиотеках. Впрочем, в этом была бы некая фальшь: мне никогда не хватало времени на упорядочивание прочитанного, значит, я буду опираться на то, что помню, и то, что мне удастся найти. Сейчас, например, когда пишу о том, как много изменилось в нашей жизни (настолько, что с известной долей преувеличения можно сказать — всё), есть случай процитировать одну из любимых книг, к которым я периодически возвращаюсь. Это "Леопард" Томази ди Лампедузы. Там описана революция, приведшая к освобождению итальянских княжеств от господства французов и австрийцев и объединению Италии в целостное государство, а заодно к ослаблению роли аристократии в общественной жизни. Старый князь в "Леопарде" повторяет слова всех консерваторов: "Все должно измениться, чтобы все осталось по-старому". Что касается нашей жизни, того выбора, который мы регулярно совершаем, наконец, счастья (что бы ни значило для нас это слово), — все в целом так, как говорит старый князь. Думаю, что, когда голова кружится от перемен, его замечание может вызвать оптимизм. Все как бы меняется, но в реальности самое главное на протяжении десятилетий и столетий подчиняется одним и тем же законам.

Вопрос "Как жить?" относится прежде всего к людям молодым. Они стоят на распутье, впервые испытывают на себе свободу, смотрят в лицо миру, о котором их роди-

тели не имели представления. Каждый шаг, совершаемый
в молодости, оставляет в нас какой-то след и имеет непреходящее значение. Делая свой очередной выбор, мы постепенно приобретаем определенные привычки, учимся
отдельным реакциям, и все это складывается в наш стиль
поведения. Этот стиль с самого начала может быть лучше или хуже, иногда он абсолютно оптимальный, иногда просто негодный. Молодой человек в конкретных ситуациях соглашается смолчать или, наоборот, определенным образом начинает говорить о других и устанавливает
границы: что позволительно, а что нет. В зрелом возрасте человек всегда может изменить стиль поведения, однако решения, принятые в молодости, довлеют над каждым, и со временем все труднее совершать радикальные
перемены.

Все исповедуют, в общем, похожие принципы. Все
мы — верующие и неверующие, христиане и мусульмане — принимаем десять заповедей, знаем, что есть незыблемые нормы, и учимся следовать им. Вытекает ли из заповеди "не укради" то, что нужно платить налоги и не ездить
в общественном транспорте зайцем, зависит от нашего выбора; иногда мы считаем налоги несправедливыми, а иногда, не оплачивая проезд в трамвае, в своем субъективном
представлении возвращаем имеющийся перед нами у города какой-то долг. Все это я назову проблемой стиля. Один
человек считает, что, делая карьеру, вполне можно в присутствии начальника деликатно высказать суждение, которое потопит конкурента, а другой, не желая переходить
границы честной игры, так никогда не поступит. И эти
принципы формируются, пока мы молоды. В молодости
мы решаем, всегда ли будем в срок отдавать книги и долги или же время от времени воспользуемся тем, что мож-

но притвориться забывчивым. В молодости определяется горизонт наших амбиций: жить сегодняшним или завтрашним днем, строить далеко идущие планы или полагаться на текущий момент.

Я отрывочно пишу о выборе, чтобы прийти к мысли, которой часто забавляю слушателей на авторских встречах. Глядя в зал, полный молодежи, я искренне признаюсь, что глубоко им сочувствую, ведь молодость — худший период жизни. А в утешение добавляю, что, к счастью, молодость быстро кончится, и, скорее всего, им уже никогда не будет так тяжело, как сейчас. Обычно зал взрывается от смеха, поскольку мы живем в пространстве культуры, сформированной легендой о Фаусте, где молодость предстает безусловной ценностью, в то время как она таковой совсем не является. Молодость можно назвать ценностью, говоря об организме, о теле, которое достигает вершины развития в период созревания, и именно этому завидуют старики. Но никто не хочет помнить, насколько страшными были неуверенность молодости, отсутствие знаний о мире и себе, вечная неловкость... Обо всем этом забыл даже Фауст.

Почему я так хорошо это помню? Не потому ли, что у меня молодость ассоциируется с неприятными сталинскими временами? Думаю, это слишком простое объяснение. На протяжении целых десяти лет после окончания школы я учился, не находя себе места в мире, не понимая, на что гожусь и к чему у меня призвание. Возможно, тот, у кого все было проще, не помнит этой мрачной стороны молодости. Но есть и другая, не менее темная сторона раннего периода жизни.

Все люди в молодости обещают кем-то быть. Ни о ком нельзя сказать, что он безнадежен, что в будущем из него ничего не выйдет. У самого большого неуча в классе есть шанс прославиться: стать лучшим любовником или героическим пожарным. Страшно то, что потом мы наблюдаем на встречах выпускников. Какое количество замечательных одноклассников скатилось за несколько десятилетий! Сколько из них стали недотепами, сношенными тапками, осознающими свой проигрыш. Это та мрачная сторона, о которой молодость знает, потому что именно с точки зрения подростка взрослые выглядят компанией разочаровавшихся неудачников.

Я не отважусь поставить вопрос, действительно ли у каждого в жизни есть шанс. Существуют ли люди, обреченные на сплошные неудачи? Если учесть разницу исходных данных по здоровью, внешности, способностям, общественному положению, каждый ли может себя реализовать? А если это не получилось, сам ли человек виноват? Какую роль играет в жизни случай — пресловутая доля везения? Это то, что верующие называют действием Провидения. Невозможно не спрашивать и невозможно что-либо ответить. Собравшись с одноклассниками на юбилей выпуска, мы вспоминаем тех, кто умер молодым, кто погиб от несчастного случая, кого погубил рак. Были ли у них те же шансы, что и у нас, живущих? Виноваты ли они (так мы пытаемся создать иллюзию своих заслуг в том, что мы по-прежнему живы, поскольку не курим и заботимся о здоровье)? Думая об этом, мы прикасаемся к Тайне, если склонны согласиться, что за непониманием стоят Сила и Мысль, которым можно довериться и которые испытывают нас, но не причиняют зла. Если же не верим в них, нам остается сказать, что мы лишь игрушки в руках слепой судьбы. В любом случае очевидно: возможно, что-то и зависит от нас, но подавляющая часть находится за пределами нашего контроля.

Должна ли эта мысль, даже в своем мрачнейшем атеистическом виде, парализовать нас? Стоит процитировать старый еврейский анекдот о человеке, который годами молил Бога смилостивиться над ним и позволить выиграть в лотерею. В конце концов Бог разозлился и прогремел: "Дай же и ты мне шанс! Хоть раз купи лотерейный билет!"

Как ни трудно определить, сколько зависит от нас самих, а сколько — от Провидения и Благодати (с точки зрения верующих) или слепого случая, пожалуй, все же стоит дать себе труд покупать лотерейные билеты. В культуре Запада, особенно в ее англосаксонской форме, где превалирует *doer* — тот, кто делает, творит *(homo faber)*, — несложно поддаться иллюзии, что все зависит от того, что ты сделаешь, и поэтому вопрос "Как жить?" переводится: *What should I do?* Для людей Востока не имеет значения, что сделаешь, ибо все предрешено Богом или слепой судьбой. А ведь полное подчинение не свойственно человеческой природе. Мы часто провоцируем судьбу и повторяем тогда: "С Божьей помощью". Время от времени мы играем в лотерею, даже не веря, что нам благоволит некая высшая сила.

Снова противоречие. Мир полон их, а мы естественная его часть. Почему же мы не любим противоречий и непроизвольно стараемся их распутать? Почему в наших представлениях о порядке противоречию нет места? Имеет ли смысл брать на себя сизифов труд по поиску гармонии? Стоит ли начинать, не надеясь достичь цели? Я глубоко убежден, что стоит.

Какова эта цель? Отвечу столь же туманно, как туманен вопрос. Целью является приведение мыслей в порядок, который никогда не будет идеален, но всегда лучше полного беспорядка. Порядок, пусть и очень несовершенный, имеет превосходство над беспорядком. Я верю в это, но не могу доказать, поскольку в таких общих сферах не действуют правила доказательства. Однако обращусь к интуиции. Она подсказывает, что человек, живущий в хаосе, терзаемый противоречивыми мыслями и чувствами, всегда несчастен, мало того, ему часто грозит разрушение психики и безумие. Порой с этим могут столкнуться люди, которым не удается совместить принципы, привитые в семье, с совершенно противоречащими им принципами, узнаваемыми в течение жизни. Такие люди мечутся между двумя типами мышления и не знают ни что любят, ни чего бы хотели. Я верю, что труд, затраченный на постоянное упорядочивание мира мыслей и чувств (или, выражаясь патетически, мира духа), приносит прибыль в виде вклада в наше внутреннее развитие, шага на пути к счастью.

Счастье, как и истина, недостижимо во всей полноте, на постоянной основе, в совершенном виде. К счастью можно только стремиться, приближаться к нему. Именно на это должна быть направлена вся работа духа. И если, делясь своим образом мыслей и чувств, я смогу кому-либо в этом помочь, то буду ощущать, что успех где-то рядом.

Абсолютного успеха тоже не существует. И слава богу, иначе что бы мы делали, добившись его? Замерли без движения? Успех непрочен и, следовательно, неидеален. Я часто думаю о людях, успех которых измерим: об ученых, совершающих великие открытия, о спортсменах, бьющих рекорды, о предпринимателях, умножающих богатства, и художниках, к которым принадлежу сам. Что объединяет людей в погоне за настоящим успехом? Думаю, осознание нереализованности. Никто и никогда не добьется всего того, к чему стремится. А если добьется, значит, планка была поставлена слишком низко.

Не хотел бы вдаваться в рассуждения о взаимосвязи успеха и счастья. В юности я с горящими глазами читал книгу "О счастье" профессора Владислава Татаркевича[1]. Приводя множество разнообразных определений счастья, выдающийся философ создал настолько ясное и понятное руководство, что, хотя сегодня я не помню и половины, ни в коем случае не позволю себе говорить о счастье как вещи очевидной.

Очень часто приходится встречаться с примитивными взглядами на то, что для любого человека должно быть в жизни самым главным. Как жить, чтобы достичь состояния, которое я считаю лучшим из возможных и доступных мне состояний? Выше уже прозвучал один совет: искать гармонию в хаосе, порядок в беспорядке. Универсален ли этот совет? Не знаю. Когда я задумываюсь о нем, мне кажется, его нельзя оспорить. Гармония и порядок, единство мыслей, чувств и действий — это условие, увеличивающее наши шансы прожить жизнь хотя бы относительно успешно. Успешно, то есть счастливо.

Спрошу еще раз: у каждого ли человека есть шанс на успешную жизнь? Рационального ответа нет, равно как и возможности провести на эту тему исследования. Наблюдая за жизнью, мы невооруженным глазом видим, как много людей производят впечатление неудачников (возвращаясь к мотиву "стоптанных тапок"). Но действительно ли их жизнь не удалась и в каком смысле? Если смотреть на субъективную оценку, на то, что очень многие недовольны жизнью, мы окажемся на тонком льду, ведь, возможно, эти люди ошибаются. Называют свою жизнь неудавшейся,

---

1   Владислав Татаркевич (1886–1980) — философ, эстетик, историк и теоретик искусства. Над одной из своих главных книг "О счастье" работал с 1918 по 1947 г.

в то время как нет поводов для того, чтобы она стала лучше. Возможно, у них были завышенные ожидания. Но какие — от себя или от судьбы? Если человек уверен, что ему что-то причитается, и не получил этого, он прав или ошибается? Кто убедил его в этом? А что можно сказать об ожиданиях от себя самого? Если кто-то генетически унаследовал короткие ноги и коренастую фигуру, но хочет быть высоким и худым, ему трудно сочувствовать, поскольку его хотение совершенно необоснованно. А если человек рождается слабым и больным, имеет ли он право всю жизнь обижаться на мир (или на Создателя, если верит в него)? Предлагаю сойтись на том, что все появляются на свет с определенным багажом возможностей — физических, духовных, интеллектуальных, эмоциональных (можно перечислять дальше). Жизненный потенциал у каждого человека свой, и если мы хотим трезво рассуждать о самореализации (или нереализованности), то должны понимать: уровень наших достижений зависит от возможностей, и оценивать его следует, помня, что мы получили на старте.

Грубоватая поговорка гласит: для сельской местности сойдет. Более жестокую шутку использовал в одном своем фильме Вуди Аллен. К психиатру, излюбленному герою Аллена, приходит пациент, страдающий комплексом неполноценности. Врач проводит с ним целый ряд вдумчивых бесед и наконец делает заключение: "У меня хорошая новость: у вас нет комплекса неполноценности — вы просто неполноценны". Люди, недовольные жизнью по той причине, что хотели бы жить иначе, глупы, и им даже трудно сочувствовать. Вспоминается анекдот об арабском шейхе, который, опечалившись, сидит в своем гареме в окружении прекрасных жен. "О чем ты мечтаешь? — спрашивает одна из них. — Вокруг тебя собрались все красавицы этого мира". А грустный шейх отвечает: "Мечтаю о другом гареме!" Сложно посочувствовать шейху, так же как сложно помочь тому, кто не в состоянии определиться со своими желаниями.

Оценивая самих себя, мы можем совершить две ошибки: себя можно переоценивать или недооценивать. Если из-за ошибочной самооценки мы поставим планку слишком высоко, то, сбив ее, будем переживать; если же она была слишком низко, это тоже обидно, ведь понятно, что мы могли прыгнуть выше. Из противопоставления двух неправильных оценок следует простая житейская мудрость, к которой я и веду. Человеку для жизни необходима правда. Правда о себе самом и о мире, в котором мы живем. Кто не ищет правду, проигрывает. Вся правда не открывается никому, однако очевидно, что одни люди находятся ближе к правде о себе, а другие — дальше. И поэтому я возвращаюсь, будто к рефрену, к словам о молодости. Это худшая пора жизни, поскольку именно тогда нам труднее всего понять, какие же мы на самом деле. Если, читая эту книгу, вы задумаетесь над тем, кто вы такие и ощущаете ли то, что мы приблизительно называем счастьем, я могу считать, что запись сохранившихся в памяти фрагментов разных встреч имела смысл.

Некоторые высказывают мнение, что счастье — это сумма испытанных человеком удовольствий. Довольно солидная формулировка философского характера, хотя, с моей точки зрения, легкомысленная и обманчивая. Молодежь выражается проще: в жизни по-настоящему важны лишь наслаждения, стоит делать только то, что дарит приятные ощущения.

Не могу согласиться с этим мнением, впрочем, не собираюсь и отрицать, что наслаждение — вещь чрезвычайно желательная, и нет причин его сторониться. Существуют разные виды удовольствия. Можно без труда назвать приятным подъем на заснеженные горные вершины, преодоление себя, выполнение благородных обязательств, получение заслуженных наград. Благом является сексуальное наслаждение, благо — это и великолепный вкус еды или напитка, особенно когда содержащийся в нем алкоголь улучшает наше самочувствие. Почему же тогда удовольствие не может быть благом абсолютным? Думаю, потому, что большее благо — свобода. Особенность удовольствия в том, что можно легко стать его заложником. Успех, страсти делают нас зависимыми, и мы утрачиваем свободу управления собой. Человек, сконцентрированный на получении удовольствия, несвободен и, следовательно, несчастен. Он теряет из виду более важные ценности.

Крайний пример жизни ради наслаждения — наркотики. Попадая в организм, они дарят человеку сильнейшие внутренние переживания, едва сравнимые с высочайшими достижениями духа и плотскими радостями. Если признать удовольствие высшей ценностью, нет причин отказываться от наркотиков. А то, что они обрекают на раннюю смерть, не имеет значения. Ценой продолжительного удовольствия человек может примириться с относительно короткой жизнью, тем более что наркотическое переживание воздействует на субъективное восприятие времени и растягивает его так, что одна минута превращается почти в вечность. Почему же тогда наркотики — зло?

Какой-то инстинкт подсказывает нам, что жизнь в непрерывном наркотическом опьянении — это иллюзия. Но обязан ли человек жить с ощущением правды? И снова интуиция говорит: да, мы должны жить, уважая реальность мира. Но откуда берется и что значит эта интуиция?

И не трактуем ли мы ее произвольно, когда ставим умирающему в муках человеку капельницу с морфием?

Рассуждения о наркотиках неизбежно приводят к вопросу, имеет ли человек право распоряжаться своей жизнью. Светское общество не осуждает самоубийства, с чего бы оно стало запрещать наркоману медленно убивать себя? Руководствуясь только гуманистическими предпосылками, мы можем говорить о необходимости биологического выживания людей (а значит, и человечества), но ведь мы знаем, что планета может без нас обойтись. Верующие, воспитанные в христианских ценностях, ссылаются на естественное право, то есть на интуицию, общую для всех. Многие другие, кому чужда эта традиция, сомневаются, насколько реально естественное право. В учении Дарвина есть понятие инстинкта, требующего сохранять вид, защищать свои гены. Может быть, нужно подключить этот аргумент, чтобы рационально объяснить, почему бегство в мир иллюзий и медленная смерть организма, вызванные постоянным присутствием в нем химических веществ, — это зло. В риторике католический церкви, особенно в выступлениях папы римского Иоанна Павла II, часто встречается отсылка к цивилизации жизни, которая уважает действительность, и к цивилизации смерти. Видя физическую и духовную деградацию наркоманов, можно воочию убедиться, что это на самом деле смерть и обман. Здесь надо остановиться и задуматься, действительно ли аристотелевская триада Истина, Добро и Красота — абсолютные ценности, хоть из наших наблюдений и не следует, что мы когда-либо придем к одному из этих недостижимых идеалов.

Задумаемся также над понятием смерти. Недавно мне попался текст албанского писателя-диссидента Фатоса

Любони, где он вспоминает, как в годы диктатуры сидел в тюрьме со священником по имени Франко, которого сначала приговорили к смертной казни, а потом помиловали и заменили приговор на двадцать пять лет заключения. Автор, будучи атеистом, удивился, что священнослужитель признался в шпионаже в пользу Ватикана и, таким образом, избежал смертной казни. Писатель обратился к нему: "Ты веришь в Бога, в загробную жизнь и в то, что попадешь в рай, но зачем ты признал ложное обвинение? Разве казнь не была для тебя кратчайшим путем в рай?" Священник ответил: "Христос тоже, прежде чем его распяли, молился в Гефсиманском саду своему Отцу, чтобы тот избавил его от мук на кресте". Священник Франко Илия выжил и до самой смерти в 1997 году был архиепископом Албанской католической церкви. Однажды я мимолетно познакомился с ним. Тогда я еще не знал о его беседе с Любоней в тюремной камере, но, даже если бы знал, не решился бы задавать ему каких-либо вопросов.

История христианина, который хотел избежать смерти, наводит на мысль об исламских террористах, способных жертвовать жизнью за веру, совершая нападения на "неверных". Американский президент назвал теракт в Нью-Йорке трусливым поступком. Думаю, он ошибался. Если человек отдает жизнь за некое дело, это не может быть актом трусости, хотя, будучи потенциальными жертвами подобных атак, мы испытываем отвращение к террористу-смертнику, погибающему только затем, чтобы умертвить как можно больше представителей другого клана или последователей другой веры. Цели, преследуемой террористами, несложно дать нравственную оценку, однако хочется приглядеться к этим людям, которые с такой, казалось бы, легкостью отказываются от жизни. Чем они отличаются от отца Кольбе[1], пожертвовавшего собой ради другого человека? Верны ли наши подозрения, что их сознание неполноценно, что им неведомы ни человечность, ни истинная вера, поскольку это фанатики? Пожалуй, нам не обойтись без размышлений о том, что мы интуитивно называем полной жизнью, полноценным сознанием, полноценной человечностью. И тогда придется задуматься, что вера вере рознь. При этом нельзя поддаваться искушению кого-либо судить, но необходимо судить самих себя. Это серьезная проблема, и я не знаю, смогу ли помочь разобраться в ней, а разрешить ее невозможно.

---

1 Максимилиан Кольбе (1894–1941) — польский католический священник-францисканец, который добровольно пошел на смерть в Аушвице вместо одного из приговоренных. Этот факт лег в основу фильма Занусси "Жизнь за жизнь. Максимилиан Кольбе" (1990).

Глава 1
Детство, безгрешное, вешнее. Молодость...

"**Я** родился..." Так начинается любая биография, хотя эти слова избыточны, ведь если я пишу, значит, живу, а если живу, то должен был родиться. Я родился за три месяца до начала войны. Это было настолько давно, что сегодня необходимо уточнять: до Второй мировой войны, а не Корейской или, например, Балканской. Рассказывая об этом в России, ссылаться на войну не имеет смысла. Для жителей бывшего Советского Союза она началась в 1941 году, причем была не мировой, а отечественной, как будто не было никаких союзников, Западного фронта и программы ленд-лиза. Место рождения диктует определенную историческую перспективу. Существует ли в истории одна объективная правда? Недавно на открытой встрече в рамках Польско-российского форума гражданского диалога посол Российской Федерации категорично заявил, что поляки и россияне никогда не придут к согласию во взглядах на историю. Думаю, посол высказался в духе постмодернистского релятивизма, исходя из того, что правды не существует. Я же, напротив, хочу верить в то, что она есть, хотя ни у кого нет на нее монополии. Спустя годы мы с немцами пришли к похожим представлениям об истории. Может быть, с россиянами это тоже когда-нибудь произойдет?

Предвоенный июнь. Варшава, район Средместье. Я появился на свет в больнице то ли на улице Познаньской, то ли на Эмилии Плятер. Мы поселились на углу Иерусалимских Аллей и улицы Панкевича, в съемной квартире, где расположилась также контора отца. У него была строительная фирма, выполнявшая заказы при сооружении Главного вокзала, находившегося напротив нашего дома, на месте сегодняшнего здания железнодорожной станции Варшава-Средместье.

Помню руины Главного вокзала сразу после войны: многоэтажный портал, от взрыва накренившийся в сторону Маршалковской улицы. Должно быть, это было внушительное здание, если даже после разрушения оно производило огромное впечатление. А может, просто я был маленький, и поэтому мне все казалось таким большим? Наверное, каждый человек хранит в памяти пейзажи из детства, казавшиеся намного более просторными, нежели увиденные по прошествии лет взрослыми глазами.

Пытаясь шутливо начать свою биографию, я обычно говорю, что родился зажиточным младенцем. По рассказам, мне выделили отдельную комнату, куда можно было заходить только в белом фартуке, чтобы не занести микробы. У меня была няня: я был поздним и, по всей видимости, очень желанным ребенком, о котором чересчур заботились. Уже тогда, по воспоминаниям, я обладал мощным голосом, сопутствующим мне всю жизнь и пригождающимся в той же степени, что и высокий рост, то есть весьма спорадически. Если на съемочной площадке нужно крикнуть

Отец, Ежи Занусси, и мама, Ванда Занусси, 1941 г.

что-то без микрофона, чтобы все услышали, я вызываюсь добровольцем.

Мое детство начиналось в роскоши, но уже в сентябре на Варшаву стали падать бомбы, и чрезмерной заботе о гигиене пришел конец. Когда перестал работать водопровод, мама над свечой кипятила в ложечке воду из лужи, и, полагаю, благодаря этому у меня не бывает аллергии.

Несколько слов о родителях и родственниках, а шире — об истории. С тех пор как я женился на Эльжбете, знающей своих предков более чем за тысячу лет, я стараюсь раскапывать собственные семейные корни, однако в лучшем случае могу говорить о Венеции XVI века. История рода Занусси связана с небольшим замком в северной провинции Италии Порденоне, во Фриули. (На протяжении ста лет он принадлежал нашим родственникам: они его не строили, но и не смогли сохранить.) Кроме того, в Зальцбурге

С папой, 1941 г.

жил художник эпохи позднего барокко по фамилии Занусси, маленькая картина которого висит в венском Бельведере прямо у входа, с левой стороны.

Затем мы переносимся во времена Габсбургской монархии, когда мои предки участвовали в строительстве железной дороги, тянувшейся от Триеста до Вены и дальше через Краков в столицу Галиции Львов, который немцы называют Лембергом, а итальянцы Леополи. Так моя семья поселилась в Польше. Но все это по линии отца. История рода матери (урожденной Невядомской) быстро обрывается. Дедушка Александр родился в Сибири, судя по всему, в семье ссыльных повстанцев 1863 года. Рано осиротев, он будто бы пешком добрался до Европы: три года шел по железнодорожным путям, попал в Петербург, стал работать обойщиком и позднее открыл мастерскую, а по семейному преданию — маленькую мебельную фабрику. После революции у него уже был филиал в Варшаве (открыться он должен был раньше, поскольку мама родилась в Варшаве в первом десятилетии прошлого века и, к слову, дожила почти до ста лет).

На встречах со зрителями я охотно рассказываю семейные легенды. Мне как сценаристу легко придумывать детали, придающие событиям драматизма. Красивая история предков добавляет нам чужой славы, хотя, в сущности, это нонсенс, ведь в том, чего добились другие, нет никакой нашей заслуги. И в то же время перед нами стоят определенные обязательства, если предки установили стандарты поведения, обозначили, к чему стоит стремиться, доказали уважение к тем ценностям, которые мы разделяем.

Меня искренне забавляет и одновременно печалит снобизм тех, кто пытается повысить самооценку, подчеркивая свое благородное происхождение и аристократическое родство, греясь в лучах славы предков. Это реакция на продолжительное социальное давление в эпоху Польской Народной Республики (сокращенно — ПНР), когда людей заставляли поверить, что традиция не имеет никакого значения, что ее нужно вычеркнуть из памяти. Похожие процессы происходят и за океаном. В США изучение семейных корней вошло в моду лишь в 1960-е годы и до сих пор не закрепилось в американском менталитете. В мире, где чистильщик обуви может стать миллионером, об истории можно забыть.

А о чем стоит помнить? О том, что мы носим в себе гены предков и в чем-то на них похожи, что судьбы и конфигурации чувств повторяются в семьях, подобно стилистическим фигурам. Обратившись к истории двоюродных

С мамой, 1941 г.

дедушек и бабушек, мы без труда обнаружим, что когда-то жили люди, похожие на нас, и что они нередко совершали выбор, напоминающий тот, перед которым зачастую оказываемся и мы. Полезно знать, как это повлияло на них, что их спасало, а что губило. Эти знания могут пригодиться в жизни. Именно поэтому необходимо расспрашивать дедушек, бабушек и других родственников, как они жили, когда были молодыми, в чем сомневались и как оценивают свои решения с высоты прожитых лет. Как правило, в ответ мы получаем отчасти вымышленные истории, но, вооружившись известной критичностью, можем докопаться до правды.

Опираясь на истории предков, я придумал множество сценариев, и меня ничуть не волнует, насколько искаженными доходили до меня эти рассказы. Главное, что они интересны, и я находил в них нечто поучительное. Еще до Первой мировой войны у нас была — так мне говорили — очень красивая, богатая и к тому же умная дальняя родственница. Ее окружало несметное число мужчин, интересовавшихся то ли красотой, то ли состоянием (а возможно, тем и другим), но она прекрасно понимала, что все эти ухажеры не сравнятся с ней ни умом, ни характером, и отгоняла их как назойливых мух. В семье судачили: такая никогда не найдет себе мужа. А она нашла. Это был неизвестный поэт, человек одухотворенный, благородный и равнодушный к богатствам. С ним она могла разделить эмоциональные переживания — это было для нее самое главное. К сожалению, вскоре после свадьбы молодой поэт умер от чахотки, и по прошествии недолгого времени около несчастной вдовы вновь стали вертеться поклонники. Она по-прежнему была неприступна. Но вот чаша переполнилась, и женщина решилась на повторное замужество. Подготовка к венчанию прошла с размахом. В варшавском кафедральном соборе собрались многочисленные представители высшего общества, и на их глазах невеста на вопрос ксендза, хочет ли она взять в мужья этого человека, ответила: "Нет".

Во время работы над сценарием фильма "Контракт" мне в голову пришла эта сцена, правда, в ином, современном социальном контексте. И хотя в картине я обратил все в шутку, источником вдохновения оставалась та самая родственница, с которой мне, увы, не суждено было познакомиться, ибо она умерла, прежде чем я появился на свет.

Предлагаю ознакомиться с фрагментом "Контракта". Иногда его показывают по телевидению, и, кажется, он снова обрел актуальность, хотя повествует о нравственном упадке среднего класса в ПНР. Помню, именно это возмутило тогда одного тщеславного кинокритика (ныне модного драматурга), написавшего первую в моей карьере рецензию в стиле доноса. К счастью, это уже были времена первой "Солидарности"[1], и власть столкнулась с проблемами посерьезнее моего фильма.

В ролях: Тадеуш Ломницкий, Майя Коморовская, Магда Ярош, Кшиштоф Кольбергер, Зофья Мрозовская, Лесли Карон, Беата Тышкевич, Нина Андрыч и другие.

[▶ "Контракт"]

Сцена примерно в середине фильма, после долгих приготовлений к свадьбе. Накануне молодожены расписались, теперь настал момент венчания.

Костел. Звонят колокола, горят свечи. Приподнятое настроение. Среди гостей — вчерашние свидетели, пани Ольга с тремя артистами балета, друг жениха и еще человек пятнадцать, в том числе няня и бедная добросердечная соседка напротив. Звучит орган. На хорах поет экзальтированная дама. Невнимательный ксендз путает записки с именами. Задает сакраментальные вопросы.

Ксендз. Ты, Петр Филип, и ты, Лилиана Мария, хотите ли по собственному и непринужденному желанию вступить в брак?
Петр. Да.

---

1   Речь о событиях лета-осени 1980 г., когда был зарегистрирован Независимый самоуправляемый профсоюз "Солидарность". Под второй "Солидарностью" понимается легализация этой организации в 1989 г. и последующий приход к власти Леха Валенсы.

ЛИЛЬКА. Нет.

КСЕНДЗ (*непроизвольно*). Прошу прощения?

ЛИЛЬКА. Я не хочу. Спасибо… Простите, святой отец.

В поисках уместного для этой ситуации жеста Лилька целует ксендзу руку и резко поворачивается. Направляясь к выходу из костела, выхватывает пальто из рук шофера и выбегает на улицу. Петр секунду стоит, онемев, затем бросается вдогонку. Органист, зазевавшись, начинает играть марш Мендельсона, но быстро замолкает, поняв, что церемония остановлена.

Пани Ольга стоит у входа. Она плохо видит без очков и, удивившись, начинает поздравлять Дороту, приняв ее за мать жениха. Нина хохочет. Свен и Пенелопа по-английски обсуждают, почему венчание в Польше такое короткое.

Толпа гостей во главе с Адамом и Болеславом следует за молодыми к выходу. Бабушка собирает брошенные цветы.

Лилька бежит по обочине дороги, минуя автобусную остановку. Видит, что люди ловят машины.

Петр выбегает из костела, но Лилька уже скрылась за поворотом. Петр возвращается, подбегает к отцу.

ПЕТР. Дай ключи от машины!

Адам дает ему ключи и техпаспорт автомобиля. Петр уходит. Адам пытается взять ситуацию под контроль.

АДАМ. Дамы и господа, объявляю всем и каждому: ничего не случилось. Милые бранятся — только тешатся. Приглашаем всех к нам домой. Это в двух шагах отсюда, можно дойти пешком. Ждем!

Растерянные гости не знают, что делать. Адам в толпе, широко улыбается. Он излучает оптимизм и чувство глубокого внутреннего равновесия.

АДАМ. Ничего не случилось. Приглашаем всех. Это в двух шагах.

[∎]

Легенд, вдохновляющих писать сценарии, в нашей семье много. Правда смешивается с вымыслом. Дедушка — шляхтич-сибиряк (а может, всего лишь крестьянин из-под Груйца?), шагающий по железнодорожным путям. Рассказывали, что у него до конца дней был русский акцент, поскольку за три года пути в Европу не с кем было говорить по-польски. Таким образом, оба деда говорили с акцентом. В межвоенные годы это было, выражаясь на молодежном сленге, стремно. Вся страна радуется вновь обретенной независимости, а тут один дед (со стороны матери) говорит с русским акцентом, второй (отец моего отца) — с итальянским. Разумеется, я знаю об этом только благодаря семейному преданию, однако последствия коснулись и меня. С самого детства я по примеру отца говорю по-польски с преувеличенной безукоризненностью. Безукоризненность не порицается, но только если она не чрезмерна. За свой польский я получил немало наград, в том числе титул мастера польской речи.

Расскажу об одном своем поражении. Я был, кажется, на втором курсе, принимал активное участие в деятельности студенческих театров и однажды узнал, что создается экспериментальное телевидение, для которого ищут дикторов (сегодня говорят "ведущих"). Я, разумеется, отправил-

Во время учебы на физическом факультете Варшавского университета (1955–1959) и на съемках «Защитных цветов» в 1976 г.

ся на конкурс, надеясь, что пройду и получу отличный источник доходов. Кроме того, мне казалось очевидным, что в университете никто ни о чем не узнает, ведь во всей Варшаве тогда было лишь несколько тысяч телевизоров — у так называемых влиятельных лиц и в клубах при так называемых силовых ведомствах (им всегда были доступны достижения прогресса).

К сожалению, я проиграл на финальном этапе, да не кому-нибудь, а позднее прославившемуся любимцу публики Яну Сузину, который тогда учился на архитектурном. Подвело именно слишком правильное, неестественное произношение. Мне так и не удалось от него избавиться.

Как-то раз я публично признался в СМИ, что не люблю своей манеры говорить, сам чувствую в ней искусственность, прикрытую старательностью, и знаю: иногда это звучит претенциозно. В общем, мне не нравится в себе то, за что меня иногда хвалят. Известный сатирик Войцех Манн в 1990-е годы пригласил меня к себе на передачу и на глазах у телезрителей спросил, правда ли, что я не люблю свой стиль речи. Я ответил утвердительно, тогда он поинтересовался, не предпочту ли я в таком случае помолчать. Я согласился, и он сказал: "Давайте помолчим". В студии воцарилась минутная тишина, после чего господин Манн спросил, хорошо ли мне молчалось. Я заявил, что превосходно, и на этом откланялся. Пословица гласит: молчание — золото, — но на телевидении это точно не работает. Манн пошутил не надо мной, а над СМИ. Тогда он был настолько популярен, что многое мог себе позволить. Несомненно, это была дерзость.

Возвращаясь к теме детства, я хотел бы поднять несколько общих вопросов, на которые у меня самого ответов нет. В какой степени детство предопределяет нашу дальнейшую жизнь? Если в юности мы чем-то напитались, останется ли это с нами навсегда, или, вступая во взрослую жизнь, мы принимаем решения, пользуясь полной свободой, данной нам зрелостью? В обыденном представлении, перегруженном фрейдистскими реминисценциями, все мы заложники детства. Мы такие, какими вынуждены быть, или такие, какими быть хотим? Насколько человек свободен, а насколько зависим? XIX век мало рассуждал о зависимости, век XX, напротив, постепенно все меньше говорил о свободе. Что принесет новый век, в котором мы все глубже проникаем в тайны неврологии и механизмы, лежащие в основе нашей психики?

"Детство, безгрешное, вешнее"[1]. Так, по крайней мере, описывает его Мицкевич. О моем детстве ничего подобного

---

1 Цитата из стихотворения "Полились мои слезы…" ("Лозаннская лирика", 1839–1840) Адама Мицкевича в переводе В. Звягинцевой.

Кшиштоф Занусси — студент второго курса Лодзинской киношколы, 1963 г.

сказать нельзя. Шла война. Для ребенка это такой же кошмар, как и для взрослого, но детское восприятие выхватывает другие фрагменты реальности. Я выстроил один киносценарий вокруг эпизода, оставившего глубокий след в моей памяти, хотя мне было тогда каких-то четыре года. Это история первой несправедливости, с какой я столкнулся в своей уже сознательной жизни. Я играл один на мебельном складе при дедушкиной мастерской (или маленькой фабрике). Деда уже не было в живых, как и братьев моей мамы, так что на нее легла вся ответственность за семью (отец был далеко: вел строительные и дорожные работы где-то на "кресах"[1]). Торговля мебелью во время войны почти прекратилась: очень редко что-то покупали фольксдойче, или этнические немцы, приехавшие в Польшу на заработки. Все мамины родственни-

---

1   Восточные территории, некогда входившие в состав Польши.

ки ушли в подполье, из-за чего и погиб дедушка вместе с ее братьями. У матери с довоенных лет были подруги-еврейки, одна из них планировала побег из гетто. Мать приготовила для нее укрытие в помещении без окон рядом с мебельным складом, где мне было разрешено играть. Естественно, я ни о чем не знал и, услышав незнакомые голоса за стеной, посчитал необходимым предостеречь маму.

Приведу небольшой фрагмент сценария, по которому, правда, нельзя понять, в чем заключалась подлинная драма. В укрытии оказались совершенно чужие люди: подруга мамы погибла, пытаясь сбежать, но перед смертью успела дать адрес (на который рассчитывала сама) своим знакомым, тоже евреям. Эта драматическая история стала материалом для моего фильма, который в 1980-е годы заказал канал "Би-би-си", хотя он так и не был снят по каким-то малозначительным причинам. Кто-то решил, что темы, связанные с Холокостом, вышли из моды, а через пару лет Спилберг с успехом осуществил постановку "Списка Шиндлера". Я же остался с опубликованным в книге, никому не нужным сценарием, который точно передает ощущение утраченного доверия. Мать впервые меня обманула. Она поступила несправедливо и не позволила мне доказать свою правоту. Спустя годы, уже после войны, я напомнил ей об этой истории. Она попросила у меня прощения и сказала, что вынуждена была так поступить, хотя прекрасно понимала, что наносит мне ущерб, подрывая мое доверие.

[▶ "Темные очки"]

Мебельный склад. Смеркается. Мальчик играет в одиночестве. Он собирает карнизы и сооружает из них частокол,

*поднимая при этом такой шум, что мать приходит из кон-
торы проверить, что происходит.*

МАТЬ. Что ты тут натворил? Все в порядке?

*Мальчик не отвечает. Подходит к матери и говорит ше-
потом, будто доверяя ей большую тайну.*

МАЛЬЧИК. Мы готовимся к штурму!

*В глубине кадра — клиенты: офицер вермахта, молодая
женщина и человек в штатском.*

*Укрытие в комнате без окон, расположенной за складом.
По совету матери режим изменен, день и ночь поменялись
местами. В углу на матрасе храпит Натан. Сын Сары
и Исаака улыбается во сне, видя радостные картины, да-
лекие от окружающей их реальности. Шимон, по обыкнове-
нию, спит беспокойно — привычка врача, которого постоянно будят на ночных дежурствах.*

*Аарон не спит. Кажется, будто он готовится к каким-то
акробатическим трюкам. Лишь через некоторое время мы
понимаем: он вяжет петлю, чтобы повеситься. Светит
себе спичками, и по выхваченным из темноты фрагментам
можно проследить ход операции. Аарон близок к осущест-
влению своего намерения, но вдруг украдкой задевает спя-
щего ребенка. Ребенок открывает глаза и смотрит на мужчину, стоящего под потолком на пирамиде из ящиков и та-
буретов. На лице мужчины — предсмертное напряжение,
горящая спичка усиливает ужас.*

*Видя это, мальчик перестает улыбаться и кричит. Сара
просыпается. Шимон вскакивает с постели. Спичка гаснет.*

*У всех перед глазами остается образ человека, надевающе-
го себе на шею петлю и готового в ту же секунду прыгнуть.
Шимон молниеносным движением рушит пирамиду, старательно возведенную Аароном. Раздается вопль, словно на ле-
жащих упал демон. Натан зажигает спичку, а от нее свечу.
Аарон начинает кричать, забыв о конспирации.*

ААРОН. Оставьте меня в покое. Это мое право! Я не хочу жить!

*Шимон бьет его кулаком по спине. Возня. Слышится гром-
кий вой Аарона.*

ААРОН. Я отдал свою ампулу Мириам. У меня нет яда,
ты же мне отказал.
САРА. Ша! Я слышу голоса!

В контору вбегает мальчик, игравший на складе.

МАЛЬЧИК *(зовет)*. Мама, скорее иди туда! Там воры!
МАТЬ *(строго смотрит на него)*. Не выдумывай. Я больше не разрешаю тебе играть на складе.

*Клиенты с удивлением наблюдают, как мать в наказание
отводит плачущего мальчика в ванную. Возвращается, улыбаясь, как будто ничего не произошло. Достает из ящика
стола бутылку коньяка и, наполнив рюмки, поднимает тост.*

МАТЬ. За удачную сделку!

*Женщина, пришедшая с офицером вермахта, поначалу от-
казывается, но потом все чокаются.*

ОФИЦЕР ВЕРМАХТА. Prosit![1] *(Пристукивает каблуком.)*

В ванной заплаканный мальчик смотрит в окно на дома вдали, проглядывающие между строениями по ту сторону стены, отделяющей гетто от города.

[■]

Этот фрагмент напомнил мне о другом фильме, который, к счастью, снять удалось. В нем я тоже отталкивался от военных событий, однако облагородил антураж, создавая для немецких зрителей в конце 1970-х годов (то был период трудных и шероховатых отношений с ФРГ) образ панской Польши, страны с развитой культурой. Реальный фон этой истории был намного более невзрачен. Во время Варшавского восстания[2] мы жили, сбившись в кучу, в подвалах дома на Иерусалимских Аллеях, напротив недостроенного, хотя уже открытого здания вокзала. Вокзал обстреливали, а в нашем доме хозяином жизни был молодой и симпатичный немецкий офицер, неровно дышавший к моей маме. Мама воспользовалась его благосклонностью и получила разрешение на посещения нашей квартиры, откуда приносила все, что могло помочь нам выжить. Во время одного из таких визитов мы даже смогли увидеть отца на крыше дома неподалеку, куда он вышел в установленный по телефону час. В этом доме он случайно оказался в момент начала восстания (как инвалид с парализованной рукой отец не мог стать солдатом Армии Крайовой).

1   Ваше здоровье! *(нем.)*
2   Вооруженное восстание (1 августа — 3 октября 1944 г.) против нацистских оккупантов, организованное командованием Армии Крайовой (то есть "национальной"), подчинявшейся польскому правительству в изгнании.

Вас удивляет, что во время восстания мы говорили по телефону? Я помню, что в первые дни это было возможно.

В сценарии, действие которого происходит в польской усадьбе, важен мотив культуры, объединяющей людей, несмотря на войну. Культуры, которая в итоге не оправдывает надежд, ибо конфликт между народами имеет моральные последствия. Кто соглашается быть оккупантом, не может быть другом.

В ролях: Майя Коморовская и Матьё Карьер.

[▶ "Дороги в ночи"]

Ночь. Молодой офицер вермахта Фридерик выходит на улицу закурить перед сном. В освещенном окне флигеля за расстроенным роялем сидит Эльжбета. Она играет прелюдию Шопена, ту, что называют "Дождливой", печальную, задумчивую. Фридерик подходит к окну. Эльжбета играет неумело, видно, что она давно не садилась за инструмент. Играет по памяти и запинается на одной фразе в поисках нужного аккорда.

ФРИДЕРИК *(вполголоса)*. По-моему, до-диез.

Эльжбета бросает на него удивленный взгляд.

ФРИДЕРИК. Мне так кажется *(улыбается)*. Когда-то я играл эту прелюдию. Соль, а потом до-диез.
ЭЛЬЖБЕТА *(холодно)*. Спасибо.
ФРИДЕРИК *(элегантно)*. Могу ли я просить разрешения послушать еще? *(Стоит у приоткрытого окна, опираясь на подоконник.)*

ЭЛЬЖБЕТА. Разрешения? Разумеется, вы можете просить, но сомневаюсь, что получите его.

ФРИДЕРИК. Вы будете неблагосклонны ко мне?

ЭЛЬЖБЕТА. Я? Но меня вы не должны просить. Разве вы не узнали, что я играла?

ФРИДЕРИК. Это была одна из прелюдий.

ЭЛЬЖБЕТА. Прелюдий Шопена. А вам следует знать, что ваш соотечественник, генерал-губернатор Франк, запретил музыку Шопена на территории генерал-губернаторства. Ее нельзя ни играть, ни слушать. Быть такого не может, что вы не знаете.

ФРИДЕРИК (*сконфуженно*). Наверное, имеется в виду публичное исполнение.

Эльжбета разражается саркастическим смехом.

ЭЛЬЖБЕТА. Замечание истинного немца! Вы изучали право?

ФРИДЕРИК. Нет.

ЭЛЬЖБЕТА. Еще хуже. Видимо, у вас в крови то особое чувство права, которое не мешает вам участвовать в грабеже наших лошадей.

ФРИДЕРИК (*возмущенно*). Это была реквизиция!

ЭЛЬЖБЕТА. Я ждала, что вы это скажете! И чем же она отличается от грабежа?

ФРИДЕРИК. Но Польша проиграла войну!

ЭЛЬЖБЕТА. Не войну! Кампанию. А война еще идет, и мы по разные стороны фронта. Мне закрыть окно, чтобы вы поняли, что наш разговор неуместен?

Эльжбета встает с намерением осуществить угрозу. Фридерик салютует и возвращается во дворец. Вскоре снова раздаются звуки прелюдии. Эльжбета справилась с трудным аккордом и играет дальше, все более страстно, словно желая выместить весь гнев, вызванный разговором.

[■]

Здесь, возможно, требуется небольшой комментарий. В моем фильме детские воспоминания были далеким эхом — актуальность состояла совсем в другом. Работая над сценарием, я представлял на месте немца себя. Парадоксально, но ведь тогда я был сержантом запаса войск Варшавского договора, и на учениях нам в головы вбивали, что мы будем освобождать Запад. Нам, полякам, должна была выпасть роль освободителей датчан. Я понимал, что со своим знанием языков попаду в какой-нибудь штаб в качестве переводчика, а в Дании у меня были друзья, и мне приходилось думать о реальном выборе, перед которым я бы оказался в случае войны: покончить с собой или смириться и "культурно", по возможности аккуратно сеять насилие.

И еще постскриптум к постскриптуму. "Дороги в ночи" много раз показывали по немецкому телевидению *ARD*. В Польше премьера состоялась лишь после падения коммунистического режима, поскольку этот фильм разрушал — так мне говорили — образ ФРГ как страны, неспособной критически взглянуть на нацизм.

В 1990-е годы я получил необычное приглашение в замок Оденталь, название которого фигурирует в фильме. Хозяйка замка, княгиня Ирина цу Сайн-Витгенштейн, пожелала устроить видеопоказ с моим участием. Я приехал, не подозревая, что в первом ряду будет сидеть сын повешенного в Нюрнберге гитлеровского министра иностранных дел Иоахима Риббентропа. В памяти тут же всплыли слухи, что сын стал свидетелем казни отца, а сама экзекуция была исключительно чудовищной: якобы по вине неопытного американского палача приговоренный долго задыхался в петле. Я не знал и до сих пор не могу выяснить, какого из сыновей Риббентропа тогда встретил. Он многократно публично осуждал отца, и его приглашение было основательно продуманным решением. Тем не менее я не мог отделаться от мысли: как в таком замке, в атмосфере культуры, можно вести светские беседы с человеком, отец которого на посту государственного министра сделал все, чтобы меня не было на свете? Я часто думаю о том, в какой степени культура связана с нравственностью. Чего стоит восхищение красотой, если ему сопутствуют ненависть и презрение? Кто мне ближе по жизни — добродушный простак или изощренный преступник? Этому был посвящен мой адресованный западной публике фильм тогда, в 1970-е годы, а сегодня он, пожалуй, актуален и в отрыве от оккупационных реалий.

Я не написал ни слова о том, какими были мои родители. Мне никогда не хватало смелости говорить о них, хотя их уже давно нет в живых. Образ отца появляется во многих моих сценариях, прежде всего в "Семейной жизни", где он был ключевым персонажем (когда я пригласил его на показ фильма, он вообще себя не узнал — может, просто притворялся?). Отец был душой компании, безудержный, "средиземноморский" — моя противоположность и в то же время личный пример и главный оппонент. У нас были неровные отношения, с конфликтами, как обычно бывает в семьях с одним ребенком. Отец разочаровался во мне, когда я не пошел учиться на архитектора, а ведь продолжить династию было моим долгом. В детстве он читал мне — в пять лет я слушал "Пана Тадеуша", который совершенно не наводил на меня скуку, хотя и проигрывал Козлику-дурачку[1].

Мама была человеком еще более необыкновенным, ее любовь ко мне можно назвать идеальной — снисходительной и критичной одновременно. Благодаря ей я избежал в жизни катастрофы. В студенческие годы я сильно влюбился, но она поняла, что я направил свои чувства в неверное русло, и удержала меня от женитьбы. Говоря "неверное", я прибегаю к эвфемизму, а за ним скрывалась настоящая драма. Предмет моих воздыханий очаровал меня своей необычностью. Вскоре выяснилось, что ее источником было психическое заболевание. Другой мой союз много лет спустя мать поддержала. Уже в зрелом возрасте она уступила обязанности домохозяйки моей жене. Мама жила с нами, до самой смерти поддерживая во всем, что мы совместно предпринимали.

Когда я задумываюсь, чем обязан родителям, то хочу написать: всем. И я в этом убеждаюсь тем сильнее, чем больше встречаю людей, которые не получили такого дара от судьбы, рядом с которыми не было того, кто мог бы объяснить им мир и показать разницу между добром и злом. Я говорю так, чтобы не осуждать тех, кто представляется мне олицетворением зла, хотя вблизи выглядит довольно невинно, — они просто не знают, что́ есть зло, и распространяют его, будучи убежденными, что поступают нормально.

Образы родителей часто возникали в моих фильмах. Отец, пожалуй, чаще: я вступал с ним в полемику, цитировал его любимые выражения, копировал отдельные манеры, а потом дрожал от страха, когда он приходил на премьеру. И каждый раз повторялась одна и та же история: он

---

1   "Пан Тадеуш" — поэма Адама Мицкевича, одно из крупнейших произведений польской литературы. Козлик-дурачок — герой серии детских книг Корнеля Макушиньского.

не узнавал себя, хотя обнаруживал сходство других персонажей с кем-то из нашего окружения.

Отец появляется во многих моих картинах в качестве авторитетного патриарха — таким он был в "Семейной жизни", в среднеметражной "Роли", в "Парадигме", где его играл Витторио Гассман. Персонаж Макса фон Сюдова в "Прикосновении руки" тоже напоминает моего отца. Но ближе всего к нему герой "Семейной жизни". Его сыграл Ян Кречмар, а бунтующего сына Вита (то есть в некотором смысле меня) — Даниэль Ольбрыхский. Остальные роли: Белла, сестра Вита — Майя Коморовская, тетя — Халина Миколайская, Марек, друг блудного сына — Ян Новицкий (это собирательный образ).

[▶ "СЕМЕЙНАЯ ЖИЗНЬ"]

Самое начало 1970-х. Постепенно разваливающийся дом довоенного фабриканта, живущего с дочерью и сестрой. К ним прибывают с визитом Вит и Марек.
В столовой отец и Вит ждут, чтобы всем вместе сесть за стол. Отец движением руки приглашает гостя присесть. Вит усаживается напротив Беллы. Оставшийся столовый прибор приготовлен для тети, заваривающей чай. Элементы изысканной сервировки и весь церемониал подготовки к ужину контрастируют со скромным меню: сыр, масло, хлеб, консервы и помидоры. Отец спешит объясниться перед Мареком.

ОТЕЦ. Вы простите, что так по-спартански, но жена за границей, и дом в некотором запустении... (*Обращаясь к тетке, которая только что вошла, неся поднос с чаем.*) Ядзя, перестань суетиться и сядь наконец. Достань что-нибудь спиртное. У нас гости!

Вит бросает на отца настороженный взгляд. Тетя немного мешкает, но, не произнеся ни слова, открывает буфет. Замечает, что по рассеянности оставила ключ в дверце, и видит там две еще мокрые рюмки. Многозначительно смотрит на отца, но он не обращает на нее внимания, угощая гостя помидорами. Тетя ставит рюмки всем, кроме отца, а он берет бутылку и разливает.

МАРЕК (*пытается сопротивляться*). Я за рулем!
БЕЛЛА. До завтра протрезвеешь.

Марек уже решил, что останется, и упирается лишь для виду.

МАРЕК. После ужина мне надо ехать! Я не хочу создавать вам проблем.
ОТЕЦ. Не берите в голову, места хватит всем. Нечего ездить по ночам — утром отправитесь в путь.

Рюмка Марека уже наполнена. Вит прикрывает свою рюмку рукой.

ВИТ (*отцу*). Ты же знаешь, я вообще не пью.
ОТЕЦ. Не понимаю этого. (*Ставит его рюмку перед собой и наливает.*) Здоровье гостей, пан Марек!

Белла пьет до дна.

БЕЛЛА *(Виту, вполголоса)*. Кажется, папа сегодня устроит нам концерт.

Отец услышал ее реплику.

ОТЕЦ. Повтори вслух.
БЕЛЛА *(глупо смеется)*. Это секрет.
ОТЕЦ. За столом не рассказывают секретов. Повтори, что ты сказала.

Отец заметно меняется под воздействием алкоголя. Благовоспитанный господин превращается в витального, уверенного в себе и грозного мужчину. Он смотрит на Беллу.

БЕЛЛА *(вызывающе)*. Я выразила сожаление по поводу того, что нас сегодня ждет.
ОТЕЦ. Выразила сожаление. *(Неожиданно поворачивается к Мареку.)* Эта девушка вечно несчастна. Всегда обижена. Она, вероятно, говорила вам, что сидела в тюрьме…

Белла мгновенно становится серьезной.

БЕЛЛА. Перестань, папа…
ОТЕЦ. Я только спросил, упоминала ли ты об этом. Я ведь не говорю за что.
БЕЛЛА. Ты тоже сидел сразу после войны.
ОТЕЦ *(обращается к Мареку, словно рассказывая старый анекдот)*. Я действительно сидел, почти две недели. Профилактически, так сказать… *(Марек не понимает, что старик имеет в виду.)* Во время национа-

лизации. Тогда всех подряд сажали, опасаясь саботажа. (*Марек по-прежнему не понимает, отец удивлен.*) Разве Вит не говорил, что этот завод принадлежал нам? (*Марек слушает в изумлении, отец продолжает, будто вышел на любимую тему.*) Видите ли, мой прадед Альфред Браун был диссидентом и оказался в Польше в связи с религиозными преследованиями. Он открыл здесь мастерскую...

БЕЛЛА (*перебивает с усмешкой*). Круг замкнулся. Все начиналось и заканчивается мастерской. (*Марек не понял этого замечания, Белла быстро ему объясняет.*) Папа сейчас держит мастерскую.

Отец с неудовольствием выслушивает ее разъяснения. Возвращается к теме.

ОТЕЦ. В итоге Альфред разбогател настолько, что в конце жизни у него работало уже более двадцати человек (*указывает на фотографию, висящую над роялем*). Так выглядел завод в середине прошлого века. (*Делает глоток чая, отставляет блюдечко и берет трубку.*) Затем дело перешло к деду Влодзимежу. Он расширил персонал фабрики до пятисот рабочих: они изготавливали украшения из стекла и кристаллы. И вопреки тому, чему вас сегодня учат на лекциях по марксизму, он не был эксплуататором.

ВИТ. Дед, может, и не был, но система...

Отец снисходительно улыбается, вновь наполняет рюмки и продолжает рассказ, адресуя его исключительно Мареку.

ОТЕЦ. Еще до войны я начал производить лабораторное стекло — термоустойчивое, кислотоустойчивое, купил шведскую лицензию... *(Без тоста выпивает полрюмки.)* А они теперь расширяют отдел жароустойчивых стекол и тоже много экспортируют...

Утомленная рассказом, Белла слегка отворачивается от стола и одной рукой бренчит на рояле. Берет аккорды, когда отец ставит в своем монологе точки.

ОТЕЦ. ...в Швецию. *(Аккорд.)* Жароустойчивые сплавы — сегодня основа всего... *(Аккорд.)* Даже в спутниках... *(Снова аккорд. Громко кричит.)* Белла, перестань! Пианино расстроено.

Белла выполняет одной рукой пассаж по всей клавиатуре. Она довольна, что обратила на себя внимание. Иронически смотрит на отца.

БЕЛЛА *(Мареку, фамильярно)*. Папа предвосхитил последние достижения техники.

Белла снова разражается глупым оскорбительным смехом и делает пассаж. Отец резким движением захлопывает клавиатуру так, что Белла едва успевает убрать руки. На секунду наступает тишина. Отец продолжает спокойно говорить с Мареком.

ОТЕЦ. Мои дети тратят жизнь впустую. Вит тоже...

Марек чувствует себя обязанным запротестовать.

МАРЕК. Вит — великолепный специалист, его высоко ценят... Возможно, вы не знаете, но...

Вит (*перебивает Марека с отвращением*). Не старайся...

Отец печально качает головой и впадает в апатию. Сидит в задумчивости с отсутствующим видом. Белла замечает это и, пользуясь временной безнаказанностью, как непослушная маленькая девочка, тихонько открывает клавиатуру и вполголоса начинает декламировать, аккомпанируя себе одной рукой.

Белла. Я хочу идти сквозь огонь, в царство теней, / погруженных в чистейшую бездну небытия / и окруженных счастьем, неведомым жизни. / Огонь, ты вечная стихия, в тебе освобождение. (*Сосредоточенно смотрит на отца, но он не реагирует — молчит, разглядывая трубку. Белла разочарована, обращается к Мареку.*) Ну как тебе, понравилось?

Марек. Я в этом не разбираюсь.

Белла (*не уступает*). Ты же учился в школе, вот и скажи, что имел в виду поэт. Например, "огонь, ты вечная стихия". Нелогично, правда? Но у поэтов бывает по-всякому. Как думаешь, кто это написал? Байрон? Словацкий? Шопенгауэр? (*Марека смешит это перечисление.*) Восточные мотивы — смерть и очищение, кто же это может быть? (*Отец поднимает усталые веки, Белла немного смущается.*) Видишь, папа, он не знает, кто это написал.

Увидев серьезное лицо отца, Белла тоже становится серьезной. Отец смотрит на нее так, словно очнулся от летаргического сна.

Отец. Это я написал.

Белла понимает, что огорчила отца, но пытается обратить все в шутку.

БЕЛЛА. Вообще-то тут нечего стыдиться…

[■]

Я процитировал большой фрагмент сценария в надежде, что он точно иллюстрирует мои детские воспоминания о каком-то далеком мире, где все было устроено иначе. Отец был предпринимателем и до войны придерживался левых взглядов — он ощущал ответственность за своих рабочих (одному из них даже оплатил инженерное образование, и уже после войны они стали друзьями). К коммунизму он относился враждебно, поскольку считал, что это система, обслуживающая чиновников, а не рабочих и крестьян. К тому же со своим взрывным темпераментом он вслух говорил то, что думал, и в первой половине 1950-х его часто арестовывали. Как правило, это были задержания на несколько дней. В связи с какими-то злоупотреблениями на стройке ему дали несколько месяцев, хотя даже не вынесли обвинения. Тогда я уже был студентом и помню свидание в тюрьме в варшавском районе Мокотув. Мне запомнилась беспомощность отца. Находясь за решеткой, он утратил весь свой авторитет, был беззащитен и как-то притих. Я сочувствовал ему, а в глубине души был разочарован. Дома отца называли львом — якобы из-за пышной шевелюры, а на самом деле потому, что он был властный, словно царь зверей. В тюрьме он выглядел жалким, как лев в клетке.

Современному читателю непонятно, как в 1950-е годы люди попадали в тюрьму, — почему задерживали инженера среднего возраста, работавшего на государственных стройках. Мне в память запала история о визите делегации советских строителей. Это было зимой. В ходе бетонирования перекрытий свежий бетон накрывали циновками, потому что температура приближалась к нулю. Советские специалисты похвалились, что у них есть цемент, который схватывается даже на морозе, из чего польские трудяги сделали вывод: нужно снять с бетона соломенные циновки, поскольку это признак отсталости. Узнав об этом, отец послал рабочих к черту, выгнал гостей со стройки, а вечером был арестован. Этот эпизод научил меня не допускать спонтанных реакций, и я до сих пор стараюсь сдерживать в себе любые резкие порывы. Во мне не найти и следа генов итальянских предков. А по поводу спонтанности я часто схлестываюсь со студентами, для которых это противоположность фальши, искусственности, лицемерию — одним словом, абсолютная добродетель. Я же из духа противоречия твержу, что спонтанность, или стихийность, высвобождает в человеке инстинктивное, то есть животное.

Что проявляется в наших инстинктах: душевные порывы или просто желание выжить? Я наблюдаю за малышами и вижу, как спонтанно они защищают свои интересы, не обращая внимания ни на кого, как отбирают чужие игрушки и орут, когда мы хотим забрать что-то у них. В романе "В пустыне и пуще" ("В дебрях Африки") Генрик Сенкевич описывал мораль Кали: "Если Кали забрать у кого-то корову, это хорошо, а если у Кали кто-то забрать корову — плохо". Не знаю, поддался ли Сенкевич влиянию колониальной антропологии или действительно столкнулся с проявлениями духовного примитивизма, с которым все мы рождаемся и от которого освобождаемся благодаря культуре, то есть духовным ценностям, познаваемым в процессе воспитания. Вопрос, хороший человек по своей приро-

Ян Новицкий, Кшиштоф Занусси и Ян Кречмар на съемочной площадке "Семейной жизни", 1970 г.

де или плохой, оставлю философам XVIII века. Жан-Жак Руссо не убедил меня своим оптимизмом. А если вернуться к спонтанности, то чаще всего, по-моему, она является синонимом невоспитанности. Перед глазами стоит сцена в трамвае: молодые люди, непринужденно веселясь, возвращаются с вечеринки и не замечают, что рядом люди, утирая слезы, едут с похорон, — здесь спонтанность равнозначна хамству.

Бывают ли маленькие дети грубыми? Не возьму на себя смелость ответить утвердительно, но склоняюсь к мысли, что это так. Все мы рождаемся животными, проходим этап пещерного человека и достигаем (или не достигаем) вершин человечности, выражением которой является культура.

Культура чувств, определяющая поведение. Здесь я приведу финал литературного сценария фильма "Защитные цвета". В этой ленте я размышлял о том, что в каждом человеке сидит животное.

В ролях: Збигнев Запасевич и Петр Гарлицкий.

[▶ "Защитные цвета"]

Ярек теряет контроль над собой, замахивается и ударом в область желудка валит Якуба на землю. Безвольное тело скатывается по склону, ударяясь о большие бетонные блоки и цепляясь за стальные прутья, вылезающие из кусков бетона. Ярек смотрит ему вслед, будто сам удивлен последствием своих действий, и с недоверием прислушивается. Якуб лежит у подножия откоса, не подавая никаких признаков жизни. Ярек осторожно спускается, задевая камешки, лавиной осыпающиеся на Якуба. Однако тот неподвижен. Наклоняясь, Ярек видит на его лице маленькую струйку крови.

Ярек *(недоверчиво).* Якуб! *(Прикасается к лежащему, Ярек напуган, словно осознание случившегося приходит к нему с задержкой.)* Якуб! Господи боже! Это невозможно! *(Хочет поднять Якуба, но боится усугубить ситуацию. Говорит умоляющим тоном.)* Якуб!

Ярек растерянно оглядывается по сторонам в поисках помощи. Замечает смоляную бочку, наполненную дождевой водой. Подбегает к ней и набирает воду в ладони. Возвращается намочить лицо Якуба, наклоняется к нему и прикладывает ухо к груди. Якуб подает слабые признаки жизни: дышит неровно, присвистывая сквозь приоткрытые губы, высовывает язык. Вытекающая слюна блокирует ему дыхание, он хрипит.

Склонившись над ним, Ярек дрожит от ужаса, не в состоянии понять, что произошло. Опираясь о бетонный блок, машинально бьется головой о каменную поверхность. Спустя некоторое время собирается с силами, встает, беззвучно плача, осматривается, чтобы позвать на помощь, но понимает, что рассчитывать не на кого. Смотрит на лежащего Якуба, поправляет его положение, решает повторить операцию с водой. Бежит к бочке, достает платок, погружает в воду, выжимает. Возвращаясь с платком к Якубу, видит, что тело странным образом переместилось. Ничего не понимая, наклоняется и начинает вытирать его лицо мокрым платком, после чего расстегивает воротник и кладет на шею холодный компресс. Находит фонарь, выпавший из рук Якуба при падении. Включает его, вытирает руки и осторожно приподнимает веки Якуба, светя ему в глаза. Видит реакцию, радуется. Хочет вскочить и бежать за подмогой, как вдруг Якуб хватает его за ногу. Якуб приподнимается на локтях и с улыбкой наблюдает шок, который испытывает Ярек. Вскоре становится серьезным, видя неистовое бешенство друга. Оба медленно встают.

Еще улыбаясь, но сохраняя бдительность, Якуб осторожно делает несколько шагов назад. Ярек следует за ним. Начинается погоня. Якуб бежит зигзагами, запутывая противника. Пыхтя, выкрикивает слова примирения.

Якуб. Перестань, ты сошел с ума...

В интонации Якуба чувствуется настоящий страх. Ярек, ослепленный злостью, ничего не слышит. Настигает Якуба у бочки.

Якуб. Прекрати, я больше не буду...

Ярек изо всех сил ударяет Якуба, затем хватает за шею и погружает его голову в бочку с водой. Якуб начинает задыхаться. Борьба приобретает совершенно серьезный оборот. Обессиленный Якуб глотает воду, а когда Ярек на секунду вытаскивает его на поверхность, выплевывает все ему в лицо. Снова оказавшись под водой, перестает сопротивляться. Когда Ярек отпускает его, давится, выплевывает песок и гнилые листья. Бессильно опускается на землю. Ярек, столь же измученный, садится рядом с ним. Долго молчат, тяжело дыша.

Якуб *(с усилием)*. Вот видишь... Наконец-то из тебя вышел зверь. *(Удовлетворенно смеется.)*

Ярек *(не сразу понял, что Якуб имеет в виду. Говорит срывающимся голосом)*. Если бы он вышел, ты бы уже был мертв.

Якуб задумывается.

Якуб *(тихо, как бы самому себе)*. Кто знает, может, для меня так было бы лучше...

Якуб сидит без сил, пронзительно печальный, с него стекает вода. Рядом Ярек дрожит от холода. Моросит дождь.

*Оба тупо уставились на заросли камыша, где укрылись при-
брежные птицы. Птицы смотрят на них, крутя головами.
Постепенно светает.*

[■]

Железный стереотип заставляет нас вспоминать детство
как беззаботное и радостное время, но это не мой случай.
Ни война, ни школьные годы таковыми не были. Я думаю
о них как о худшем периоде своей жизни. Именно отсюда идут мои шутки, что юность ужасна, но, к счастью, быстро заканчивается.

Помню конец войны — мы были в Кракове, куда судьба забросила нас, когда после Варшавского восстания шла
эвакуация из столицы. От того времени у меня осталось
одно очень кинематографичное воспоминание. Мы ехали
в неизвестность из пересыльного лагеря, располагавшегося
под Варшавой, в Урсусе. Везли в сносных условиях, в наби-
том битком пассажирском поезде. Много позже, уже после
войны, я узнал от одного из уцелевших попутчиков, что
поезд направлялся в Освенцим. У моей матери была хорошая интуиция, и она решила, что нам нужно спрыгнуть,
чтобы спастись. Лишь сейчас, когда пишу об этом спустя
годы, я понимаю, как быстро она приняла решение: Ур-
сус и Прушкув отделяют каких-то десять-пятнадцать минут езды. Поезд шел довольно медленно, но на его крыше сидела железнодорожная охрана — старые вермахтов-
цы последнего призыва, и мать решила, что, когда состав
замедлит ход, она сначала столкнет меня, а потом прыгнет
сама. Она сообщила мне об этом довольно невыразитель-
но и велела завернуться в одеяло, которое было очень важ-

ным элементом нашего багажа. Помню, как упал на перрон, чуть дальше — мама, и мы понеслись сломя голову, поскольку нацистские офицеры стреляли вслепую с крыши удалявшегося поезда. Вскоре мы оказались на территории знаменитой Творковской психиатрической лечебницы в Восточном Прушкуве.

Перипетии в этой больнице имели продолжение. Сценарий фильма "Если ты где-нибудь есть…" я написал на основе рассказов ее директора, профессора Качановского, об одной пациентке, которую болезнь довела до животного уровня. Я общался с профессором дважды: первый раз, когда меня прятали в больнице от немцев, и примерно через тридцать лет на съемках "Иллюминации", где он выступил консультантом.

Конец войны ассоциируется у меня с такой картиной: трупы немецких солдат в парке на краковских Плантах. Когда я увидел их впервые, на них были мундиры и сапоги. На следующий день их уже обворовали. Будучи ребенком, я больше переживал из-за кражи, нежели смерти. Вступление Украинского фронта в Краков, первые дни эйфории и чуть позже — первые тревожные вести, обсуждаемые дома за столом: об арестах, о том, что кто-то пропал. Помню на Кармелитской улице погоню, как в боевике (хотя тогда еще не знал, что такое боевик): советский газик гнался за какой-то гражданской машиной, и она разбилась на повороте. Не знаю, выжил ли водитель, — мать прикрыла мне глаза рукой.

Сегодня мне часто приходится слышать от россиян упреки полякам в неблагодарности, ведь русские солдаты отдавали жизни за нашу свободу, а теперь поляки оскверняют их могилы и памятники. На это я отвечаю, что чаще всего "неизвестные злоумышленники" в таких инцидентах

Во время съемок дипломного фильма "Смерть провинциала", 1966 г.

не являются местными жителями, а у народа, который более тысячи лет исповедует христианство, сохраняется уважение к смерти (впрочем, состояние немецких кладбищ на так называемых Возвращенных землях[1] этому противоречит). Проблема же заключается в самом термине "освобождение". Необходимо справедливо разделять немецкую, гитлеровскую оккупацию и ситуацию в эпоху Польской Народной Республики. Немцам нужно было наше *Lebensraum*[2], в их планы входило полное уничтожение польского народа. Советы хотели нас сохранить, но при этом покорить. Когда теперь россияне с такой обидой упрекают нас в неблагодарности, я спрашиваю, согласны ли они, что страны

---

[1] Возвращенные земли — территории, исторически принадлежавшие Польше, но подвергшиеся германизации в Средние века и долгое время входившие в состав Германии. Были "возвращены" после Второй мировой войны.

[2] "Жизненное пространство" (*нем.*).

так называемой народной демократии (или "советские сателлиты") не были независимы, хотя, в отличие от Прибалтийских республик или Украины, обладали частичной суверенностью, — и разумные современные россияне соглашаются без сопротивления. Но ведь "полусуверенитет" означает также "полуоккупацию", — с этим они уже согласиться не могут.

Сцену вступления Красной армии в Краков я включил в фильм "Из далекой страны". О приключениях во время съемок группировки советских войск на Рыночной площади зимой 1981 года, когда на границе с Украиной стояли советские дивизии, готовые прийти на помощь нашим коммунистическим властям, я несколько лет назад рассказал в эпизоде альманаха "Солидарность, Солидарность...".

Перейду к школьным годам. Варшава в руинах. Наша квартира-контора на Иерусалимских Аллеях каким-то чудом уцелела, хотя вокзал напротив нее взлетел на воздух. Неподалеку, на углу Новогродской и Эмилии Плятер, открылась частная школа Войцеха Гурского, куда я и пошел учиться. Меня быстро перевели во второй класс, поскольку в первом я изнывал от скуки. Это была начальная и средняя школа — учеба длилась одиннадцать лет. Экзамены на аттестат зрелости я сдал в 1955 году. Мне было тогда пятнадцать полных лет, так что я отношусь к категории детей с ранним развитием. Звучит как повод для гордости, а на деле означает, что у меня украли детство. Как и многие ровесники, я был этаким "стареньким юнцом".

О том, как сталинские годы усугубили потери, понесенные во время войны, я пытался поведать в фильме "Галоп", снятом уже в независимой Польше. Сценарий начал писать сразу после выхода "Структуры кристалла", но в середине работы понял, что при Гомулке[1] никто не даст мне этого снять. В свободной Польше я решил переждать первую волну расчетов с прошлым, потому что история была несерьезна. На фоне рассказов о политических гонениях рубежа 1940–1950-х годов эпизод из моих школьных лет казался пустяком, и именно так к нему отнеслись коллеги, заседавшие в жюри Национального кинофестиваля в Гдыне, не присудив Гран-при в связи с отсутствием в конкурсе "серьезного кандидата". Я удовлетворился вторым призом, хотя с высоты прошедших лет мне представляется, что их упрек был проявлением обыкновенного малодушия. Художники с трудом прощают обиды, если задеты их амбиции и гордость, однако элементарные требования психической гигиены велят избавляться от негативных мыслей. Я до сих пор сожалею о том, как был недооценен "Галоп" (а позднее "Персона нон грата" и совсем недавно "Инородное тело"), но, с другой стороны, призы и награды занимают у меня дома огромную полку, и не стоит сетовать, что их могло быть больше.

В легком жанре комедии "Галоп" повествует о вещах, которые для ребенка были отнюдь не простыми. Сталинская школа (в таковую переделали бывшую школу Гурского) не раз ставила меня перед необходимостью рискованного выбора. Чтобы фильм или роман получился более увлекательным, реальные события часто драматизируют. Я же, наоборот, многое смягчал, опасаясь, что зрители молодого поколения мне просто не поверят. Приведу пример. Когда умер Сталин, по дороге в школу я зашел в костел и спросил священника: что церковь говорит о людях, безоговорочно достойных осуждения; находится ли Сталин в аду с мо-

---

1   *Владислав Гомулка* — первый секретарь ЦК Польской объединенной рабочей партии в 1956–1970 гг.

На съемках фильма "Структура кристалла", 1968 г.

мента смерти или попадет туда только после похорон? Мне не давали покоя впечатления от книг Сведенборга[1], "оккультные сенсации", утверждавшие, что душа после смерти некоторое время блуждает по земле, как по чистилищу, и переносится в бесконечность, то есть оказывается во вневременной действительности, лишь через несколько дней (в православии традиция сороковин отражает похожие верования). Меня до сих пор завораживает мысль об этом стыке между конечным и бесконечным, между временем и тем, что находится за его горизонтом. Но представьте себе ужас ксендза, когда маленький ребенок задал ему вопрос, за который можно было на долгие годы сесть в тюрьму. Разумеется, я услышал в ответ, что в учении Церкви и речи

---

1   *Эммануил Сведенборг* (1688–1772) — шведский ученый-естествоиспытатель, христианский мистик и теософ. Автор фундаментального труда "О небесах, о мире духов и об аде".

нет о том, что кто-либо будет осужден, что пути Господни неисповедимы, и был крайне разочарован. А священник, подозреваю, надолго запомнил жуткого мальчика с провокационным вопросом в день смерти "вождя народов".

Прежде чем представить сцену из фильма, хочу поделиться достаточно щекотливым замечанием, которое, в общем, касается кинематографического ремесла, но связано с такой тонкой сферой, как человеческое тщеславие. Главный герой фильма должен вызывать симпатию. Он не обязан быть красивым, не обязан всегда верно поступать, но должен рождать у зрителя положительные эмоции, чтобы ему хотелось идентифицировать себя с персонажем. Снимая "Галоп", я оказался перед подобной проблемой: если взять на главную роль мальчика, похожего на меня в детстве, зритель сразу дистанцируется от героя, потому что, по моим воспоминаниям, я не был особенно обаятельным ребенком. Я был достаточно замкнут, несколько асоциален, что свойственно детям, у которых нет братьев и сестер, умничал, а ко всему прочему, носил очки и имел склонность к полноте. В итоге я выбрал мальчика (сегодня это уже успешный актер Бартош Обухович), обладавшего располагающей наружностью и без труда завоевывавшего симпатию. Если бы я так выглядел в детстве, мне бы не пришлось становиться художником: вероятно, я бы проще налаживал контакты с людьми. Но мне приходится делать это, рассказывая истории, благодаря которым иногда я обретаю друзей или сторонников, но иногда и заклятых врагов. С целью подчеркнуть, что герой фильма — это я сам лишь отчасти, я поменял его имя на Хуберт.

Дилеммы сталинских лет были связаны с тем, что не существовало ни одного простого решения, кроме отчаянной борьбы с превосходящим по силам противником. Чтобы выжить, нужно было изворачиваться, избегая лобовых столкновений, ибо то был прямой путь за решетку или на виселицу. Будучи школьником, я осознавал, что не имею права деклассироваться и должен продержаться. А продержаться — значит не деклассироваться.

Деклассирование — забытое сегодня слово. Оно означает утрату определенного уровня, что следует понимать широко: речь идет не о потере социального статуса, а об опасности оподлиться. Старинный рыцарский девиз — *noblesse oblige* — подразумевает, что человек чести не опускается до уровня противника, не позволяет себе недостойных или низких поступков, даже если что-то от этого теряет. "Благородное происхождение обязывает". А теперь иллюстрация из фильма "Галоп".

В ролях: Майя Коморовская, Бартош Обухович.

[▶ "Галоп"]

Умер Сталин. Хуберт и Казик принудительно несут караул в коридоре школы у бюста из гипса. На дворе ночь. Мальчики начинают нервно хихикать. Это видит их одноклассник Владек, с которым Хуберт соперничает за лидерство. Утром Владек доносит на ребят директрисе. Вскоре в ее кабинете начинается разбирательство. Владек произносит обвинительную речь.

ВЛАДЕК. Они смеялись в 0:28 ночи. Покатывались со смеху и показывали оскорбительные жесты. Особенно Хуберт.

ДИРЕКТРИСА (*Владеку*). А ты не отреагировал?

ВЛАДЕК (*с гордостью*). Я все записал.

ХУБЕРТ. Это вранье! Никто не показывал никаких жестов.

ВЛАДЕК. Он еще в прошлом году на параде продемонстрировал, что он — темная реакция.

ХУБЕРТ. Он борется со мной за первое место в классе.

ДИРЕКТРИСА. Довольно. Дело серьезное и будет рассмотрено на ближайшем педсовете. А пока вы оба, Хуберт и Казик, временно отстраняетесь от занятий.

Мальчики выходят в коридор. Владек шепотом угрожает Хуберту.

ВЛАДЕК. Ну теперь ты вылетишь из школы, вот увидишь.

Вечер. Тетя в атмосфере всеобщей неразберихи завершает урок французского с Ксаверием, старшим двоюродным братом Хуберта. Ксаверий, засыпая от усталости, механически повторяет спряжение какого-то глагола.

КСАВЕРИЙ. Я не могу. Уже ни на что не способен. После этой работы ничего не соображаю, она выжала из меня все соки.

ТЕТЯ (*резко*). Соберись. Ты же знаешь, что тебе грозит: деклассирование. Понимаешь, что это значит?!

Ксаверий благодарит за урок, собирает тетради и уходит.

ХУБЕРТ. Я хотел посоветоваться.

ТЕТЯ. По какому вопросу?

ХУБЕРТ. Нравственному. Я сомневаюсь, что можно делать, а что нельзя.

ТЕТЯ *(раздраженно)*. О, ты обратился не по адресу. У меня остались одни сомнения и наверняка посерьезнее, чем у тебя. Посоветуйся с кем-нибудь поумнее. Я не знаю, хорошо ли то, что я делаю. Вопросы совести — это не ко мне, правда.

Наутро, перед уроками, Хуберт приходит в костел. С портфелем за спиной без очереди проталкивается к исповедальне. Ксендз смотрит на него удивленно.

ХУБЕРТ *(шепотом)*. Святой отец, я не согрешил, но хотел узнать, греховно ли то, что собираюсь сделать. У меня уже была похожая проблема. Я подглядывал, хотя не за чем было, и не признался на исповеди, а теперь намереваюсь... Простите, но я тороплюсь в школу.

Исповедующиеся нетерпеливо шикают.

КСЕНДЗ. Приходи ко мне в ризницу после школы.

ХУБЕРТ. Будет уже слишком поздно.

В отчаянии Хуберт уходит.

Суд над Хубертом перед всем классом. Кроме директора школы присутствуют классная руководительница и трое учителей. Выслушивают обвинения Владека.

ВЛАДЕК. Он повторял сообщения, услышанные по вражескому радио.

Хуберт краснеет как рак.

ДИРЕКТРИСА *(Хуберту)*. Это правда?
ХУБЕРТ. Я просто учу язык.

Воцаряется тишина. Хуберт под партой подкладывает что-то в портфель Владека. Последний продолжает говорить.

ВЛАДЕК. Он сеет неверие в социализм и повторяет то, что там услышал.
ДИРЕКТРИСА. Это еще более серьезное обвинение.
ХУБЕРТ. Он врет! А сам читает книги, изъятые из библиотек.
ВЛАДЕК. Вранье! Докажи.
ХУБЕРТ. Тогда покажи, что у тебя в портфеле.

Владек уверенно достает портфель и передает директрисе, она высыпает все содержимое на стол. Среди учебников и тетрадей оказывается книжка, та самая, которую раньше Хуберт просматривал у матери в библиотеке, — "Ленин" Оссендовского[1]. Владек неистово кричит.

ВЛАДЕК. Это его, он хотел дать мне почитать!
ДИРЕКТРИСА *(Владеку)*. А ты хотел прочесть? *(Обоим.)* Откуда взялась эта книга?
ХУБЕРТ *(в отчаянии)*. Я нашел ее.

Директриса внимательно рассматривает книгу. Поднимает ее над головой, открывает и всем демонстрирует.

---

1 "Ленин" (1930) — биографический роман русско-польского путешественника, ученого и писателя Фердинанда Оссендовского (1876–1945), участника революции 1905 г., разочаровавшегося в революционном движении. Книга развенчивала миф о "вожде мирового пролетариата".

ДИРЕКТРИСА. Надо же, кто-то вырвал титульный лист. Но посмотрим дальше.

Листает и находит штамп библиотеки родного города Хуберта. Захлопывает книгу, тем самым закрывая дело. Строго обращается к Хуберту.

ДИРЕКТРИСА. Собирай вещи!

Чуть позже в кабинете директора. Присутствуют: Хуберт, тетя, старший товарищ из госбезопасности и директриса. Запрещенная книга лежит на столе. Под присмотром человека из органов директриса отдает тете документы Хуберта.

ДИРЕКТРИСА *(тете)*. Не вижу смысла продолжать этот разговор. Не знаю, как вам подскажет поступить партийная совесть, однако я не могу представить себе, чтобы Хуберт продолжил обучение в школе. Думаю, ему лучше всего пойти работать, начального образования вполне достаточно. Седьмой класс окончит заочно. Возможно, рабочий класс научит его тому, чему не смогла научить школа.

[■]

И все же в школу я вернулся. В фильме — поскольку удалось добиться протекции всемогущего министра госбезопасности. А в жизни помогло покровительство, обретенное благодаря тому, что во время войны моя мать спасла несколько человек из гетто. Кто-то из них, поселившись потом в Израиле, подключил свои связи в Польше, и мне позволили восстановиться. Так я избежал ремесленного училища, куда меня ненадолго отправили, и запомнил: надо сделать все, что в моих силах, чтобы продержаться до выпускных экзаменов и поступить в институт.

В "Галопе" выведен образ кузена Ксаверия, устраивающегося на работу водителем бульдозера, чтобы таким образом ввести в заблуждение приемную комиссию в институте. Все ли сегодня помнят, что в те годы действовало так называемое правило *numerus clausus*[1]? В высших учебных заведениях на каждый факультет брали определенное число студентов, и случалось, что кто-то проходил вступительные испытания, но не поступал "по причине отсутствия мест". Таково было официальное объяснение, однако на деле достаточно частым препятствием становилось "неправильное" социальное происхождение. Старшего брата моей жены шесть раз не принимали в институт, несмотря на успешно сданные экзамены, а все из-за аристократической фамилии. У "процентной нормы" была своя политическая цель: слишком образованное общество могло проявить недовольство, хромавшая экономика не нуждалась в таком количестве людей с высшим образованием.

Отсюда вопросы: зачем учиться и кто должен чувствовать себя деклассированным? Таксист, обучающийся на философском факультете, поднимается по социальной лестнице, а философ, зарабатывающий извозом, ощущает себя униженным, — правильно ли это? В сталинскую эпоху многие интеллектуалы и бывшие собственники брались за самую унизительную работу. Я знал одного человека в возрасте, окончившего несколько факультетов, которо-

---

1 Дословно — "ограниченное число" (*лат.*). Процентная норма представителей какой-либо группы населения среди студентов, служащих и т. п.

му в 1950-е годы было разрешено работать только сторожем. Ночами он бродил по фабрике с палкой в руках и отпугивал воров, а в свободное время, сидя в сторожке, читал в оригинале Платона. Кем он был — интеллектуалом, чья жизнь обогащалась благодаря философии? А выполняя обязанности сторожа, был собой, как и во время чтения Платона? Каждому ли под силу выдержать такое расслоение личности? Страх деклассирования, т. е. потери общественного положения, для многих представителей моего поколения означал страх потери идентичности: если я много лет проработаю водителем бульдозера, то начну думать, как рядовой рабочий на стройке, обреченный на известную тривиальность мышления и скуку. Буду говорить ни о чем и думать о пустом. Если же ежедневно соприкасаться с высокими материями, то даже при всей своей ничтожности можно подняться выше, расширить горизонт. Есть выражение "хотеть — значит мочь". Но как хотеть, когда окружающая реальность тянет нас вниз? На протяжении многих лет я наблюдаю за человеческими судьбами и знаю, что иногда дух в состоянии свернуть горы, однако чаще человек все же ломается под тяжестью обстоятельств. Вот откуда берется страх оказаться в такой жизненной ситуации, когда обстоятельства раздавят тебя.

Детство и юность, проходившие в годы давления, поселили во мне чувство, что жизнь — опасное приключение, в котором очень легко проиграть. Работая над "Галопом", я в драматургических целях "перенес" отца за границу (на самом деле он был в Польше, но мне часто его не хватало, поскольку он либо пропадал на работе, либо находился под арестом). Приведу еще один фрагмент сценария этой картины, где отражается вся запутанность той системы: с одной стороны, нам можно было поддерживать связь с заграницей, с другой — эти контакты могли дорого обойтись. Поэтому, например, звонить в страны вражеского империалистического Запада было возможно, но рискованно, приходилось обманывать, прося соединить с социалистической Прагой. (Моя тетя, знавшая несколько языков, работала на почте телефонисткой.) В моей истории появляется мотив отречения: не желая признаваться, что я был министрантом в церкви, я спрятал доказательство — фотографии. Я отрекся от веры, но священник отчасти меня похвалил, ибо можно простить небольшую ложь или замалчивание перед лицом насилия. Такое поведение недостойно похвалы, но оправдано целью — выстоять, не дать себя погубить, выбросить на обочину жизни, деклассировать.

В ролях: Майя Коморовская, Бартош Обухович.

[▶ "Галоп"]

Тетя. Я вижу, из тебя вырастет настоящий мужчина, и придумала тебе награду. Мы попытаемся позвонить отцу. Разумеется, тайно.

Проходит некоторое время, Хуберт стоит около служебного входа на почту. Тетя выходит, приветствуя вахтера, который, судя по всему, ее знает: не проверяя пропуск, он с улыбкой кланяется ей.

ВАХТЕР. До свидания, пани Ида.

Тетя и Хуберт прячутся за углом. Тетя протягивает Хуберту записку.

ТЕТЯ. Зайдешь и закажешь этот разговор. Заплатишь за три минуты. Тебя вызовут в кабину: если услышишь чужой голос, скажешь, что ошибка, а если мой — спокойно жди. Если получится, соединю тебя с Лондоном. Надеюсь, отец будет дома. Когда он подойдет, ты скажешь только одну фразу и положишь трубку. Больше нельзя, ты же понимаешь.

Пока тетя дает инструкции, с ней происходят метаморфозы. Она меняет прическу, прикалывает себе косу, достает из сумки другую кофту и надевает ее, а саму сумку выворачивает наизнанку — теперь она другого цвета. Когда тетя вновь заходит на почту, тот же вахтер здоровается с ней, как со старой знакомой, не требуя показывать пропуск.

ВАХТЕР. Добрый день, пани Эмилия.

В переговорном пункте Хуберт заказывает разговор с Прагой, платит в окошке и заходит в указанную кабинку. Поднимает трубку, слышит голос тети, а потом мужской голос.

ГОЛОС. Кто это?

Поначалу Хуберт не может выдавить из себя ни слова.

ХУБЕРТ *(сделав усилие)*. Это я, папа.

У ручного коммутатора в наушниках сидит тетя, слушает их разговор.

ХУБЕРТ. Это я, папа. Я хорошо учусь и когда-нибудь приеду к тебе.

ТЕТЯ *(вмешивается в разговор, изображая гнев).* Что это еще за шутки, кто там развлекается?

Обрывает соединение, глядя на контролера, успевшего заинтересоваться происходящим. Хуберт выходит из кабинки.

СЛУЖАЩАЯ. Разговор окончен?

ХУБЕРТ *(полусознательно).* Да, да.

Хуберт выбегает на улицу в волнении, смешанном с неудовлетворенностью.

Контролер в негодовании склонился над тетей.

КОНТРОЛЕР. Вы что, глухая? С кем вы соединяете?

ТЕТЯ. Какая угодно, только не глухая! Я, между прочим, пела в опере. Здесь просто что-то перепуталось.

[■]

Мое детство пришлось на 40–50-е годы прошлого века. Вспоминая людей, которых мне довелось тогда видеть, я чувствую себя динозавром, существом из древней эпохи. А если я сам поражаюсь тому, что события, кажущиеся вчерашним днем, происходили полвека назад, могу представить себе, насколько далекими они должны быть для тех из вас, кто не прожил на земле и четверти века.

Не буду вдаваться в рассуждения о том, как быстро летит время. Веками разные люди примерно так же удивлялись этому, и в молодости их откровения казались мне банальными. Если я теперь последую их примеру, то повторю ту же ошибку.

Прежде чем перейти к следующей теме, сделаю отступление о динозаврах. В годы моей юности они не были так популярны, как сейчас: Стивен Спилберг еще не успел прославить их своим фильмом с многочисленными спецэффектами. В "Парке юрского периода" главную роль исполнил новозеландский и австралийский актер Сэм Нил, ранее сыгравший в моей картине о папе римском, так что мне просто пришлось заинтересоваться динозаврами. Думаю, что не стал бы смотреть этот фильм по своей воле, поскольку где-то в глубине подсознания испытываю искреннее отвращение и страх по отношению к рептилиям. Как раз на этих чувствах играет Стивен Спилберг и, должен признать, у него превосходно получается. В моем детстве динозавры присутствовали на страницах учебников и в музеях естественной истории, где выставляли их скелеты, скрепляя проволокой найденные где-то кости. Эти кости по сей день вызывают во мне ужас, ибо они не гипотеза, а исторический факт. При входе в костел в варшавском районе Вилянув висела и, наверное, до сих пор висит кость мамонта. Ребенком я, трепеща, вставал под ней, высоко задрав голову, и представлял, что когда-то по нашей земле ходили животные размером с одноквартирный дом. Если не мамонт, то динозавр уж точно был животным таких масштабов, и я вычитал где-то, что иррациональная боязнь пресмыкающихся и земноводных, которую я разделяю с великим множеством людей, может объясняться записанной в нас генетической памятью: страх маленького млекопитающего перед гигантской рептилией. Не знаю, есть ли в этой теории доля истины, но сама идея вдохновляет. В таких случаях итальянцы говорят: *se non è vero, è ben trovato* — "даже если это неправда, то хорошо придумано". На публичных выступлениях я люблю прибегать ко всяким поговоркам, дабы приукрасить рассказ. Я посмеялся над этой склонностью в фильме "Персона нон грата", где два дипломата упрекают друг друга в сомнительном происхождении *bon mot*[1] — эффектных изречений, которыми снабжают их спичрайтеры. Работая над этой книгой, я с грустью думаю, что мне бы пригодился такой подсказчик. Правда, тогда бы он стал соавтором…

Но разве плохо, если книга получилась лучше или по крайней мере занимательнее? Так ли уж важно читателю общаться только со мной, единственным автором, несущим личную ответственность за каждое написанное слово? Еще недавно подобный вопрос и в голову бы не пришел, но сегодня даже книги создаются усилиями авторских коллективов. Пытаясь разобраться, хорошо это или плохо, мы оказываемся перед сложной проблемой того вида общения, которым является чтение книги. Насколько важно для человека говорить с другим доверительно, один на один, или же его вполне может устроить коллективная беседа? В эпоху Интернета все больше ценится анонимность общения. Как с разговорами в поезде, где проще всего излить душу случайному попутчику, который наверняка выйдет на другой станции.

Исходной точкой моих лирических отступлений стало сравнение с динозавром. Эта роль может носить метафо-

---

1   "Остроты" (*франц.*).

рический характер — я помню минувшие времена. А длинная преамбула предназначалась для того, чтобы похвастаться тем, что в детстве мне посчастливилось вживую увидеть великого поэта. Его стихи уже тогда вошли в школьную программу, и он доживал свой долгий славный век тоже наподобие динозавра, а его седая бородка напоминала об отдаленной эпохе авангарда ранних двадцатых. Тем, кто еще не догадался, подскажу: это Леопольд Стафф[1]. Мне до сих пор слышится звукоподражательное стихотворение "Звенит дождь осенний, звенит монотонно…"[2], но поистине глубокий след в моем восприятии оставил юношеский томик поэта "Сны о могуществе". Я долго изучал заглавное стихотворение, где молодой красивый поэт мечтает стать титаном духа, титаном характера. Кто из нас не хотел бы иметь твердый характер и силу, которой не угрожали бы никакие обстоятельства, быть непоколебимым как скала? Титан характера преодолеет любые препятствия, справится с неудачами и собственной слабостью, а заодно поможет в этом и другим. Читая "Сны о могуществе", я еще не мог знать голливудского героя Рокки — одно из воплощений человека этого типа. Мне бы хотелось обладать таким характером, хотя я бы предпочел не иметь ничего общего с боксом.

Во времена моей молодости много говорилось о работе над собой, о закаливании характера. Сегодня эти понятия не в моде, поскольку, живя в растущем комфорте, люди уделяют больше внимания зависимости человека от обстоятельств и меньше размышляют о свободе. Социология

---

1 Леопольд Стафф (1878–1957) — крупнейший польский поэт, драматург и переводчик. Был связан с модернистским движением "Молодая Польша", стал образцом для прогрессивной поэтической группы "Скамандр" межвоенной эпохи.

2 Перевод А. Гелескула.

и психология активно исследуют, от каких вещей зависит человек. Мы знаем, что его формируют окружение, семья, общество, но в то же время он ограничен своими генами, тем наследством, от которого нельзя полностью освободиться. Популярная поговорка гласит: "Выше головы не прыгнешь", и в этом есть известный пессимизм. Конечно, если у человека кривые ноги, он не станет солистом балета; если он унаследовал мышление, не способное к абстрагированию, то в математике себя не проявит, но, с другой стороны, зная свои ограничения, мы можем управлять нашей жизнью и развиваться в выбранном направлении. Характер мы наследуем через гены, однако известно, что человек в состоянии измениться, закалиться, что негативные черты можно сознательно трансформировать так, чтобы, находясь под контролем, они работали на нас.

Человек, знающий себя, всегда будет иметь превосходство над тем, кто себя не изучил. Впрочем, тот, кто пассивно констатирует свои качества и воспринимает их как приговор, поступает неумно. Любой характер можно изменить: или исправить, или испортить. Человеческая жизнь — это постоянное движение, ведь мы живем во времени и пространстве. И поэтому можно сказать, что мы непрерывно растем либо мельчаем. Никто не стоит на месте, и никому не известно простое объективное мерило для сравнения людей. Согласно христианскому учению, человек должен воздерживаться от суждений и не вправе помогать Господу Богу, который будет вершить (или все время вершит) над нами Страшный суд. Но даже если все мы разные и несравнимые, то для себя можем сопоставлять: я сегодня, я вчера и я завтра.

Основная движущая сила человека — желание становиться лучше. К сожалению, мы склонны понимать это по-

На съемочной площадке "Структуры кристалла", 1968 г.

верхностно и стремимся продемонстрировать другим, что добились чего-либо в большем объеме, чем окружающие. Процесс борьбы за то, чтобы быть лучшим, — извечный двигатель мирового развития. Чаще всего люди хотят обогащаться не ради самих богатств, а чтобы другие знали, что у них денег больше и, следовательно, они лучше. Мы хотим быть красивее остальных, хвастаемся даже здоровьем, что, как правило, не наша заслуга, и при этом забываем: нужно стараться быть лучше, прежде всего, самих себя. Ковать характер. Преодолевать препятствия, которые еще вчера были непреодолимы. Делать усилия, еще вчера казавшиеся невозможными. Сдерживать свои негативные наклонности и т. д.

Я начал с динозавров, подавляющих нас своими размерами. Этим огромным рептилиям наша планета казалась меньше, чем нам. А для муравьев она больше. С их точки зрения, Земля так огромна, как для нас был бы, скажем, Юпитер. Духовная мера тоже относительна. То, что одному дается легко, другой приобретает упорным трудом. Вспыльчивый человек гордится собой, если не убил, хотя очень хотел, а робкий переживает триумф, впервые отважившись поздороваться с другим человеком. Полагаю, что всем должны сниться сны о могуществе в соответствии с индивидуальными возможностями. Грезить надо не о том, чтобы стать вторым Рембо, а о том, чтобы побороть свою вчерашнюю слабость.

Динозавры вымерли, когда изменился климат, и вся их адаптация оказалась ни к чему, поскольку на планете то ли поднялась температура, то ли облака закрыли солнце и не смогла вырасти трава, которой питались эти существа. Человек когда-нибудь тоже, несомненно, исчезнет с лица Земли, и, честно говоря, я подозреваю, что остальные представители живой природы вздохнут с облегчением. Это полезно повторять себе, когда мы поддаемся коллективной иллюзии, что наша жизнь кем-то гарантирована. Верующие в Создателя знают: Он предрек наш конец. Может ли человечество само приблизить этот конец по вине одного или многих? Страшно даже задумываться. А если мы не зададим этот вопрос, сможем ли жить беззаботно?

В завершение главы вернусь к "Снам о могуществе". Человек мужественный смело смотрит вперед, даже если видит опасность, угрозу. Невротик опускает глаза, трусит и погибает. У динозавров не было вариантов — они должны были вымереть. Человечеству пока еще предоставлен некий выбор. Сможем ли мы что-нибудь сделать, если наша планета столкнется с астероидом? Не знаю. Сами по себе, индивидуально, перед лицом разного рода опасностей и вызовов мы в состоянии проявить большую отвагу, мужество, стойкость. Кто-то утверждает, что все эти достоинства — обман, а мы — заложники обстоятельств, то есть над каждым висит приговор "ты должен быть таким", но тогда жизнь действительно не имеет смысла. Я убежден, эта точка зрения ошибочна. Кстати, почему мы в XXI веке с такой легкостью верим в то, что у человека нет шансов стать лучше? Почему нам кажется, что сексуальный инстинкт, например, обуздать невозможно, но при этом агрессию, также врожденную, удастся преодолеть путем правильного воспитания? Ведь это нелогично, как и многие другие суждения, которые мы постоянно повторяем. Есть ли в моих рассуждениях противоречия? Безусловно, и так будет всегда, но если я замечаю, что сам себе противоречу, стараюсь корректировать и совершенствовать свои взгляды.

Глава 2
Любовь и семья

Как вы заметили, я пишу, следуя свободным ассоциациям, но придерживаясь деления на главы в соответствии с последовательными этапами жизни. Итак, после детства наступает взросление. Прожив три четверти века, я вижу изменения, которые важно зафиксировать. Детство — период беззащитности. Маленький человек обречен находиться под опекой родителей и взамен того, что они заботятся о нем, должен им подчиняться. Поэтому естественно, что дети хотят повзрослеть, иначе говоря — освободиться от зависимости и получить полноправный статус так называемого взрослого человека. В моем случае взрослость была желанна в первую очередь, чтобы самостоятельно ходить на фильмы, разрешенные с восемнадцати лет. Во времена, когда не было телевидения и Интернета, кино было единственным источником информации о том, как выглядит мир и жизнь других людей. Та же жизнь, описанная в книгах, требовала усилий воображения. Тому, кто не видел такой красивой женщины, как голливудская звезда Грета Гарбо, никакое литературное описание не в состоянии передать впечатления, производимого ею на экране. А как раз фильмы о любви обычно имели ограничение по возрасту "от 18 лет" — это объяснялось тем, что в них часто показывали поцелуи, которых не должны были видеть несовершеннолетние (речь о второй половине 1940-х годов).

Думаю, одного желания ходить на такие фильмы было достаточно, чтобы мне захотелось взрослеть. Этому способствовало то, что я был рослый не по годам и носил очки. Надев отцовскую шляпу, я проходил в кинозал, а билетерша даже не просила меня предъявить удостоверение школьника.

Сегодня моя ситуация прямо противоположна. Как и все люди старше семидесяти лет, я имею право бесплатно пользоваться варшавским общественным транспортом и часто езжу на метро. Там я постоянно вижу контролеров, и мне жаль, что они никогда не спрашивают у меня паспорт: мой возраст виден невооруженным глазом.

Позволю себе отступление на тему роста, опираясь на рассказ своего студента-режиссера в Москве. Мы познакомились много лет назад, когда я вел у него занятия. Как-то раз ребята выполняли практическое задание, для которого понадобились две новые дорогие машины. Студент сказал, что может это организовать, поскольку у него два одинаковых "бумера" (то есть *BMW*): один для собственного пользования, второй он отдал отцу. Парню было лет двадцать с хвостиком. Я поинтересовался, что нужно делать, чтобы разбогатеть в столь юном возрасте, и получил ответ: вовремя начать. Он занялся бизнесом, еще учась в советской школе. Отец служил пограничником в Бресте. Мой будущий студент ежедневно после уроков переплывал на плоту Буг, вместе с другими контрабандистами переправляя в Польшу спирт. Отец, даже не подозревая, что его сын занимается этим гнусным делом, как-то сказал в его присутствии, что пограничники не стреляют в детей, но если бы контрабандисты были выше ростом, по ним палили бы без раздумий. С тех пор юный нарушитель каждый день брал линейку и измерял свой рост, боясь оказаться в категории тех, в кого солдаты могли стрелять.

Эта история парадоксальна по той причине, что ставит под сомнение всеобщее желание быть взрослыми. Нобелевский лауреат Гюнтер Грасс в знаменитом романе "Жестяной барабан" превратил главного героя — мальчика, который не повзрослел и навсегда остался ребенком, бьющим в жестяной барабан, — в метафору всего немецкого общества.

Нежелание становиться взрослым — относительно новое явление. Веками дети мечтали как можно раньше повзрослеть, сегодня же многие молодые люди мыслят избирательно: они хотят обладать отдельными атрибутами взрослой жизни, отвергая все остальные. Зрелость предполагает ответственность, которая им не нужна. Впрочем, борьба за взрослость во многих семьях начинается уже в средней школе, когда юная девушка требует у родителей разрешить ей возвращаться домой поздно вечером.

Конфликт между своими ровесниками и родителями я вспоминаю со смущением: как единственный сын, испытавший на себе военные невзгоды, я очень доверял родителям, что, несомненно, вредило моим отношениям с друзьями. По многим вопросам я имел свое мнение, и меня за это не любили. С другой стороны, несколько раз я выиграл, оттого что поверил родителям. Коронный пример — уроки русского языка, которые были у нас с начальной школы. Ровесники твердили: "Это язык врага. Раз мы вынуждены его учить, то будем делать это как можно хуже". У истинного поляка-патриота по русскому должна была быть тройка. А мой отец сказал: "У тебя должна быть пятерка". Друзья подсмеивались: "Ты не настоящий поляк, а итальянец". Но я продолжал учиться на отлично. И сегодня могу читать в России лекции, встречаться с людьми и давать интервью без переводчика, а значит, я только выиграл благодаря тому, что послушал отца.

Отказ взрослеть и мечты о вечном детстве — последствия всеобщей зажиточности. Сытое общество может позволить себе содержать карапузов-переростков и взрослых барышень, убежденных, что они еще девчонки. Распространенное в Европе длительное проживание с родителями — свидетельство инфантилизма, ставшего выбором. Многим настолько приятно быть детьми, что они и вовсе отказываются взрослеть. Социологи обычно указывают на различные социальные факторы: проблемы на рынке труда, сложная жилищная ситуация, высокая квартплата. Но даже учитывая все эти обстоятельства, с психологической точки зрения трудно оправдать готовность в зрелом возрасте чувствовать себя ребенком. Мне кажется, во многих случаях это проявление фроммовского "бегства от свободы", не дающего нам покоя уже более века. А вот за океаном (где и безработица ниже) желание быть независимым чаще, чем в современной Европе, перевешивает стремление к комфорту. Молодые американцы покидают родной дом намного охотнее и, пожалуй, менее конфликтно, чем европейцы.

Взрослость сопряжена с конфликтом. Ребенок доверят родителям и слушает их. Затем в его жизни появляются сверстники, в компании которых он хочет быть таким, как все. Взрослая жизнь начинается в тот момент, когда человек осознает свою индивидуальность. Дети хотят одеваться, как другие дети. Лишь после периода созревания у молодежи появляются признаки многообразия: в одежде, прическе, манере поведения, культурных предпочтениях, например в музыке.

Поскольку я коснулся проблемы моды, сделаю небольшое отступление. Недавно я встретил на телевидении Барбару Хофф, с которой мы знакомы со студенческих времен. На закате ПНР она в течение многих лет была настоящим авторитетом (но не диктатором) в мире моды. Благодаря ее статьям в популярном журнале "Пшекруй", мы узнавали, что носят в далеком богатом мире. Как выясняется, на этом фронте тоже действовала цензура. В годы правления Гомулки атакам подвергались мини-юбки как одежда вызывающая, безнравственная и декадентская. Несмотря на это, девушки повсеместно сами шили себе мини, в итоге партия постановила отказаться от борьбы с короткими юбками, и крупнейшим текстильным фабрикам был поручен их пошив. Подобные решения проводились в жизнь медленно, и когда наконец мини стали выпускать на промышленной основе, на Западе они уже вышли из моды. Цензуре было дано указание не допустить, чтобы эта весть дошла до покупательниц, а то товар не разойдется, однако госпожа Хофф, заботившаяся о своей репутации специалиста, разместила в "Пшекруе" фотографии моделей в платьях макси в стиле хиппи, ставших модными на Западе. Цензура не смогла снять эти фотографии, поскольку они были взяты из советской прессы, а все советское было неприкосновенно. (Еще одно доказательство нашего полусуверенитета.)

На заре Польской Народной Республики все мы подвергались социальному давлению, целью которого была ликвидация всех классовых различий, прежде всего материальная уравниловка, то есть равномерное распределение бедности. Мой отец, до войны инженер-предприниматель, теперь зарабатывал меньше, чем его рабочие на государственных стройках, которыми он руководил. Все были одеты бедно, а тех, кто сознательно выделялся, называли стилягами. Одежда лучшего качества, "заграничные тряпки", не всегда отличалась вкусом, особенно если ее присылали недавно разбогатевшие родственники из-за океана. Экстравагантный внешний вид был предметом официальных нападок со стороны организованных дружин Союза польской молодежи. Стилягам силой обрезали волосы, уложенные в запрещенные тогда коки, срывали недозволенные галстуки в полоску и разноцветные носки, если они резали глаз "прогрессивным" ровесникам.

У интеллигенции это социальное давление вызывало протест, сопутствовавший моему взрослению и поэтому хорошо запомнившийся. Отличаться явно было нельзя, поэтому мы делали то, что никто не мог проконтролировать. В основном с помощью языка. Согласно общепринятому принципу воспитания детям не разрешено ругаться. Использование вульгаризмов — "привилегия" взрослых. В устах детей они шокируют, а чаще смешат, поскольку, произнося ругательные слова, дети, как правило, не понимают их значения, что создает комический эффект. В период созревания знание смысла "неприличных слов" подталкивает щеголять ими сначала среди ровесников — для демонстрации посвященности, а потом среди старших — в доказательство освобождения от авторитетов, которые обычно запрещают такие слова. Я стал свидетелем изменения отношения к вульгаризмам, произошедшего в моей интеллигентской среде. Интеллигент говорил "по-интеллигентски", чтобы не быть "грубияном". Если в старших классах у кого-нибудь вырывалось непарламентское выражение, друзья реагировали презрительно: "Вот ты и попался, сделали из тебя то, что хотели. Говоришь, как люмпен у пивного ларька". Понятие "пивной ларек" представляло собой метафору социального падения, а в действительности это было место, где задавали тон пьяницы и где из-за отсутствия туалета пахло мочой.

Понимаю, что сейчас все это звучит неправдоподобно, поскольку за два прошедших десятилетия вульгаризмы распространились так, что по стилю речи порой уже не отличить пьянчужку от интеллигента. Публикация тайно записанных разговоров влиятельных лиц доказывает: произошли качественные изменения, и я могу сколько угодно выражать свое недовольство, но у меня нет шансов сделать так, чтобы наш язык вернулся к прежним классовым различиям.

Если то, что я пишу, когда-либо послужит историческим свидетельством, то для порядка нужно сделать оговорку, касающуюся артистических кругов. Тут вульгаризмы занимали особое положение с давних времен, им даже приписывалась некая разнузданная прелесть. Актер Густав Холубек был рафинированным интеллигентом, но, находясь в компании, смаковал слова, от которых у многих (в том числе у меня) вяли уши. И тем не менее, должен признать, что Холубек делал это очаровательно, прекрасно поставленным голосом, как бы жонглируя цитатами. Он сохранял достоинство.

“Жизнь с достоинством” — это ось всего, о чем я здесь пишу. И прежде чем продолжить рассуждения, приведу иллюстрацию из фильма “Скрытые сокровища”.

В ролях: Майя Коморовская и Агата Бузек.

[▶ “Скрытые сокровища”]

Париж. Площадь Согласия. В глубине кадра виден автобус, только что приехавший из Польши. Роза ждет Иолу: она вышла из автобуса с небольшой дорожной сумкой и огляды-

вается по сторонам. С облегчением замечает Розу. Вместе направляются в сторону ее дома.

Скромная квартира в парижской мансарде.

Иола смотрит в окно на крыши Парижа. С трудом скрывает волнение. Роза собирает на стол.

РОЗА. Не хочешь поспать после обеда?

ИОЛА. Нет, жаль тратить жизнь на сон.

Розе нравится этот ответ. Она ставит на стол тарелки.

ИОЛА. Скажите, почему вы пригласили меня?

РОЗА. Чтобы ты увидела Париж.

Иола без слов дает понять, что спрашивала не об этом.

РОЗА *(догадливо)*. А, ты имеешь в виду не "зачем", а "почему"? Нипочему. Молодым людям необходимо путешествовать, вот я и приглашаю. Раньше я работала на полной ставке, было трудно. Теперь легче. Впрочем, я и в Польшу ездила тогда редко и ненадолго. Здесь с работой все серьезно: нельзя, как у нас, просто брать отгулы.

ИОЛА. Но что вам с того, что я приеду? Одни хлопоты.

РОЗА. Ну конечно, некоторые хлопоты, но, возможно, и радость, если поездка принесет тебе какую-то пользу. Хотя это неважно, ты можешь лишь спустя годы понять, зачем это было нужно. Вот тебе карта Парижа, там написаны часы работы музеев и отмечено, по каким дням вход бесплатный. У тебя есть какие-то деньги?

ИОЛА. Есть, есть *(выдержав паузу)*. Вы делаете это из чувства вины за то, что когда-то жили во дворце?

РОЗА. Жила, но в этом нет никакой вины. Ты права в том, что теперь у меня больше обязательств, поскольку раньше я была привилегированной. Однако любой человек, если захочет, придет к тому, что думать надо не только о себе. А если не захочет, не придет.

ИОЛА. Можно прийти или не прийти по собственному желанию?

РОЗА. По собственному желанию. А тот, кто не хочет, просто подлец. Можно быть подлецом. Но стоит ли?

Звонит телефон. Роза берет трубку, говорит по-французски.

РОЗА. Хорошо. Завтра все, как договаривались, я предупреждала твоего отца, что у меня весь день свободен. Кстати, а какие у тебя планы? Ко мне приехала девушка из Польши, не хочешь поводить ее по Лувру? Сейчас дам ей трубку, договоритесь встретиться у входа, где пирамида.

РОЗА *(Иоле)*. Держи. Договорись о встрече у входа, он узнает тебя по зеленому платку.

ИОЛА. Но у меня нет зеленого платка.

РОЗА. Я дам тебе, ну же.

Иола делает усилие, чтобы заговорить по-французски.

ИОЛА *(в трубку)*. Тогда, может быть, завтра в десять у пирамиды. Я буду в зеленом платке.

Иола кладет трубку.

РОЗА. Он даже не француз, а араб, но главное, что говорит без акцента.

Монтажная нарезка: Лувр, Тюильри, молодой араб и Иола вместе ходят по музеям, едят французские блинчики. Прощание. Парень записывает номер телефона на листке бумаги, но ветер вырывает его из рук, поэтому он пишет ручкой на руке Иолы. Заметно, что они понравились друг другу.

Вечером в квартире Розы.

РОЗА. Что завтра?

ИОЛА. Пойду в музей Орсе, а потом, если успею, в парк Ла-Виллет. Я уже все знаю, он мне показал.

РОЗА. Ты договорилась с ним на завтра и знаешь, как ехать?

ИОЛА. Должна буду позвонить. У него какие-то дела, но он сказал, что постарается освободиться.

РОЗА. Я завтра тоже работаю и не знаю, когда вернусь, а поскольку у меня нет запасных ключей, оставлю на всякий случай свои внизу у маникюрши, если вдруг захочешь поесть или отдохнуть.

ИОЛА. Я не буду отдыхать.

РОЗА. На всякий случай, мало ли что. И дам тебе номер телефона, куда можно позвонить, если ты вдруг потеряешься или что-то еще.

ИОЛА. Но у вас ведь уже нет постоянной работы.

РОЗА. Нет, я вышла на пенсию, и мне в общем хватает, но иногда беру какую-нибудь подработку, чтобы были деньги на разные особые цели, например на водосточные трубы во дворце.

ИОЛА. Но за это, наверное, должно платить государство?

РОЗА. Должно, если у него есть средства, но, видимо, их нет. Впрочем, трубы — это не все, нужно залатать столько дыр, что деньги требуются постоянно.

ИОЛА. Но вы уже не должны работать.

РОЗА. Почему? Пока я могу, буду что-то делать, хотя ты права: заработки — это трата времени, и я надеюсь в скором времени перестать. Держи мой телефон.

Иола берет листок и кладет его в карман.

ИОЛА. Вы рассчитываете, что вам удастся возвратить что-то в Польше?

РОЗА. Я рассчитываю уже десять лет, но кажется, государство ничего мне не предоставит. Теперь я надеюсь только на кое-что, что могу вернуть сама, без специальных законов...

ИОЛА. И что, если вернете? Переедете в Польшу?

РОЗА. Возможно. Но не потому, что здесь мне плохо, а потому, что в Польше нужно больше сделать. Теперь иди спать, чтобы завтра быть в форме.

Иола идет в ванную, смотрит на телефонный номер, записанный на руке, хочет переписать его на листок, который только что дала ей Роза, и видит, что номера одинаковые. Заинтригованная, заглядывает в альков, где Роза готовится ко сну.

ИОЛА. Этот араб дал мне тот же номер, что и вы. Вы вместе работаете?

РОЗА *(таинственно)*. Можно так сказать. Он иногда там работает.

ИОЛА. И вы тоже иногда? Это одно и то же учреждение?

РОЗА. Нет.

ИОЛА. Ничего не понимаю.

РОЗА. Не все нужно понимать, это незначительная мелочь.

Иола звонит из телефонной будки около музея Орсе. В трубке слышится знакомый голос ее ровесника-араба.

ИОЛА. Я только что вышла из музея, а у тебя вроде были какие-то дела?

ГОЛОС. Я почти закончил.

ИОЛА. Тогда поедем в Ла-Виллет?

ГОЛОС. Давай завтра. А сегодня предлагаю пойти в бассейн, который открыли на Сене. Прямо около музея. Сможешь быть в четыре?

Иола смотрит на часы.

ИОЛА. Смогу.

Богатый жилой каменный дом в престижном районе Парижа. Иола стоит у входа, проверяет адрес.
Иола звонит в дверь. Открывает горничная в фартучке с завязанными волосами. Иола видит стоящего за ее спиной молодого парня, араба. Горничная отступает, ни о чем не спрашивая.

ПАРЕНЬ. Привет.

ИОЛА. Привет.

ПАРЕНЬ. Я уже готов идти. А как ты узнала адрес?

ИОЛА. Не все нужно понимать. На самом деле я не к тебе, а к Розе.

ПАРЕНЬ. Не ко мне?

Пользуясь тем, что они одни, парень пытается осторожно поцеловать Иолу. Она немного сопротивляется, но позволяет ему. Парень смотрит вызывающе.

ПАРЕНЬ. Ну заходи, она где-то здесь.

Проходят в богато обставленную квартиру. Горничная смотрит настороженно, опасаясь, что совершила ошибку, сообщив адрес по телефону. Открывают дверь на кухню. Роза моет пол: на ней фартук, руки по локоть в ведре с теплой водой. Изумленно смотрит на Иолу.

ИОЛА. Простите, вы забыли оставить мне ключи, а я хотела взять из дома купальник, потому что мы идем в бассейн.

РОЗА. Нет, я не забыла, просто маникюрша пришла позже.

Роза идет за ключами, лежащими в верхней одежде. Иола сконфужена, что увидела работу Розы.

ИОЛА. Может, я могу чем-то помочь?

РОЗА. Ты? Нет. Это моя работа. Но если в будущем захочешь подзаработать, я могу рекомендовать тебя, потому что видела, как хорошо ты убираешься.

Парень стоит в глубине квартиры. Роза говорит вполголоса по-польски, чтобы никто, кроме Иолы, не понимал.

РОЗА. Будь осторожнее, он может подумать, что ты готова на все.

ИОЛА. Почему?

РОЗА. Потому что вы целуетесь на второй день после знакомства. Но дело твое, я хочу только, чтобы ты отдавала себе отчет. Это как со знанием иностранного языка: иногда некоторые могут понять тебя превратно.

Иола молча берет ключи.

У дома, где живет Роза, парень хочет подняться с Иолой наверх. Она не соглашается.

ПАРЕНЬ. Почему ты не хочешь?

ИОЛА. Я сейчас приду.

ПАРЕНЬ. Ну так сейчас и придем.

ИОЛА. Нет.

ПАРЕНЬ *(хихикая)*. Боишься ехать вдвоем со мной в тесном лифте?

ИОЛА. Я не боюсь, просто не хочу. Надену купальник и спущусь.

Иола ловко закрывает двери лифта перед носом парня. Он нажимает на кнопку, чтобы двери открылись, Иола в кабине держит палец на кнопке закрытия дверей. Получая противоречивые команды, лифт дергается, наконец начинает подниматься. Парень бежит по лестнице, и когда лифт останавливается на шестом этаже, он уже, задыхаясь, караулит под дверью. Иола с легкостью отталкивает его и захлопывает за собой дверь. Парень пытается подсматривать за ней в замочную скважину, но почти ничего не видит.

Монтажная нарезка. Бассейн на Сене, толпа купальщиков. Парень прыгает в воду, Иола ныряет. Веселятся, провоцируя друг друга.

Маленькая раздевалка. Араб протискивается внутрь, Иола полураздета, сопротивляется настойчивым приставаниям. Начинается возня. Парень не отступает, но постепенно отчаивается, девушка не поддается и выталкивает горе-ухажера из кабинки. Через минуту выходит одетая. Проходит мимо араба, который пытается ее остановить.

На набережной он бежит за Иолой: она слышит его шаги, но не оглядывается, идет уверенной походкой. Парень догоняет ее. Она резко останавливается.

ИОЛА. Чего тебе?

ПАРЕНЬ. Я хочу извиниться.

Иола пренебрежительно машет рукой, что может также означать, что она прощает.

Вечером в квартире Розы, сидя за столом с чашкой горячего чая, Иола рассматривает свежий синяк на руке.

РОЗА. Ты особенно не переживай, а постарайся понять. Он из семьи, у которой много денег, но общество их не принимает.

ИОЛА. В каком смысле?

РОЗА. Они чувствуют себя хуже других, их считают людьми второго сорта. Впрочем, к нам здесь относятся так же.

ИОЛА. Тогда почему вы у них убираете?

РОЗА. Именно поэтому. Им приятно, что у них работает европейка, а мне абсолютно все равно, у кого и что я делаю: убираюсь, готовлю, стираю, сижу с детьми или перекладываю бумажки, — последним я занималась почти всю жизнь.

ИОЛА. Вы бы не хотели заняться чем-то другим?

РОЗА. Может, и хотела бы, но раз жизнь так сложилась, меня это нисколько не расстраивает.

ИОЛА. То есть учиться не стоит?

РОЗА. Стоит. Если бы у меня была возможность окончить институт, я бы делала что-то другое. Но это не самое главное.

ИОЛА. А что самое главное?

РОЗА. Видишь ли, можно жить с достоинством в ГУЛАГе и без достоинства во дворце. Важно жить достойно.

ИОЛА. И вы так живёте?

РОЗА. Я старалась, а поскольку мне уже немного осталось, надеюсь, протяну так до конца.

ИОЛА. Вы вернётесь в Польшу?

РОЗА. Думаю, да. У меня нет близких родственников. Я хотела бы умереть там, где родилась.

ИОЛА. Но вы говорили, что не пытаетесь вернуть себе дворец?

РОЗА. Вернуть — нет, я хочу просто поселиться там, в доме престарелых.

ИОЛА. Но там ужасная нищета.

РОЗА. Именно. Эту проблему я как раз пытаюсь решить, и возможно, когда сейчас поеду, что-то действительно изменится.

[■]

Этот фрагмент — повод поразмышлять о том, как любить достойно. Для начала следует спросить, как вообще любить в мире, где люди повсеместно жалуются на невозможность любви. А откуда взялась идея этой невозможности? Неужели современный человек более эгоистичен, чем его предки? Или у них не было столь сильной потребности в любви, как у нас? Наконец, не стоит ли сразу разделить потребности любить и быть любимым? Достаточно ли желания любить, чтобы тебя любили?

Начнём, однако, с основ — с любви в самом обыкновенном, физическом смысле. Любые рассуждения на эту тему вызывают неловкость, ибо о физической любви не принято говорить. Быть может, это наследие Викторианской эпохи, а следовательно, мещанского лицемерия, представлявшего телесность человека как отрицание его духовности? Специфическое для нашей культуры противопоставление материи и духа породило в XIX веке надменный образ человека, преодолевающего свои звериные инстинкты. В XX веке, после открытий Дарвина, Фрейда и их многочисленных последователей, появилась убежденность в обратном: человек — всего лишь животное на вершине эволюции, он подчиняется тем же влечениям, что и менее развитые млекопитающие, и движим инстинктом продолжения рода, распространения своих генов, за это и отвечает половая жизнь.

Одна бессмысленная пословица гласит, что правда всегда где-то посередине, хотя чаще посередине полуправда. Сущность природы человека необходимо переформулировать с учетом актуального состояния естественных наук. Мне это, увы, не под силу, так что я жду, когда за дело возьмутся настоящие мыслители, располагающие современным аппаратом философии и, конечно же, точных наук.

Помимо революции сознания, лидерами которой были Дарвин, Фрейд и Эйнштейн, в XX веке произошла революция морали, непосредственно связанная с популяризацией контрацепции. Эта революция касается главным образом развитых стран, но распространяется по всему земному шару. Ее результатом можно считать так называемую "банализацию" половой жизни.

До тех пор, пока сексуальные отношения грозили нежелательной беременностью, девушки не подпускали к себе случайных партнеров, понимая, что тот, с кем они вступят в половую связь, вероятно, станет отцом ребенка, и от него нужно будет требовать этого ребенка содержать. Сегодня подобные рассуждения носят необязательный характер. Целью полового акта, как правило, является получение удовольствия, а жизнь в так называемом воздержании воспринимается как бесполезный отказ от приятного занятия.

В течение многих веков мотивацией человеческого развития было желание завоевать объект вожделения: рыцари совершали подвиги, поэты сочиняли поэмы, а композиторы концерты, — и все для того, чтобы снискать расположение возлюбленной. Вступление в интимную связь становилось значительным, переломным событием. Подозреваю, что Мицкевич, хотя и написал столько стихотворений для Марыли Верещак, так и не добился ее. За переходом на новый этап отношений следует спад напряжения, и если дальнейшей физической близости не сопутствуют общие жизненные устремления, совместное развитие, то чисто сексуальные мотивы со временем утрачивают силу, и у партнеров обычно возникает желание перемен.

Последствия сексуальной революции — это ослабление прочности союзов и та самая трудность любви, о которой современная культура кричит во все горло, не предлагая ничего взамен. Никакого лекарства от тупого равнодушия, от которого нынешние поколения страдают, пожалуй, больше, чем их предки ("пожалуй" — ибо как это измерить?).

Кино еще в начале 1960-х годов констатировало стремительное ухудшение нравов, критикуя (как правило, неискренне) моральный упадок молодых. Эта критика стара как мир. Учителя любят повторять, что на старинных вавилонских табличках были обнаружены тексты о том, как испортились нравы молодежи. Нравы, безусловно, меняются, но нужно объективно оценивать, каждое ли такое изменение к худшему.

Несомненно, снизился возраст сексуальной инициации. Большинство молодых людей познают физическую близость намного раньше, чем их родители и деды. Они открывают ее, будучи менее зрелыми эмоционально, поэтому половой акт не становится для них столь значительным переживанием, как это было когда-то. Прежде чем задать вопрос, хорошо это или плохо, следует уточнить, о каком благе мы говорим. Живется ли современным людям легче благодаря тому, что они без проблем могут удовлетворить свои сексуальные потребности? Если исходить из того, что главное в жизни — комфорт и чем меньше напряженности и препятствий, тем лучше, то ответ будет утвердительным.

А если взглянуть шире и поставить вопрос о развитии человечества и смысле нашей жизни на Земле? Для меня этот смысл заключается в том, что человечество растет как материально, так и духовно. Но способствует ли человеческому росту легкая и комфортная жизнь? Я уже хочу не задумываясь ответить "да", как в голову приходит мир спорта. Спортсмены развиваются, преодолевая искусственные препятствия. Они учатся превозмогать боль, живут в строгой дисциплине и, перерастая собственные ограничения, достигают победы прежде всего над самими собой. Сегодня большой спорт превратился в индустрию. Он коррумпирован, продажен, но вызывает всеобщие эмоции, как будто люди видят в этих гладиаторах идеал, к которому сами перестали стремиться. Спорт — своего рода проекция идеальных представлений о нас: здоровых и ловких, дисциплинированных, твердых, последовательных. Эти мечты настолько сильны, что никто не протестует против сказочных заработков современных гладиаторов. Люди, играющие в жизни общества намного более важную роль, напри-

С Даниэлем Ольбрыхским и Майей Коморовской. "Семейная жизнь" в конкурсе Каннского кинофестиваля, 1971 г.

мер учителя или врачи, не могут даже представить себе зарплаты звезд футбола или тенниса.

Я стал описывать спортивную жизнь, чтобы перейти к мотиву самоограничения. В спорте человек отказывается от многих удобств и удовольствий, чтобы извлечь максимум возможностей из своего тела. Похожим образом поступают аскеты (как верующие, так и атеисты). Любой человек, желающий достичь определенного развития, в чем-то себе отказывает, ограничивает себя в согласии с простым принципом "услуга за услугу".

С этой точки зрения можно понять, почему в традиции католической церкви существует запрет на секс до брака (мало кем соблюдаемый) и еще более непрактичный запрет контрацепции. Думаю, к ним нужно относиться как к выражению высших идеалов и высших требований, которые человек может перед собой поставить. Но почти никто не говорит о том, как высоки эти идеалы и какое количество людей могут и хотят к ним стремиться. Среди высших идеалов есть и такие, что еще реже воплощаются в жизнь: "если тебя ударили по одной щеке, подставь другую" или — самый главный в христианстве — "люби ближнего, как самого себя, и люби врагов своих".

Пытаясь избежать обвинений, что в книге, носящей светский характер, я обращаюсь к христианству как высшей инстанции, постараюсь сделать похожие выводы, отталкиваясь от ценностей, не связанных с религией: жизнью человека, гуманизмом в чистом виде. Существование людей — это благо. Мы радуемся жизни и стремимся улучшать ее и оберегать, если развитию человечества что-то угрожает. Хорошо, если люди и дальше будут жить на нашей планете, совершенствоваться, испытывать глубокие чувства, а в своих поступках превосходить самих себя (ибо это высшая мера человека — преодолеть себя, свои ограничения и обстоятельства, то есть достичь свободы).

Способствует ли всему этому банализация любви, если у нас нет ничего взамен, нет иной столь же сильной мотивации, как половой инстинкт (и инстинкт самосохранения)? Идет ли на пользу легкость в удовлетворении желаний или же она лишает нас динамики, так же как, предположим, отсутствие проблем с пропитанием делает человечество пассивным и ленивым?

Возврата к прошлому быть не может. Невозможно запретить контрацепцию, и ни один разумный человек не предложит людям голодать, потому что это им полезно. Но если применение силы исключено, остается вариант уговоров. Можно убеждать самого себя и других в необходимости самоограничений. Этот постулат для меня проявляется в жизненной позиции, которую иногда весьма претенциозно называют аристократизмом духа. Ее суть в том, что нужно очень высоко устанавливать планку и не опускаться ниже определенного уровня. Например, есть не тогда, когда что-то подвернется под руку, а совершая сознательный выбор. Аналогично с сексом. Никаких унизительных отношений. Если есть любовь — есть и секс. А если только вожделение — то аскеза. Реальны ли эти требования, тем более что формулирует их человек пожилой, все желания которого ослабли? Быть может, это полная утопия? Ответа нет. Зато есть открытый вопрос, который задает себе каждый человек: можно ли обуздать инстинкты или это столь страшная сила, что любая попытка сопротивления нанесет нам ущерб? Мне и самому удивительно, как много вопросительных знаков я ставлю, однако моя роль — спрашивать и надеяться, что читатель будет искать свои ответы.

В киносценарии, который я хотел бы процитировать, пожилой врач разговаривает с девушкой, встречающейся с парнем-католиком. Это сцена из фильма "Дополнение", сделанного из тех фрагментов, что остались после съемок моей предыдущей ленты "Жизнь как смертельная болезнь, передающаяся половым путем". К кускам, выпавшим из нее при монтаже, я доснял историю своеобразной молодой пары — Ханки и Филипа, которые предъявляют к себе высокие требования и с трудом пытаются им соответствовать.

В ролях: Збигнев Запасевич, Моника Кшивковская, Павел Окраска и Кароль Урбаньский.

[▶ "Дополнение"]

В спортзале для альпинистов Анджей подстраховывает мужчину, лазающего по потолку, словно паук. Он спускается, запыхавшись, снимает страховочные ремни и отдает их Филипу, который ждет начала тренировки. Анджей на подстраховке. Они остаются одни. Филип торопливо забирается наверх, как будто не хочет разговаривать с братом. Анджей наблюдает за его поведением с иронией.

Анджей. Что это ты такой разгоряченный?

Филип *(притворяется удивленным)*. Я разгоряченный?

Анджей. Ага, выпендриваешься чего-то.

Филип. Следи лучше за тросом!

Анджей. Что с тобой, Филип? Даже поговорить нельзя.

Филип. О чем ты хочешь говорить? *(Висит на отвесной стене.)*

Анджей. О тебе. Что происходит?

Филип. Ничего.

АНДЖЕЙ. Как это ничего, я же вижу, что ты мучаешься. Почему ты не хочешь сказать?

ФИЛИП. Отстань от меня, ладно?

АНДЖЕЙ. Но я же вижу, с тобой что-то происходит, Филип!

ФИЛИП. Я не заметил.

В этот момент Филип повисает на страховочных ремнях. Анджей отпускает трос, но не дает брату коснуться земли. Удерживает его в воздухе и, пользуясь своим превосходством, начинает подтрунивать.

АНДЖЕЙ. Наконец-то мы можем спокойно поговорить. Филип, что случилось?

ФИЛИП. Отпусти!

АНДЖЕЙ. Спокойно. Я говорил с твоей девушкой, и мне кажется, ты морочишь ей голову.

ФИЛИП. Я разве вмешиваюсь в то, что ты делаешь со своей женой?

АНДЖЕЙ. Это и не нужно, потому что я не делаю ничего плохого, а ты ставишь девушку в идиотское положение. Это непорядочно.

ФИЛИП. Отпусти трос.

АНДЖЕЙ. Нет. Я заставлю тебя ответить на вопрос. Я хочу помочь тебе.

ФИЛИП. Если мне понадобится твоя помощь, я сам попрошу.

АНДЖЕЙ. Но я вижу, что она тебе нужна.

ФИЛИП *(кричит)*. Но я не прошу тебя! Отпусти меня, черт подери!

АНДЖЕЙ. Нет.

Ситуация перестает быть забавной. Филип хочет оттолкнуться от стены и на весу ударяет Анджея но-

гой, тот ослабляет трос. Филип в бешенстве бросается на брата, они дерутся и падают на маты. Анджей сильнее, кладет Филипа на лопатки. Филип начинает плакать. Анджей понимает, что перегнул палку. Отпускает брата. Филип закрывает лицо руками.

АНДЖЕЙ. Я переборщил. Я хотел как лучше. Прости, Филип.

По реакции Филипа видно, что тот очень расстроен. Он отреагировал неадекватно произошедшей стычке.

ФИЛИП. И ты прости. Я не могу совладать с собой и со всем этим, а впрочем, ты и сам видишь.

Братья садятся рядом. Анджей дружески обнимает Филипа. Молчат.

Квартира Томаша — просторная комната и кухня. Жилье, которое в эпоху "реального социализма"[1] называли кооперативным, — более высокого уровня, чем муниципальное. Обстановка приятная, но небрежная — заметно отсутствие женской руки. Томаш убирает в сейф только что полученные лекарства. Звонок в дверь. Томаш спешно наводит порядок, подходит к двери и открывает. Перед ним стоит Ханка — девушка, работающая костюмером на съемочной площадке.

ХАНКА. Вы меня узнаёте?
ТОМАШ. Ты кокетничаешь, малышка, или полагаешь, что у всех людей моего возраста старческий маразм?

---

1   Термин, введенный советской пропагандой в 1970-е гг. для характеристики строя в социалистических государствах Восточной и Центральной Европы.

ХАНКА. Некоторые страдают им и в молодости.

ТОМАШ. У меня есть другие заболевания, но не это. Так и будем стоять?

ХАНКА. Никто не предлагал мне зайти.

Томаш, смеясь, проводит ее в комнату.

ХАНКА. А я к вам с приглашением. Помните нашего администратора съемочной площадки? Он снимает какой-то клип, им на съемки нужен врач, вот я и подумала, что, может, вы хотели бы подзаработать.

ТОМАШ. А этот администратор обо мне не подумал?

ХАНКА. Как же, он меня сюда и отправил.

ТОМАШ. А я решил, ты пришла по своей воле.

ХАНКА. Не выдумывайте. Они хорошо платят. Не как на обычных съемках.

ТОМАШ. Знаешь, меня сейчас небольшой заработок не устроит.

ХАНКА. То есть вы не придете?

ТОМАШ. Может, и приду, но только чтобы увидеть тебя.

ХАНКА. Не получится — у них свои костюмы.

ТОМАШ. Жаль. А что с твоим парнем, ты уже бросила его?

ХАНКА. Что значит "уже"? Вы думаете, всех и всегда бросают?

ТОМАШ. Рано или поздно.

ХАНКА. Я предпочитаю поздно, и вообще, это неправда. Вы говорите так, потому что это когда-то произошло с вами.

ТОМАШ. Нет. Я говорю так, потому что знаю жизнь и знаю, что нет ничего вечного.

ХАНКА. А любовь? Вы не верите в любовь?

ТОМАШ. Самая непрочная вещь на земле.

ХАНКА. А я вам не верю, хоть вы и старше. Совсем не верю. Все может быть по-другому, вот увидите. Дайте немного времени, я вам докажу.

ТОМАШ. Не уверен, что у меня есть столько времени... *(Поймав внимательный взгляд Ханки, Томаш не придает ему значения. Изображает интерес.)* Так ты по-прежнему с тем же парнем?

ХАНКА. Что вы думаете, я меняю их каждую неделю?

ТОМАШ. Ну, каждые две...

ХАНКА. Эта история длится уже очень долго.

ТОМАШ *(задиристо)*. И ты верна ему, хотя не все складывается?

ХАНКА. Вообще ничего не складывается, но я верю, что когда-нибудь сложится.

ТОМАШ. Как это, если ты говоришь, что вы вместе уже долго?

ХАНКА. Между нами еще ничего нет, если вы об этом.

ТОМАШ *(изображая удивление)*. Вы не любите друг друга?

ХАНКА. Мы не знаем.

ТОМАШ. Ну а физически?

ХАНКА. Вы хотите знать слишком много. Но я скажу вам: нет. Мы еще не занимались любовью. *(Видя выражение лица Томаша, Ханка продолжает, чтобы окончательно сбить его с толку.)* Эту нынешнюю молодежь не понять, правда же, доктор? Я оставлю вам контакты администратора. А если будет что-то еще, мне прийти? Честно говоря, мне проще приходить, чем звонить.

ТОМАШ. Приходи. С новостями или без.

ХАНКА. Я правда могу приходить?

Томаш серьезно смотрит на нее и кивает головой, чтобы она приходила, когда захочет.

Костел визитандинок в Варшаве. Сестра протирает мокрой тряпкой каменный пол, заодно поправляя красиво сложенные у алтаря цветы. За решеткой исповедальни пожилой ксендз выслушивает исповедь Филипа.

ФИЛИП. Я набросился на брата. Не знаю, что со мной происходит, никогда раньше во мне не было столько агрессии. Он не сделал ничего плохого, и думаю, меня злит, что у него все хорошо. Анджей всегда заменял мне родителей, но сейчас я вдруг почувствовал: он не может помочь, а я не могу найти себе места.

КСЕНДЗ. Какое место ты ищешь?

ФИЛИП. Я ищу способ, как жить, чтобы не размениваться по мелочам, чтобы не растратить то, что имею. Знаю, святой отец, вы скажете — любовь. Я чувствую любовь, но не знаю, как ее выразить, она ничего мне не дает, потому что я не умею идти на компромиссы и боюсь стать таким, как все. Не пойми каким, просто никаким... Да-да, знаю, это гордыня, а я мучаю тех, кто меня любит. У меня есть девушка, которая вроде меня любит, и я боюсь потерять ее. А с другой стороны, чувствую готовность посвятить себя Богу, хотя в монастыре велели ждать и прислушиваться к внутреннему голосу, ведь, возможно, это просто побег от реальности, а не истинное призвание.

Филип замолкает. Ксендз погружается в молитву.

[■]

Если юноша или девушка ответственно выбирают спутницу или спутника жизни, обычно этому сопутствуют долгие колебания. Исходя из того, что союз двух людей имеет большое значение и в идеале должен быть неразрывным, очень трудно понять, пришло ли время наконец решиться. Чаще всего от этого страдают молодые женщины, социальное положение которых слабее и которые редко отваживаются требовать от мужчины ответственного решения.

Когда-то я читал лекции на факультете мехатроники Варшавского политехнического института и делился со слушателями похожими соображениями. В перерыве один студент попросил меня составить список вопросов, которые нужно задать себе, прежде чем принять решение о женитьбе. Увы, он обратился не по адресу, ведь я сам слишком долго уклонялся от ответов. Теперь же, прожив тридцать лет в счастливом супружеском союзе, могу лишь предложить несколько отдельных наблюдений, наверняка содержащихся в популярных руководствах для вступающих в брак.

Первое — сходство основных взглядов на то, что стоит делать, а что нет. Совпадение шкалы ценностей, похожие суждения о вещах более и менее важных. В состоянии влюбленности мы склонны соглашаться во всем, так что оно не очень показательно. Часто влюбленные просто не могут оценить, влюблены ли в конкретного человека или в свое представление о нем. Когда же наступает проверка жизнью и происходит расставание, нередко раздаются сетования на то, кем в действительности оказался тот, кто виделся идеальным. Для таких случаев подходит старинная поговорка: семь раз отмерь, один раз отрежь. Мечтательность, по Фоме Аквинскому, — грех. Реальность нужно видеть незамутненной. Надо иметь смелость смотреть правде в глаза. Никто не совершенен. Тот, кто не замечает недостатков партнера, виноват сам (мы вообще, как правило, сами во всем виноваты), и даже если он утверждает, что спутник или спутница обманули ожидания, то вина лежит прежде всего на нем. Когда любовь слепа и безоглядна, она лжива, а за ложь всегда приходится дорого платить.

Это всё были угрозы. Вспоминаю встречу, случившуюся много лет назад на одном кинофестивале в Индии. Меня пригласили на прием к молодой паре индийских миллионеров. Оба выросли на Западе, семья была связана с крупной промышленностью. По невнимательности я пришел точно ко времени, указанному в приглашении, забыв, что в Индии принято опаздывать минимум на час. Хозяева, таким образом, вынуждены были развлекать гостя разговорами, и в ходе беседы мы пришли к теме супружества. Миллионеры признались, что поженились по инициативе родителей, а не по своей собственной. Несмотря на обучение в Оксфорде или Кембридже, главное жизненное решение они предоставили родителям и сообщили, что не жалеют: их взаимные чувства со временем раскрылись, то есть родители сделали удачный выбор. Я рискнул задать вопрос об интимной стороне дела: могут ли родители предвидеть, каковы сексуальные предпочтения будущих супругов, как оба они отреагируют на столь деликатную деталь, как запах партнера? Миллионеры без тени смущения заявили, что поскольку у них с родителями общие гены, то и такие вещи они воспринимают похоже.

Я рассказал об этом не с целью уговаривать читателей вступать в брак по договоренности, а чтобы показать, что даже такой специфический обычай может иметь некий смысл. Если говорить о практике, то я рекомендую моло-

С президентом Индии Фахруддином Али Ахмедом в Дели, 1975 г.

дежи обмениваться мнениями о других. Если ощущения диаметрально противоположны: одна сторона говорит о ком-то, что он очень интересен, а вторая, что это зануда; один говорит о человеке с симпатией, а его партнер с антипатией, — будущее пары под вопросом. Ибо отношение к людям — показатель нашего мировосприятия.

И вот наступает время сделать предложение. В качестве примера — неромантическая сцена из фильма "Константа".

Молодым читателям необходимо пояснение. В социалистические времена сам факт наличия у гражданина иностранной валюты был наказуем, не говоря уже о попытках ее вывоза за рубеж. Мой герой Витольд стал жертвой коллег, зашивших ему в подкладку куртки потерянные им доллары.

В ролях: Тадеуш Брадецкий и Малгожата Зайончковская.

[▶ "Константа"]

Аэропорт. Регистрация на рейс в Бомбей. Толкотня. Экскурсии "Интуриста". Провожающие отгорожены от пассажиров стеклянным барьером. В толпе улетающих — экспедиция в Гималаи, десятка полтора человек в характерных однотипных пуховиках. Эта компания ведет себя не так, как остальные: они не напряжены, поскольку знают всю процедуру оформления, в их случае особенно сложную из-за обилия необычного снаряжения. По обрывкам диалогов можно догадаться, что тяжелые предметы были отправлены на грузовиках и, вероятно, уже приближались к пункту назначения. У стойки таможенного контроля Стефан оформляет временный вывоз фототехники. К другой стойке подходит со своим багажом Витольд. Гражина, стоя на балконе, высматривает его в толпе. Шутки, общение жестами. Настроение беззаботное, атмосфера расслабленная. Таможенник просит Витольда показать паспорт, а затем открыть багаж. Долго в нем роется. Слышатся глупые шутки друзей, которых проверяли не так дотошно. Таможенник подзывает коллегу, они вполголоса что-то обсуждают. Витольда вызывают на личный досмотр. Просят раздеться. Он держится спокойно и с достоинством.

Витольд. Господа, я столько раз выезжал за границу…

*Сотрудники таможни тщательно осматривают все пред-
меты одежды. Вдруг один из них распарывает рукав пухови-
ка и обнаруживает пачку денег — двести долларов, именно
та сумма, которую Витольд потерял на работе.*

ВИТОЛЬД *(не веря своим глазам)*. Как это возможно?

Таможенник разрешает ему одеться.

ТАМОЖЕННИК. Не знаю. У вас есть какие-то претензии
относительно досмотра?

ВИТОЛЬД. Нет.

ТАМОЖЕННИК. Покажите нам весь свой багаж. Вы никуда не полетите.

*В компании таможенников Витольд проходит через зал
вылетов на глазах Стефана и Гражины, которая стоит
на балконе и ничего не понимает.*

Комната Витольда.
*Беспорядок. Последствия сборов и неожиданного возвра-
щения. Витольд разбирает бумаги — механически, как бы
из очевидной необходимости порядка. Гражина сидит
за ним на постели. Дает ему какую-то бумажку. Витольд в рассеянности берет ее, затем кладет на нуж-
ное место, но через секунду неосторожно смахивает
со стола.*

ГРАЖИНА. Теперь ты не можешь рассчитывать на хорошую работу.

ВИТОЛЬД. На хорошую не могу. Но и на плохую не буду.
Что-нибудь найду.

ГРАЖИНА. Может, кто-то поможет тебе? Ведь даже по закону ты не преступник...

ВИТОЛЬД (*иронически*). Почти.

ГРАЖИНА. Но с квартирой ничего не выйдет.

Гражина будто нарочно развивает неприятную тему.

ВИТОЛЬД. Теоретически я кандидат на вступление в кооператив.

ГРАЖИНА. Теоретически... Ты даже не получил прописку.

ВИТОЛЬД. Факт.

ГРАЖИНА. Мог бы и отомстить как-нибудь.

ВИТОЛЬД. Наверное.

ГРАЖИНА. И что ты сделаешь?

ВИТОЛЬД. Ничего.

ГРАЖИНА. Неужели тебя не подмывает его сгноить? Можно сделать ему такую пакость, что он долго не опомнится.

ВИТОЛЬД. Можно.

ГРАЖИНА. Тебе хочется?

ВИТОЛЬД. Хочется.

ГРАЖИНА. Я считаю, такого человека по объективным причинам надо проучить. Да хоть бы устроить ему то же самое. (*Гражина явно хочет спровоцировать Витольда.*) Почему ты этого не сделаешь? Не хочешь?

ВИТОЛЬД. Хочу. И когда-нибудь сделаю.

Гражина кажется разочарованной, но ее мысли направлены совсем в другую сторону.

ГРАЖИНА. Тебе все как с гуся вода.

ВИТОЛЬД. Откуда ты знаешь?

ГРАЖИНА. Ты даже не переживаешь...

Витольд. Хочешь сказать, что я легкомысленный и не понимаю, что теряю?

Витольд бросает дротик в таблицу с числами, которой он пользуется, заполняя лотерейные билеты.

Гражина. Ну если ты не огорчаешься...
Витольд *(взрывается)*. А ты хотела бы, чтобы я огорчался?
Гражина. Да. Тогда бы я действительно была тебе нужна. *(Плачет.)*

Витольд обнимает ее.

Витольд *(тихо)*. Боюсь, мне придется тебя поколотить! Ты чудовище...
Гражина. Ты можешь жениться на мне.
Витольд *(шутливо)*. Мало мне других забот!

Группа рабочих моет окна. Они висят в люльках на большой высоте. Пристегнутые тросами, колышутся на ветру специалисты по борьбе с акрофобией. Среди них Витольд. Он старательно трет резиновой тряпкой стекло, сбрызнутое чистящей жидкостью. В здании идет совещание. Чиновники увлечены работой — совершается международная сделка. Мойщики окон замечают мелкие проявления бестактности: один пнул другого под столом, кто-то снял тесный ботинок. Замерзших людей, висящих на тросах, смешит смущение человека, пойманного на неловком жесте.

[■]

В последние годы усилилась чувствительность людей в вопросе равноправия полов, и текст, в котором мужчина, пусть и в шутку, угрожает женщине, что побьет ее, считается шовинистским выплеском, хотя мы знаем: иногда таким образом выражается нежность, а то, что эти слова не соответствуют критериям политкорректности, я считаю пустяком. Герой "Константы" женится на своей девушке, и теперь самое время задать вопрос: что значит "жениться"? По ветхо- и новозаветной религиозной традиции, супружество подразумевает прочный союз, совместную жизнь до самой смерти. Я упомянул Ветхий Завет в связи с разговором с Джорджем Соросом, легендарным миллионером и интеллектуалом. Он пригласил меня принять участие в одной публичной дискуссии в Вене и за завтраком рассказывал мне, дилетанту, как обрушить валюту. В тот год как раз случились азиатское валютное землетрясение и обвал рубля, о котором, как мне известно, Сорос публично предупреждал в СМИ. От того разговора в памяти осталась одна простая метафора: если на площади собралась масса народу и все чего-то боятся, достаточно двух десятков подставных провокаторов, которые одновременно крикнут "Бежим!", и толпа понесется сломя голову. Именно так Сорос обваливал переоцененные валюты. Он обходился относительно малыми средствами, чтобы посеять панику и в очередной раз заработать на этом состояние. Сорос спекулировал на валютных биржах и объяснял, что с точки зрения морали его действия были глубоко справедливыми, ибо он развеивал иллюзии, иначе говоря — боролся с ложью и стоял на защите правды.

Я ничего не знаю о валютных биржах, поэтому не смог поддержать разговор, и мы перешли к теме меняющихся нравов. Сорос заявил, что супружеская верность — принцип, имевший смысл во времена, когда средняя продолжительность жизни не превышала сорока лет. Так было в ветхозаветную эпоху. Люди женились в юности, воспитывали детей и умирали молодыми, стараясь всю жизнь прожить с одной женой. Сегодня жизнь удлинилась, дети вырастают довольно быстро, и нужно придумывать что-то новое, иначе что делать с одной и той же женой до гробовой доски?

Думаю, миллионер провоцировал меня своим риторическим вопросом: "Как можно всю жизнь прожить в одном браке?" Эти сомнения мучают огромное количество наших современников. И даже требование воспитания детей становится теперь необязательным — браки распадаются быстро, когда сходит первая волна взаимного очарования. Человеческая жизнь проходит в длинной череде "отношений", и кажется, люди уже не тоскуют по стабильности, не ищут фундамента, на котором можно построить что-то долговечное.

Впрочем, в жизни нет ничего вечного, мы знаем, что все проходит. У нас нет никаких иллюзий, мы сходимся, расходимся и всегда остаемся одинокими. Возможно, это доказательство зрелости?

Свой шестидесятый день рождения я встретил в Сочи, где заседал в жюри фестиваля "Кинотавр". По случаю юбилея меня пригласили на какое-то утреннее телешоу в прямом эфире. Молодая ведущая с неподдельной наивностью спросила, не жалею ли я о том, что все время живу в одном браке, ведь у режиссера, встречающего на своем пути разных женщин, жизнь может быть намного интереснее. Я искал простой ответ, сознавая, что россияне смутно представляют, чем может быть прочный брак и почему он стоит каких-то жертв и самоограничений. В голову пришел пример из популярной тогда настольной игры "Монополия". Я сказал, что, долгие годы живя с одной женой, мы вместе собираем очки, а каждый новый брак — это сброс, отступление на исходные позиции: все нужно начинать с нуля, причем понятно, что так далеко уже не зайти. Не знаю, убедил ли я кого-нибудь своим ответом, но сам твердо уверен: есть смысл строить жизнь вместе, подкрепляя себя надеждой, что мы идем к схожим целям.

Компьютерное поколение (к которому я не принадлежу) принимает определенную картину мира, предлагаемую машиной. В этой модели существенную роль играет функция "отменить", возвращение к предыдущему состоянию, вследствие чего создается иллюзия, что так будет и в жизни. Тем временем необратимый ход событий перечеркивает эту иллюзию.

В 1980-е годы я снял фильм "Императив", герой которого, математик, наблюдает за сходом снега с крыши, измеряет длительность этого процесса и переживает неизбежность всего происходящего. Его девушка — биолог, и они представляют собой образцовую пару, обреченную на взаимное непонимание. (Фильм получил "Серебряного льва" на Международном кинофестивале в Венеции при поддержке Андрея Тарковского: он был членом жюри.) Я представлю первые сцены картины, где намечаются контуры типичных для таких союзов взаимоотношений.

В ролях: Роберт Пауэлл (исполнитель роли Христа в фильме Дзеффирелли "Иисус из Назарета") и француженка Брижит Фоссе.

[▶ "ИМПЕРАТИВ"]

Шапка снега на ветке дерева. Утренний вид из окна. Почти пустая съемная квартира: белые стены, стол, стул, стопки книг, череп с трубкой в зубах, несколько странных картинок, открытые занавески. Ветка в снегу колышется за окном.

Августин лежит, вглядываясь в пространство. Ивона спит рядом с ним на матрасе, лежащем на полу. Снег, тающий от теплого ветра, сползает с ветки, падает на землю. Августин резко вскакивает, открывает окно, бросает взгляд на часы. Ивона просыпается и смотрит на него.

АВГУСТИН. Я ждал четверть часа, а точнее, семнадцать минут.

ИВОНА. Чего ждал?

АВГУСТИН. Когда он упадет. Дует теплый ветер, снег тает и периодически падает.

ИВОНА. Тебе не холодно?

АВГУСТИН. Холодно! Он упал на семнадцатой минуте с того момента, как я начал измерение. Это не имеет значения ни для снега, ни для дерева. И для нас тоже (*Произносит эти слова в глубокой задумчивости, как бы противоречащей их содержанию.*)

ИВОНА. Закрой окно. Простудишься.

Августин слышит в голосе Ивоны скрытое неприятие его внутренних колебаний.

АВГУСТИН (*вызывающе*). Ничего страшного. Мне жарко.

ИВОНА (*обеспокоенно*). Ты плохо себя чувствуешь?

АВГУСТИН. Да. Не мог спать. Что-то висит в воздухе. Может, погода меняется?

ИВОНА. Прими что-нибудь (*показывает на полку, где стоят какие-то капли и порошки*).

АВГУСТИН. Что?

ИВОНА. Что-нибудь успокоительное.

АВГУСТИН. Нет.

ИВОНА. Почему ты не хочешь? Зачем мучиться? Слезь уже с этого окна.

АВГУСТИН. Не слезу.

ИВОНА *(смеется)*. Слезешь.

АВГУСТИН *(задиристо)*. Я могу и выпрыгнуть.

ИВОНА. Не выпрыгнешь. Зачем тебе прыгать? *(В голосе Ивоны слышится терпеливость, смешанная с покорностью.)*

АВГУСТИН *(в неожиданном порыве злости)*. Низачем! Зачем падает шапка снега? Тоже низачем!

ИВОНА. Ты пил вчера?

АВГУСТИН. Почему ты спрашиваешь? Тебе нужна причина. Я сижу голый на подоконнике в семь утра и философствую, а этому должно быть объяснение. Нет, не пил. И причины нет. Так же, как нет повода не выброситься из окна, что не значит, что я выброшусь.

Ивона смотрит снисходительно, как человек, переживший не один подобный разговор.

ИВОНА. Хорошо. Ты не сделаешь глупость, потому что тебе это не свойственно, а бегать голышом по снегу на рассвете — глупо. Особенно в исполнении многообещающего математика.

АВГУСТИН. Как банально. *(Августин раздражен этими хладнокровными рассуждениями.)* Глупая провокация. Полагаешь, если я что-то сделаю, то наперекор тебе? Потому что должен быть мотив? Ты не в состоянии выйти из заколдованного круга причинно-следственных связей: твоя собака вырабатывает слюну при виде корма, твои мышки бегут по лабиринту к приманке. Вы слепы в вашем естествоведческом одурении.

Ивона. Кто-то должен быть реалистом, чтобы приготовить завтрак мечтателю, который сидит на подоконнике и скоро отморозит себе почки.

Ивона раздражена, ее терпение уже на исходе. В этот момент кажется, что она на самом деле не любит Августина.

Августин. А еще этот кто-то должен быть женщиной, ведь женщины — оплот рода человеческого. И не впадают в крайности.

Ивона. Да, я все время тебе объясняю.

Августин. Но ведь были среди вас святые, прорицательницы, куртизанки... Не все так ограниченны по половому признаку!

Ивона. Поищи другую.

Августин. Не говори так. Это же вопрос воли. Ты можешь быть другой, если захочешь, если сделаешь иной выбор. (*В голосе Августина звучат умоляющие нотки.*)

Разговор продолжается в сложной атмосфере злобы, снисходительности и тупого равнодушия. Раздражающая поза Августина, усевшегося на подоконнике, подогревает абсурдность ситуации.

Ивона (*истерично*). Да слезь же, наконец! Смотреть не могу, как ты сидишь на этом подоконнике, расставив ноги. День наступил. Тебя увидят люди. Студенты! Зачем ты делаешь из себя посмешище? Это бессмысленно!

Августин. А ты понимаешь, что такое смысл? Что значит это слово? В твоем биологическом понимании смысл состоит в приспосабливании с целью выжить. То, что я делаю, бессмысленно, поскольку не имеет конкретной пользы. И потому я это делаю. Сейчас я пройду по балкону соседки и по водосточной трубе залезу на дерево, а ты пожмешь плечами и уйдешь на кухню, чтобы не смотреть. И поступишь так, потому что ты ограниченна.

ИВОНА. Мне нужно из духа противоречия остаться и наблюдать, как ты дурачишься?

Ивона говорит спокойным тоном, словно поняла, что Августин дозревает до какой-то глупости, которую можно отсрочить, продолжая дискуссию. Она старается избежать разговора по существу.

ИВОНА *(заботливо)*. А ты заработаешь насморк, умничая на подоконнике. Оденься.

АВГУСТИН. Зачем?

ИВОНА. Чтобы идти на работу.

АВГУСТИН. Зачем?

ИВОНА. Чтобы заработать деньги.

АВГУСТИН. Я не должен. Ничего не должен. Ни одеваться, ни зарабатывать, ни жить.

ИВОНА *(иронически)*. Позавчера ты утверждал, что человек должен только умереть. Это была более удачная формулировка.

АВГУСТИН *(оскорбленно)*. Это сказал профессор. Ты повторяешь, как попугай. А задумываешься хоть иногда, что это значит?

Вопрос повисает в воздухе.

Рассвет в комнате старого профессора-серба. Множество предметов, которые он собирал всю жизнь. Профессор в ночной рубашке стоит перед исписанной математическими формулами доской. Он плохо себя чувствует, тяжело дышит, неуверенно держится на ногах. На электроплитке закипает кофе и булькает, выливаясь на пол. Профессор смотрит на свежие пятна. Не сдвигается с места.

Снова комната Августина. Расклад не изменился. Августин сидит на подоконнике, высунув одну ногу на улицу. Ивона ходит по комнате, наводя порядок.

ИВОНА. Ты полагаешь, твои философствования так оригинальны?

Ивона бросает Августину свитер, он накрывается, дрожа от холода.

АВГУСТИН. Может, и не оригинальны, но они есть. Я думаю и благодаря этому испытываю то, чего ты не понимаешь. Ты можешь описывать любые вещи, умеешь спорить, используя все эти латинизмы твоей чертовой зоологии. Да, ты можешь часами говорить об абстрактных вещах, но живешь только тем, к чему прикасаешься, тем, что чувствуешь, ешь, пьешь. Мысль никогда не становится для тебя переживанием! Ты не в состоянии победить свое упрямство.

ИВОНА (*провокационно*). Мне выйти в окно вместе с тобой?

АВГУСТИН. Ну, подойди.

Августин протягивает руку, на мгновение поверив, что Ивона вместе с ним будет выделывать акробатические трюки. Раздраженная этой идеей, она отворачивается и уходит на кухню.

АВГУСТИН *(кричит ей вслед)*. Детерминированная собака Павлова!

Ивона останавливается в дверях кухни с изменившимся выражением лица. Она по-настоящему взбешена.

ИВОНА *(цедит сквозь зубы)*. Ненормальный.

Августин не отвечает. В ярости, уставившись на Ивону, проходит по карнизу. Спотыкается о водосточную трубу, слегка повреждает руку. На тротуар сыплются куски штукатурки. Собака отпрыгивает, старушка поднимает взгляд, но ничего не замечает, потому что смотрит слишком низко. Августин спускается с высоты четвертого этажа по выступам на фасаде каменного дома XIX века. Прыгая по снегу, заходит в арку и на лестничную клетку. Поднимается на лифте, звонит в дверь. Ивона открывает, ее взгляд холоден.

АВГУСТИН. Ты сказала "ненормальный".

ИВОНА. Да.

АВГУСТИН. Ты правда так думаешь?

ИВОНА. Да.

АВГУСТИН. Давно?

ИВОНА. Уже давно. У тебя плохая наследственность. *(Ивона говорит спокойно, с ледяным ожесточением.)*

АВГУСТИН. Ты бы испугалась родить от меня ребенка?

ИВОНА. Теперь испугалась бы.

АВГУСТИН. Неправда. *(В голосе Августина слышится ужас.)* Не может быть. Ивона, как ты можешь говорить такие глупости! Это невероятно. Ты же не будешь осуждать меня за это безвредное чудачество. Подумай, разве то, что я пытаюсь найти свою свободу, ненормально? В этом маленьком немецком городе, в маленьком университете ничего не значащий преподаватель математики вопрошает, свободен ли он, и хочет это ощутить.

Замерзший обнаженный Августин нежно обнимает Ивону. Они опускаются на матрас. Ивона со слезами на глазах смотрит в окно. Новый день приносит потепление. Снежные шапки падают с деревьев одна за другой.

В своей захламленной квартире профессор крестится по-гречески, зажигает лампадку перед иконой в углу комнаты. Пытаясь отдышаться, подходит к окну, стучит по барометру, стрелка находится низко. Черные тучи неподвижно висят над городом.

В университетской аудитории Августин ведет свободную дискуссию со студентами математического факультета.

АВГУСТИН. Законы статистики касаются множеств. Но что такое множества? В природе их не существует, есть только единичные факты. Любое множество — продукт разума. Человек систематизирует природные явления, группирует их при помощи понятий. Но понятия не существуют материально, я, по крайней мере, не верю в мир идей.

СТУДЕНТ 1. А море или река? Это объективно существующие множества.

АВГУСТИН. Объективно существуют молекулы воды и песка. Ты объединяешь их в единое целое, используя понятия "море" и "река".

СТУДЕНТ 2. И что из этого следует?

Августин. Ничего. Можно пользоваться математической статистикой как инструментом, но она не отражает никакой действительности.

Студент 3 (*упрямо*). Посмотрим. Я уже два года просчитываю диапазон выпадения чисел в рулетке. Когда-нибудь я займу много денег и поставлю все на тот номер, который получу при расчетах. И тогда должен выиграть.

Августин (*с улыбкой*). Хочешь искушать судьбу.

Студент 3 (*категорично*). Нет никакой судьбы.

Августин. В таком случае Господа Бога.

Студент смотрит с любопытством.

Студент 3 (*изумленно*). Вы верите, что есть Бог? Ведь это как раз продукт разума?

Августин. Не знаю. Может, есть, а может, нет.

Студент 3. От чего зависит ответ?

Августин (*серьезно*). Подкинь монетку, вот и узнаешь.

Студент 3. Есть ли Бог?

Августин. Да, если ты так сформулируешь вопрос... Я дам тебе взаймы на твою рулетку.

Студент 3 (*смеется с удивлением*). Это что-то более реальное, чем предыдущая тема. Но так нельзя! Если я выиграю, вам будет полагаться доля. Надо занимать у тех, кто не знает о моей цели.

Августин. Хорошо. Одолжу тебе, если проиграешь. Только тогда мне может не хватить денег.

Студент 3. Об этом не может быть и речи. Я выиграю. Это результат расчетов.

Августин. Если бы ты рассчитывал хотя бы на силу воли... Если то, что люди могут силой воли двигать предметы, правда.

Студент 3. Вы верите в это?

Августин. У тебя есть доказательства обратного? Ты правильно спрашиваешь про веру. Мы не знаем, так это
или нет. Но можем верить.

Студент 3. А вы верите?

*Августин вдруг впадает в задумчивость. Смотрит в окно
и начинает говорить, обращаясь скорее к самому себе, нежели к собеседнику.*

Августин. Если хочешь знать, я скажу тебе, что ни во что
не верю… кроме смерти. А если ты ответишь, что это
депрессия по причине низкого давления, я отправлю
тебя к естественникам, поскольку они верят в причин-
но-следственные связи.

Студент 3. Но давление действительно упало. Все мы сегодня в плохом настроении…

[■]

Вспоминая беседу с легендарным биржевым спекулянтом,
я вскользь коснулся того, хорошо ли, что так называемый
традиционный брачный союз теряет свою социальную
значимость. Вначале нужно спросить, для кого хорошо,
потому что между личностью и обществом есть разница.
Переходя из одних кратковременных отношений в другие, человек может ощущать радость, обусловленную раз-
нообразием. Супружеские союзы, которые не воспринимаются всерьез, обычно распадаются безболезненно, пре-
вращаются в ни к чему не обязывающее общение, а у детей
становится больше родителей. С точки зрения отдельно

взятого человека, можно считать, что эта концепция лучше, нежели исторически сложившаяся моногамия, заставляющая от чего-то отказываться и держать себя в ежовых рукавицах.

По правде говоря, моногамный брак неверно считать признаком традиционализма. В исторической перспективе, как и сегодня, подавляющее число браков были неудачными — прочные и гармоничные супружеские союзы никогда не преобладали, однако являлись идеалом. В наши дни возник новый идеал, о котором и говорил биржевой спекулянт: предметом мечтаний перестал быть крепкий брак, теперь это множество мимолетных, волнующих опытов. Может быть, это лучше моногамии? Возвращаюсь к вопросу: лучше для человека или для человечества? Ибо если смысл супружества состоит не только в приключении, но также в передаче определенных ценностей следующим поколениям, такая неустойчивая модель может стать серьезным препятствием на пути воспитания эмоционально уравновешенных людей. Все психологические исследования показывают: оптимальными шансами на гармоничное развитие обладают дети у стабильных, любящих пар. Выбирая новую модель отношений, мы рискуем вырастить поколения невротиков, которые отбросят человечество назад, вместо того чтобы вести его наверх.

Гармоничная семья всегда была и будет редкостью, поскольку для нее необходимо одно условие — тяжелый труд. Любовь — не столько чувство, сравнимое с порывом ветра, прекрасным, но преходящим, сколько неутомимые усилия по совершенствованию и взаимодействию ради общего блага. Все, что я пишу, похоже на главу из пособия для молодоженов, но иначе, пожалуй, не объяснишь, как построить прочный брачный союз, основанный на взаимном самопожертвовании, самоограничении, отречении и многих других неприятных, но необходимых вещах. Построить, если у нас с самого начала есть такое намерение, и об этом нужно сразу четко договориться. Если у людей различные устремления, если они хотят друг другу подчиниться и использовать, то, очевидно, в скором времени разойдутся или же их отношения превратятся в кошмар, чего я никому не желаю.

Замечание, почерпнутое недавно из книги о генетике и эволюции человека: только для нашего биологического вида характерны семьи из трех и даже четырех поколений. У животных это не встречается, институт бабушек и дедушек существует лишь у человека. Социологи утверждают, что сегодня связь между поколениями ослабевает. Если они правы, это обернется для нас большими потерями.

В одном американском университете, находящемся в Швейцарии, слушатели (уже имеющие высшее образование) встречаются раз в год на сессии, длящейся несколько недель. В остальное время они поддерживают связь по Интернету. Я приехал туда в качестве философствующего кинематографиста, и мне предложили подискутировать со студентами о том, является ли семья, называемая в нашем цивилизационном кругу традиционной (то есть брачный союз отца и матери), последним словом в развитии вида? Или пора, воспользовавшись цивилизационным ускорением, предпринять эксперименты с целью поиска более прогрессивных форм жизни?

Тема семьи присутствует во многих моих фильмах, и я весьма критически отношусь к легкомысленным экспериментам в этой области. Но, встретившись с незнакомыми взрослыми людьми, я решил выслушать их мнения, прежде чем высказать свое.

Из суждений, представленных участниками семинара, мне особенно запомнился рассказ орнитолога о том, что у высокоразвитых птиц встречаются долговременные семейные союзы, а у менее развитых такого не бывает. Аисты, например, живут в постоянных парах, и им приходится преодолевать серьезные препятствия: ежегодный осенний перелет в теплые края и возвращение в зону умеренного климата весной. Из этого следует, что крепкая семья лучше справляется с жизненными трудностями.

Затем социолог — кажется, из Кувейта — говорил, что в мусульманском мире, где принято многоженство, естественным образом уменьшается роль отца, у которого на практике мало возможностей передать свой опыт детям. По его мнению, с этим могло быть связано поражение арабской культуры в историческом столкновении с Европой.

Третьей выступала работница социальной службы из негритянского предместья одного американского города. Она рассказала, что в той среде, где она работает, семья по-прежнему сохраняется в традиционной форме, но в процессе взросления ребенка происходят многочисленные перестановки: функции отца и матери довольно редко выполняют биологические родители, чаще — семья в широком смысле, родственники, а также соседи и друзья. В общем, отцом и матерью для одного ребенка становятся разные люди.

Я излагаю эти наблюдения, чтобы перейти к самому интересному — признаниям молодого человека, одного из нескольких сотен калифорнийских детей из пробирки, рожденных около тридцати лет назад, когда искусственное оплодотворение стало осуществляться в промышленном масштабе. Дети из пробирки выросли и занялись научным изучением своей жизни. Как выясняется, она существенно отличается от жизни остальных людей. Студент объяснял: они не похожи ни на сирот, отцы которых умерли, ни на детей от распавшихся браков, когда отец ушел и обзавелся другой семьей (либо это сделала мать). В их случае наличие отца изначально не предполагалось. К искусственному оплодотворению от неизвестного донора прибегали женщины, не желавшие вступать ни в какие отношения с мужчинами, а доноры семени, в свою очередь, не хотели знать, были ли использованы их гены. Женщины выбирали физические и психические качества будущего ребенка: экстраверт или интроверт, бегун на короткие или длинные дистанции, склонный к рефлексиям или более открытый. Студент показал нам анкеты, заполненные перед его появлением на свет: там действительно содержались разнообразные пожелания относительно потомства. Такие требования, как здоровье, красота и ум, гарантировались.

Этот рассказ произвел на меня впечатление и напомнил очень смешной фильм "Секс-миссия"[1], в котором женщины радикально обходились без мужчин и практиковали партеногенез, или "девственное размножение". Но "Секс-миссия" была шуткой, а калифорнийские практики — реальностью. Согласно исследованиям, проводимым моим студентом, в первом поколении детей из пробирки большинство испытывают болезненный комплекс отсутствия отца и все время пытаются его найти, хотя в таком многомиллионном мегаполисе, как Лос-Анджелес, у них нет ни малейших шансов. Тем не менее двадцати-тридцатилетние ребята едут в метро и невольно присматриваются, нет ли среди рук, держащихся за поручень, такой, ногти на которой на-

---

1   Фильм режиссера Юлиуша Махульского, снятый в 1983 году. В советском прокате шел под названием "Новые амазонки".

поминали бы их собственные, и сколько их владельцу лет: если чуть больше сорока, он мог быть донором, продавшим свое отцовство неизвестной женщине за какие-то две тысячи долларов в клинике, занимавшейся биологическими экспериментами.

Первая реакция на подобные истории — отвращение, смешанное со страхом. Мы боимся образа будущего, созданного Олдосом Хаксли в научно-фантастическом романе "О дивный новый мир", написанном в 1930-е годы. Тогда это были только страхи. Сегодня это повседневность. Давайте задумаемся, что здесь вселяет в нас страх и сколько в нем обычной боязни неизвестного, а сколько действительно обоснованных опасений.

Христианам проще, ведь если мы верим в существование Творца и принимаем, что человек — создание Божье, то обязаны разобраться, согласуется ли человеческое поведение с неким божественным планом (или же просто естественным правом), который распространяется на всех нас.

Хуже, когда мы вступаем в пространство прогрессивной современности, где понятие Творца отсутствует и человек "служит рулем себе и флагштоком"[1]. В развитых светских странах огромные массы людей мыслят сегодня чисто рациональными категориями и дополнительно подчеркивают это, когда под угрозой оказываются комфорт и своеобразно понимаемая свобода.

Полагаю, можно смело заявить: свобода часто входит в конфликт с тем, что мы традиционно называем семьей. Семья, как и любое другое обязательство, ограничивает нас. Как только возникает противоречие между нашими желаниями и нашими обязанностями, страдает свобода. Неслу-

---

1   Цитата из стихотворения А. Мицкевича "Ода к молодости" (1820) приводится в переводе П. Антокольского.

чайно в Библии ее символом выступают птицы небесные, что не сеют и не жнут. Они не должны работать. Правда, они обязаны вырастить детей, поскольку это записано в генах, то есть ради продолжения рода их свободе тоже наносится урон, но, когда они парят в небе и без труда находят себе пропитание, нам кажется, что они свободны.

Предлагаю подумать, что же мы считаем свободой. Много написано о том, что бывает "свобода чего-то" и "свобода от чего-то"[1]. Философы размышляли о свободе в обширных трудах, мои коллеги-писатели посвятили тысячи произведений конфликтам между свободой и прихотью, свободой и долгом, свободой и необходимостью верности. Из них нам известно, что свобода далеко не всегда лучший выбор, а когда в жизни кто-то чего-то от нас требует (даже если "кто-то" — мы сами), это воспринимается как ограничение свободы. Так что, думая о свободе, мы должны сами себя спросить: какая свобода?

Поищем еще аргументы против семьи. В обществе, отвергающем понятия служения, самопожертвования и разнообразных самоограничений, постоянно говорится о самореализации как эгоистичном праве каждого быть собой, нравится это другим или нет. Отталкиваясь от подобных идеалов, нет смысла связывать свою жизнь с кем-либо всерьез и надолго, не стоит иметь детей, а если они вдруг появятся, надо воспользоваться всеми доступными средствами, чтобы избавиться от них или до рождения, или после, отдав в руки соответствующих организаций, которые на деньги налогоплательщиков займутся их воспитанием, дабы они не стали помехой на нашем пути к самореализации.

---

1   Речь о концепции немецкого философа Эриха Фромма, изложенной им в работе "Бегство от свободы".

С президентом Мексики Луисом Эчеверриа в Мехико, 1976 г.

Несколько лет назад я вел в одной скандинавской стране общеевропейский семинар по драматургии. На нем был представлен проект о девушке, ощущающей жизненную пустоту и решающей забеременеть. Она осуществляет свой замысел с каким-то случайным парнем, рожает и понимает... что это была ошибка. Молодая мать не чувствует призвания к воспитанию детей, поэтому отдает сына в детдом и посвящает себя искусству, стоически выдерживая моральный прессинг родственников, пытающихся помешать ей на пути к полной самореализации. Как читатель я понял, что не выношу героиню за то, что она сознательно обрекла маленького человека на судьбу сироты. Автор назвала меня консервативным католиком, после чего я провел анкетирование среди участников семинара, и хотя ни у кого из них не было религиозных убеждений, все осудили героиню. Ночью я пал жертвой истерической атаки: девушка призналась, что это история о ней самой, что она считала себя замечательным человеком, а этот семинар перечеркнул ее высокую оценку собственных поступков. Между нами состоялся долгий разговор, уже не о сценарии, а о судьбе ребенка, которого кто-то усыновил. Не знаю, что в итоге произошло с героиней и автором в одном лице, но меня исключили из списка преподавателей в рамках программы Евросоюза *MEDIA*. Организаторы заявили, что считают недопустимой пропаганду ценностей, которые могут иметь религиозную подоплеку.

Пишу об этом с грустной улыбкой. Я участвую в других семинарах и не испытываю недостатка в университетских занятиях, но меня очень огорчает духовное состояние современной Европы, где новые предрассудки заменили старые, а вступить в открытый, откровенный диалог крайне трудно.

Я часто не использую позитивные аргументы, чтобы избежать обвинений в религиозной мотивации, поэтому выработал метод рассуждений через приведение к абсурду. Эта схема идет из математики, и я прибегаю к ней в тех случаях, когда позитивное рассуждение подводит. Мне как поляку нередко приходится выслушивать критику нашей отсталости в странах вроде Голландии или Бельгии, где разрешена эвтаназия. В ответ я спрашиваю: почему насильственная смерть по причине низкого качества жизни допускается, а медленная смерть от наркотиков — нет? Если человеку суждено умереть через несколько лет, почему бы не позволить ему принимать героин, который быстро его уничтожит, — мы отнесемся к его свободе с неменьшим уважением, чем к свободе того, кто просит немедленно убить его одним уколом. (Добавлю для ясности, что сам опасаюсь категорично высказываться по проблеме так называемой "доброй смерти".) А беременность? Какой смысл имеют ограничения на совершение аборта до нескольких недель с момента зачатия? В разных странах эти сроки отличаются, следовательно, нет однозначных критериев. Почему бы не разрешить аборт до родов, а то и после? Нередко родители спустя пару лет начинают жалеть, что ограничили свою свободу, родив ребенка, но чаще всего это чувство появляется, когда ребенок вступает в переходный возраст. Так, может, "аборт" до восемнадцати лет, а после — эвтаназия? Так логически замкнется цикл, где человек делает с собой, что хочет, и решает за детей, считая их плотью от своей плоти, с которой можно творить все, что заблагорассудится.

Я написал много ужасного, но ведь без всяких аргументов каждый человек чувствует: мы находимся в пространстве абсурда, так жить нельзя, даже если не верить, что некто, нас сотворивший, к чему-то нас обязал, а что-то запретил. В продолжение можно сказать, что одним лишь умом жизненных проблем не решить, в жизни есть Тайна — впрочем, тут уже легко разойтись во мнениях. Однако взгляды можно поменять, в отличие от множества необратимых вещей, ошибок, за которые приходится дорого платить. Вернемся лучше к простым, благоразумным формулировкам.

Само собой напрашивается, что, если наш биологический вид появился на планете, его дальнейшее существование — некое абсолютное благо. Земля может обойтись без нас, но кому нужен этот мир без людей? Стоит только оглянуться назад, в варварскую эпоху, когда человек не слишком отличался от животных, чтобы понять: иногда род человеческий возносится к вершинам, а иногда скатывается до звериного состояния. Среди нас есть люди потрясающие, одухотворенные, почти идеальные, а есть жалкие ничтожества. Есть те, кто, будто свиньи в хлеву, не видит ничего, кроме корыта, а есть способные переступить через себя и, например, отдать жизнь за другого человека. (Сколько матерей поднимается на вершины человечности, жертвуя собой ради детей!) Такие взлеты духа не берутся из ниоткуда. Сначала, как в случае матери, срабатывает инстинкт, потом возникает нечто большее. Мне кажется, все, что делает человек, переступая через личные обстоятельства, ограничения, эгоизм и ничтожность, — результат накопленной работы многих поколений. Этот закодированный в генах опыт и есть то, что мы называем культурой. А чтобы культура выработалась и поднялась над уровнем первобытного племени, нужны века и труд поколений. Этот труд, как правило, передается в семье: от матери и отца, от бабушки и дедушки мы получаем наглядные знания о том, на что способен человек и насколько высоко он может стремиться.

Передача ценностей и накопление опыта — мой наиболее сильный аргумент в пользу традиционной семьи как лучшего решения для нашего вида. Человеку, выросшему без родителей, приходится тяжелым трудом и часто очень мучительно наверстывать то, чего он не смог получить от общения с семьей. Исключена ли такая возможность в случае "открытой" семьи, где нет обязательств и ограничений? Живя в обществе потребления, мы часто слышим истории из жизни массовых героев, которые сходятся, расходятся и сохраняют дружеские отношения с бывшими партнерами. У папы новая жена, у мамы новый муж, а дети — мои, твои и наши. И кому от этого плохо? Так вот, я подозреваю, что плохо. Приведу окончательный аргумент, затрагивающий наше существование на Земле как таковое. Все на свете проходит. Само существование времени — приговор. Время течет, мы становимся другими людьми. Все стремится к равновесию. Это теория термодинамики: функция энтропии указывает направление разрушения. В конце всегда наступает смерть. В физике тепловая смерть Вселенной — равновесие температур, в жизни — биологическая смерть, все мы в итоге окажемся в земле. Один свой фильм я назвал, позаимствовав злую шутку из граффити на стене дома в моем интеллигентном варшавском районе Жолибож: "Жизнь как смертельная болезнь, передающаяся половым путем". Половой путь смешил всех, кто не замечал, что намного страшнее другое: в самом рождении уже заключена смерть. Беккет писал, что женщины рожают верхом на могиле, и это еще более жестокая формулировка.

Есть ли способ не поддаваться разрушению? Теория энтропии, которую я использую только как метафору, гласит, что разница температур, энергии, высоты, любое возникающее в природе напряжение — это сопротивление равновесию, означающему смерть. В жизни человека таким сопротивлением тленности становится созидание. Любовь, как часто повторяют, больше смерти, и хотя это звучит как избитая поэтическая метафора, но, говоря о семье, мы подразумеваем именно это. Создавая что-либо наперекор смерти, мы принимаем на себя обязательства, не отступаем от сделанного выбора вопреки инстинктам, сохраняем верность, хотя звериная натура требует такой свободы, которая не есть жизнь, а, наоборот, является ее противоположностью. Мы можем плыть против течения времени или же по его течению.

Здесь хотелось бы пойти чуть дальше. В риторике Иоанна Павла II очень часто встречаются определения "цивилизация смерти" и "цивилизация жизни". Расширив смысл этих понятий, можно заметить, что, подчиняясь изменчивости, уступая бренности, примиряясь с нашим естеством, разрушаемым временем, мы приближаемся к смерти. Сражаясь за все устойчивое, прочное: твердые убеждения и крепкие чувства, серьезные обязательства и долгую дружбу, — мы ограничиваем свою свободу, но сопротивляемся процессу, который нас разлагает и уничтожает.

Я ударился в весьма пафосные рассуждения. Честно говоря, иначе не умею отстаивать институты семьи, супружества и родителей. Все они — бремя, груз, ограничение и волнение, но тем не менее представляются мне абсолютным благом, благодаря которому человечество растет, а не загибается.

Теперь кое-что более практическое. Уже много лет я связан с фондом, помогающим одаренной молодежи. В коммунистические годы этот фонд пытался противостоять просвещенческой и марксистской концепции человека как чистого, неисписанного листа бумаги, человека, который рождается невинным и портится под влиянием окружения, прежде всего семьи и общества. Исходя из подобных представлений, талантливых ребят старались вырывать из их среды, ограждать от родственников, часто весьма косных, и создавать в интернатах условия для их всестороннего развития. Во многих странах бывшего "прогрессивного блока" открывали "школы для гениев", где способную молодежь окружали заботой (с мыслью о будущих открытиях, в том числе на благо армии). В Польше удалось избежать создания таких школ. Фонд поддерживал подростков, не отрывая их от семей, нередко действительно темных и отсталых. Полагаю, этот подход ближе к правильному пониманию человеческой природы, ибо даже в кругу недалеких родственников одаренный ребенок развивается лучше,

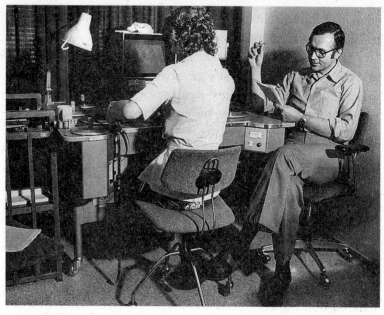

За монтажным столом

чем в стерильных условиях интерната. В деятельности фонда мы руководствовались концепцией, что человек — существо семейное, а никакая не *tabula rasa*.

Вопрос к читателям: задумывались ли вы, сколько в вас самих истории ваших предков? Тех, кого вы знаете и не знаете, дедов и прадедов? Все они — в ваших генах. И пока старшее поколение не ушло, есть шанс узнать, что вы получили в наследство. Можно пытаться это изменить, но сначала стоит выяснить, что вам досталось. Чем бабушка и прабабушка покорили своих мужей, а может быть, мужчинам пришлось покорять их? Какие у них были таланты, характеры, болезни? К чему они были способны? Кто в семье брал упорством, кто прибегал к хитростям, а кто совершал нечеловеческие усилия? Эти вещи потенциально заложены в вас. Не лучше ли узнать о них, пока живы дедушки и бабушки, чем потом открывать все заново?

Много лет назад я снял фильм "Семейная жизнь", где пытался показать: человек не может убежать от того, что унаследовал, и это совсем не фатализм. Качества, доставшиеся по наследству, можно использовать, причем эффективнее предков. В корне неверно считать, что наша жизнь начинается с нуля. За мной — сотни поколений, следы которых я ношу в теле, в душе и в сердце. Это осознание тоже ограничивает свободу, но на самом деле никто не свободен полностью. Мы должны вечно освобождаться, что возможно только при наличии уважения к истине. Если у человека кривые ноги, он должен это признать, а не убеждать себя в обратном, даже если безумно хочет иметь прямые. Они такие, какие есть. Помогут в верховой езде, а в легкой атлетике — нет. Можно сделать выбор, прислушавшись к голосу разума, а можно бессмысленно стоять на своем.

Пожалуй, я слишком увлекся "генетикой на каждый день". В Германии меня восхищают обычные люди, изучающие свою генеалогию не ради какого-то снобистского удовольствия, а чтобы знать, чем болели их предки. Доноры для калифорнийского искусственного оплодотворения должны были доказать, что в трех предыдущих поколениях у них не было рака и психических заболеваний. Кажется, исключался еще сахарный диабет. Мы — часть исторической цепи, в прямом и переносном смыслах. Я верю, что семья — это хорошая идея. Убежден также, что между полами должны быть различия, и не хочу видеть ни "бабомужиков", ни женоподобных мужчин, хотя, с другой стороны, признаю: многообразие жизни превосходит наши самые смелые представления. Я радуюсь, видя женщин, способных руководить, и мужчин, нежно заботящихся о детях, пока мать до поздней ночи сидит на совещании. Мир меняется к лучшему, когда увеличивается число людей, прислушивающихся к своему призванию.

Несколько негативных наблюдений на тему семьи. Семейное, племенное общество. Продвижение родственников, не стоящих ломаного гроша. "Ведь это наша семья, надо дать им заработать!" Хорошо ли это? Нет, очень плохо. В грустной хулиганской песенке поется: "Будьте уверены, семья — тоже люди, хоть и родственники…" Есть ли обязанность поддерживать отношения с семьей? Не лучше ли друзья, которых мы выбираем? Это отдельный разговор, поэтому я просто напомню заповедь: "Почитай отца твоего и матерь твою". Обратите внимание: "почитай" — не "люби", а именно "почитай". Если смотреть объективно, наши родственники наверняка несовершенны, иногда и вовсе ужасны, но это генетически близкий нам круг. По отношению к семье у нас есть обязательства, однако мы должны трезво оценивать их границы. Уважая себя, давайте уважать наших родных, но не стоит протежировать их на работе, никто нас к этому не обязывал. Любить — да, поддерживать — настолько, насколько они того заслуживают. В противном случае семья становится уродливым горбом, под которым гнется добродетель.

Глава 3
Карьера и деньги

Mногие из нас оказываются перед выбором: семья или карьера? Что важнее, что должно оставаться на втором плане? Пожертвовать карьерой ради семьи или семьей ради карьеры? А если ничем не жертвовать? Слово "карьера" в нашей культуре определенно имеет подозрительную окраску. Благодаря английскому языку этот отрицательный оттенок немного тускнеет, но производное от карьеры слово "карьерист" имеет однозначно отрицательный характер. Карьерист — человек, который ради карьеры, то есть личной выгоды (а кому еще его карьера приносит пользу?), готов поступиться основными нравственными принципами: честностью, благонадежностью, прямотой. О карьеристах мы говорим с презрением, но о тех, кому удалось сделать карьеру, чаще всего с восхищением, особенно если можем добавить, что они многого достигли своими силами, своим талантом и трудом, а не благодаря связям или случайному стечению обстоятельств. О человеке, выигравшем в лотерею, не скажешь, что он сделал карьеру, ведь он вообще ничего не сделал, здесь нет никакой его заслуги, кроме приобретения лотерейного билета, поэтому говорится: "ему повезло", а не "ему причиталось". Одним словом, не было ни гроша, да вдруг алтын. Можно завидовать счастью как проявлению несправедливости нашей судьбы, но чужое счастье не вызывает восхищения, — в отличие от чужих заслуг.

Прежде чем вернуться к теме карьеры, задумаемся, что мы имеем на вооружении, приступая в начале взрослой жизни к профессиональной деятельности. Это талант (способности, интеллектуальные и физические склонности), характер (или умение управлять собой), большая мотивация, готовность совершать усилия, смелость, последовательность, образование, наконец. В первую очередь следует подробно поговорить именно об образовании.

Мои собственные поиски того, чему себя посвятить, заняли десять лет — это были прекрасные, хотя очень трудные и мучительные годы. В 1955-м, когда я сдал экзамены на аттестат зрелости, выбор у моего поколения был невелик: все гуманитарные направления, пронизанные идеологией, отпадали. Еще в средней школе родители терпеливо объясняли мне: все, что нам говорят на уроках истории, литературы и даже географии, я должен пересказывать дома, чтобы узнать, как все обстоит на самом деле. При этом в школе приходилось отвечать так, как нас учили, а правду сохранять при себе, не выставляя напоказ. Этот дуализм распространялся даже на биологию. Отец спокойно говорил, что ученые Трофим Лысенко и Ольга Лепешинская — обманщики (как и Мичурин, советский "волшебник садов"), и то, что рассказывают на уроках географии про нищету в Западной Европе, — ложь.

По семейной традиции я должен был стать архитектором, и отец обеспечил мне дополнительные занятия по рисунку. В выпускном классе я корпел над коринфскими капителями, покрытыми листьями аканта, но вскоре понял, что, окончив архитектурный институт, буду проектировать здания в единственно возможном соцреалистическом стиле, а по вечерам с семьей, как обычно, высмеивать вульгарность этой эстетики с ее мещанскими претензиями на пошлый монументализм в сочетании с псевдоклассицистскими украшениями. Помню речь, содержавшую детальный анализ эстетики Дворца культуры и науки в Варшаве, которую отец произнес на площади Дефилад, после чего у него потребовали предъявить документы, ибо он в пух и прах раскритиковал Льва Руднева — советского архитектора, изуродовавшего Варшаву этим дворцом и жалкой копией Бельведера, где расположилось советское посольство. Живо все это представляя, вместо того чтобы идти на вступительный экзамен по архитектуре, я в последний момент подал документы на физический факультет. Проучившись там четыре года, я понял: это не мое призвание.

Процесс осознания сего печального факта оказался для меня унизительным и стыдным. Я имел к точным наукам определенные способности, но не выдающиеся, а это худшее, что только может быть. Неспособный человек просто не сдал бы вступительные экзамены, очень способный стал бы физиком, а я находился в подвешенном состоянии: то делал некие успехи, то что-то заваливал, и лишь спустя четыре года великий физик (и хороший психолог) профессор Ежи Пневский (открывший вместе с Марианом Данышем гиперядра), приняв у меня экзамен, спросил, не интересует ли меня в большей степени человек, склонившийся над измерительным прибором, чем то, что показывает прибор. Это было как гром среди ясного неба: меня вдруг озарило, что я заблуждаюсь и трачу время, причем именно в тот момент, когда исчезло основное препятствие — узость выбора.

После октябрьской оттепели 1956 года высшие учебные заведения уже не были так сильно идеологизированы, а на философский факультет Ягеллонского университета в Кракове пришел феноменолог, профессор Ингарден, ученик Гуссерля, друг Эдит Штайн, и там философию преподавали "нормально", без марксистских искажений. (До сегодняшнего дня, особенно на востоке Европы, я без труда распознаю, кто какую философию изучал: те, что различают идеализм и материализм, учились у марксистов, а те, для кого онтология, наука о бытии, начинается с разделения монизма и дуализма, прошли "нормальный" курс истории философии.)

Когда журналисты спрашивают меня об отношении к физике, я в угоду им отвечаю, что был и по-прежнему влюблен в нее — увы, без взаимности. Эти слова должны звучать забавно, но на самом деле за ними скрывается огромная ностальгия по миру точных наук, где больше уверенности и в то же время больше Тайны. У физиков, с которыми я продолжаю общаться, я вижу больше смирения, чем у иных гуманитариев. Многие экономисты и историки свято верят: у любого общественного процесса и исторического явления есть конкретные причины, поддающиеся исчерпывающему объяснению. Физики, знающие о мире невероятно много, все время держат в голове, что их объяснения неполны, а реальность, с которой мы имеем дело в науке, нам неподвластна.

Думаю, сейчас подходящее время вспомнить фильм, который я снял в 1970-е годы, тогда еще остро переживая расставание с физикой. Я не наделял главного героя Франчишека своей биографией, однако он сталкивается с теми же сомнениями, что выпало пережить мне, поэтому отождествляю себя с ним. Это момент, когда Франчишек уходит из института, поскольку его девушка забеременела, и он вынужден пожертвовать карьерой во имя долга и порядочно-

Малгожата Притуляк и Станислав Лятало на съемках "Иллюминации" (официальная премьера на кинофестивале в Локарно, 1973 г.)

сти. Прошу обратить внимание на то, что говорит в картине реальный физик-теоретик, профессор Иво Бялыницкий-Бируля, преподававший у меня наряду с профессором Бялковским, кстати, одаренным поэтом. Я часто рассказываю о Бялковском в России, поскольку там под влиянием марксистской идеологии закрепилось нелепое противопоставление физиков и лириков, проще говоря — поэтов. Это эхо оппозиции материализма и идеализма: физики должны быть материалистами, а поэты — витать в мире духа. В действительности, особенно в нашей, западной культуре, все иначе: физики часто превосходят нас своим воображением, именно они ближе к поэзии, чем большинство обывателей. Наблюдение, представленное в ленте профессором

Бялыницким, касается глобальной гипотезы о том, что существует вневременная действительность.

В ролях: Станислав Ляталло, Малгожата Притуляк, а также реальные исторические персонажи, подписанные в кадре.

[▶ "Иллюминация"]

В кадре. Висящее на факультете объявление о выборе специализации с четвертого курса.

Документальная вставка. Дискуссия в кругу студентов и аспирантов по проблеме специализации. Франчишек первым выдвигает тезис, что еще слишком рано решать, в каком направлении человек будет работать всю жизнь. Полученных в первые годы обучения знаний не хватает для достаточно полного понимания дисциплины, а дальше предлагается только сужать поле зрения и ограничивать круг интересов. *Контраргумент.* Если человек хочет чего-то достичь, он должен начинать очень рано. Общее обучение — лишь начало. *Проблема выбора.* Любой выбор представляет собой ограниченное количество возможностей. Человек, пасующий перед выбором, обнаруживает свою незрелость. *Атака на Франчишека.* Его желание того, чтобы учеба и работа касались всеобщих сущностных проблем, вызвано прежде всего высокомерием. Скромный человек понимает: он лишь винтик в сложнейшем механизме познания. Лишь в конце пути можно позволить себе совершить синтез. Во-вторых, невозможность выбора — драма, с которой сталкиваются не только ученые. Чтобы понять, кто я, нужно также определить, кем я не являюсь.

Мораль ученого. Императив выявления истины — можно ли ограничиться специализацией в одной узкой области, разбираться лучше всех в каком-то небольшом вопросе? Сомнения в отношении Франчишека. Может, он не нашел своего призвания? Иногда способности расходятся с основным направлением интересов.

Франчишек разговаривает со старшим товарищем Влодеком. Они стоят у портика институтского здания, в саду на улице Хожей.

ВЛОДЕК. Я слышал, ты возмущаешься. Что случилось?

ФРАНЧИШЕК. Да нет, я уже давно перестал возмущаться, вот только понимаешь... Мне надо выбрать. От меня требуют сделать выбор, а я этого не хочу... Ты же сам знаешь. Вы научили нас физике двадцатилетней давности, и это прекрасно, но мы не в курсе, что делается в современной науке. Я не знаю, в какой области физики происходит сейчас что-то важное, где я мог бы пригодиться, где можно быть успешным.

ВЛОДЕК *(иронично)*. Ты хочешь быть успешным?

ФРАНЧИШЕК. А ты нет? *(Смеются.)* Понимаешь, я мечтаю не просто хорошо делать свое дело, а найти в физике такую точку, откуда можно постичь целое, каким-то образом синтезировать...

ВЛОДЕК *(смотрит с иронией)*. Шанс у тебя есть. Примерно один на десять тысяч. Эйнштейну и еще нескольким удалось.

ФРАНЧИШЕК *(возмущенно)*. Я не хочу быть Эйнштейном, не хочу выбирать прямо сейчас, не хочу дать загнать себя в узкие рамки специализации!

ВЛОДЕК. Выбор — вообще вещь трудная, и не только в физике, в жизни ты тоже столкнешься с этим. Проблема вот в чем: делая выбор, всегда концентрируешься на том, что теряешь, а не на том, что выбрал, чему посвятил себя. Но в физике на это нет времени: если ты чего-нибудь добьешься, только до тридцати лет...

В кадре. Портрет Альберта Эйнштейна. В 34 года стал профессором, в 42 получил Нобелевскую премию.

Макс Планк — профессор в 22 года.

Вернер Гейзенберг — звание профессора в 26 лет, Нобелевская премия в 31 год.

В кадре график статистических исследований — зависимость научной производительности (количество опубликованных работ) от возраста.

Лаборатория. Вечер. Франчишек смотрит в микроскоп и считает молекулы. Тишина. Слышен только шум приборов. Опыт навевает на Франчишека скуку, и он безотчетно кладет руку под микроскоп, рассматривает кожу, затем переворачивает и разглядывает ладонь.

Хиромантическая карта. В коротком монтаже вмонтированы кадры из следующих сцен: лицо будущей жены, пациенты психиатрической больницы, армия, ребенок (сын

Франчишека), монастырь, река, неудачная попытка самоубийства; в конце — Франчишек.

Лекция на камеру. Физик-теоретик объясняет, что существование будущего времени в настоящем отчасти можно по-
мыслить, по крайней мере, есть такая вероятность. Говорит
профессор Бялыницкий-Бируля: "Основное отличие между пространственным и временным измерениями состоит в том, что если в пространстве мы можем осознанно и це-
ленаправленно перемещаться в разные стороны, то течение
времени в нашем сознании носит как бы автоматический характер, мы не можем им управлять... Восприятие времени
можно сравнить с ночным уличным освещением: настоящее и прошлое, существующее в памяти, освещены, а будущее погружено в темноту. Но возможно, все-таки есть способ пролить свет на будущее. Может быть, есть те, кто в состоянии разглядеть смутные очертания завтрашнего дня".
Повторение отдельных кадров из сцены с гаданием цыганки.
"Подобные размышления в устах физика могут удивить, —
продолжает профессор Бялыницкий, — однако современная наука не исключает, что будущее содержится в настоящем, так же как прошлое живет в нашей памяти..."
Как образ прошлого возникает мазурка из оперы Монюш-
ко "Зачарованный замок": разноцветная цепочка танцую-
щих пар выстраивается по кругу сцены Театра на Остро-
ве в варшавском парке Лазенки. В толпе случайных зрителей — Франчишек с девушкой, которую незадолго до этого
мы видели в горах, на турбазе у озера Морске Око. Малгося — милая, не очень красивая, немного робкая.
Следующие кадры (сопровождаются звуками мазурки):
Малгося с Франчишеком в зоопарке, в трамвае, на улице,
где Франчишек покупает девушке цветы. В общежитии —
пустая комната, окно завешено полотенцем, двухэтажные

кровати. Пара бедных любовников, испытывающих взаимное стеснение. Кто-то стучит, перепутав двери. Малгося стыдливо прикрывается одеялом. Франчишек снимает очки и деликатно обнимает ее.

На секунду появляется кадр с открыткой, изображающей скульптуру амура.

Лето в разгаре. Воинская часть. Казармы. На плацу толпа рядовых отрабатывает строевой шаг перед присягой. Жара. За каждой шеренгой поднимается серое облако пыли. Веселое покрикивание сержанта: "Ножки прямо. Левой. Ручки работают. Голову выше. Левой. Последний куда смотрит? Сказал же, руки перед собой…" К забору прильнули дети, с восхищением наблюдающие за странной игрой взрослых. "Налево кругом…"

Сержант отдает приказ строиться. Франчишек во второй шеренге смотрит на сержанта. За забором мелькает фигура Малгоси. "Смирно!"

Франчишек вопреки приказу не ставит голову прямо. Вдоль штакетника параллельно его шеренге идет Малгося, привлекает внимание возлюбленного жестами. У нее какое-то важное дело.

Сержант кричит Франчишеку: "Было смирно или нет! Куда уставился, на девушек?!"

Караульная. Пустая комната, белые стены, стол, два стула. Малгося шепчет что-то Франчишеку на ухо. Она смущается, потому что у открытой двери сидят другие солдаты.

В кадре. Медицинская карта, справка о беременности.

Малгося продолжает шептать с озабоченным видом. Ожесточенно спорит с тем, что шепчет ей на ухо Франчишек. Через некоторое время ее сопротивление ослабевает, она начинает плакать и прижимается к Франчишеку. Может показаться, что они счастливы, но Малгося опять протестует.

МАЛГОСЯ. Нет, не хочу.

ФРАНЧИШЕК. Почему?

МАЛГОСИЯ. Ну потому…

ФРАНЧИШЕК. Почему?

МАЛГОСЯ. Зачем тебе жена? Тебе не нужно жениться. Я это знаю и буду жить одна. Только вначале тебе придется немного мне помочь…

Франчишек привлекает ее к себе. Малгося не сопротивляется.

ФРАНЧИШЕК. Дуреха ты.

МАЛГОСЯ. Сам дурак. Ты делаешь это из жалости. Иначе бы никогда не женился…

ФРАНЧИШЕК. Неправда… Давай ничего не портить. (*Малгося снова плачет. Франчишек успокаивает ее.*) Это просто произошло бы чуть позже, через полгода или год…

Свадьба в ЗАГСе.

В кадре свидетельство о браке, свадебная фотография, гости на ступеньках ЗАГСа, друзья молодоженов, мать Франчишека; со стороны невесты — несколько пожилых людей из деревни. Застолье в общежитии. Толпа друзей. Поздравления, тосты. "Горько, горько!"

Молодые должны поцеловаться за столом.

В кадре газетная вырезка, объявление в рубрике "Аренда недвижимости": "Молодая супружеская пара снимет комнату на год, оплата ежемесячно".

Франчишек и Малгося осматривают мрачную комнату в старом обшарпанном доме. Неприятная хозяйка не хочет сбавлять цену. Уголь нужно будет носить из подвала.

В кадре вступительный взнос в кооператив, бульдозеры на стройплощадке, кооперативная книжка.

Франчишек и Малгося пролезают через дыру в заборе, смотрят на котлован, вырытый под фундамент.

На приеме у врача. Франчишек ждет результатов обследования. "Все в порядке, — говорит врач. — Хотите послушать, как бьется сердце?" — спрашивает Франчишека и дает ему стетоскоп.

Монтажная нарезка. Развитие эмбриона. Фотографии под музыку, смонтированные через наплывы: стадии развития человека до момента, когда плод внешне ничем не отличается от младенца.

Больничный коридор. Крик новорожденного. Медсестра издалека через стекло показывает Франчишеку орущего красного младенца. Говорит: сын.

Франчишек вне себя от счастья прямо в одежде залезает в фонтан у Дворца культуры и науки. Зеваки изумленно смотрят на него.

В квартире. Грудничок лежит на столе. Франчишек и Малгося склонились над ним. Франчишек берет маленькую ручку ребенка, сравнивает со своей ладонью.

В кадре. Просьба на имя декана предоставить академический отпуск.

В кабинете у декана Франчишек объясняет причины своего решения.

ФРАНЧИШЕК. Я узнавал про полставки, но это ничего не решает, я просто не справляюсь и поэтому вынужден...

ДЕКАН. Ну ладно, но вы отдаете себе отчет, что, однажды порвав с наукой, к ней крайне трудно вернуться? Мне почти неизвестны примеры людей, бросивших, а потом продолживших учебу...

ФРАНЧИШЕК *(с надеждой)*. Я бы очень хотел вернуться. И вернусь, но сейчас у меня нет другого выхода...

Пустая физическая лаборатория. Приборы, ряды реторт, блестящих устройств. Неподвижность.

[■]

Как любой пожилой человек, я с наслаждением выискиваю различия между поколениями, в глубине души надеясь найти доказательства нашего превосходства. (Ох уж эта невыносимая потребность быть лучше других!) Рассуждая трезво, я не вижу никаких серьезных аргументов в пользу того, что мы с нашим интеллигентским миром в чем-то превосходили современную молодежь. Это невозможно ни измерить, ни сравнить. И все же я понимаю: во многих отношениях мы были другими. Полагаю, что наше поколение в большей степени осознавало необратимость событий, а в спокойные, мирные годы молодые люди, вперившись в компьютеры, почти не слышат шелеста текущего времени и тешат себя иллюзией, что все можно вернуть назад, нажав соответствующую клавишу.

Кроме того, я замечаю, что сегодня молодежь хуже концентрируется: она не ожидает от повествовательного искусства, что ружье, висящее на стене в первом акте, должно выстрелить в третьем (это правило Чехова). В музыке Бетховена несколько звуков в первой части произведения развиваются и приводят к главной теме, по пути претерпевая множество трансформаций. Молодые слушатели чаще имеют дело с очень короткими формами и не ждут затейливых конструкций, потому что за несколько минут композитор просто не успеет их выстроить. Рэпер тоже не в состоянии сочинить длинную поэму. Краткость формы — своего рода знак времени, отражающий стремительный ритм жизни и еще более стремительный ритм перемен. Если спросить, хорошо это или плохо, ответ будет неоднозначным. С одной стороны, хорошо, что мы живем быстро, жизнь за счет этого дополнительно удлиняется, с другой — есть важная категория переживаний, которые не испытать на бегу: то, что вложили в свои романы Марсель Пруст, Лев Толстой или Томас Манн, поймут только те, кто сможет прочитать их многотомные произведения. Справедливости ради замечу, что многословие в XIX и XX веках было бедой не только многих писателей и композиторов, но также политиков, выступавших публично, профессоров, стоявших на кафедре, а прежде всего — велеречивых священников. Все они болтали, не зная меры, что сегодня уже не остается безнаказанным.

Раз речь зашла о концентрации внимания, смею надеяться, читатель простит, что я не стремлюсь к выверенной композиции, предполагая, что читать эту книгу вы будете кусками, так же, как я ее пишу. В общем, рассчитываю на вашу невнимательность, а теперь вернусь к дилемме, наметившейся в "Иллюминации". Молодой человек вынужден бросить учебу, чтобы прокормить жену и ребенка. Распространенный случай, словно взятый из каталога стереотипных ситуаций. Как совместить семейную и профессиональную жизнь? Сколько бы мы ни задавали этот вопрос, у каждого человека все складывается по-разному. В XXI веке повсеместная тенденция в развитых странах такова, что значительному числу мужчин, а также — что ново — женщин реализовать себя в профессии важнее, чем в личной жизни, поэтому они откладывают серьезные отношения на потом и тем самым оттягивают момент, когда станут родителями. Я сам поздний ребенок и знаю: у этого есть свои плюсы и минусы. Молодые родители обычно поддерживают с детьми партнерские отношения, но в то же время часто соревнуются с ними, что недопустимо и вредит всем. Родители старшего возраста не так совершенны биологически, поэтому сейчас много слабых и неполноценных детей. На другую чашу весов можно положить то, что у людей, реализовавшихся в профессии, шансы стать хорошими родителями больше. Правда, они не всегда этим пользуются. Читая биографии титанов науки и искусства, мы нередко видим, как дети великих людей пали жертвами их удачной карьеры — я имею в виду, к примеру, Марию Склодовскую-Кюри или Томаса Манна.

Еще один вопрос, на который никто, разумеется, не знает ответа: все ли люди обладают талантом и призванием? Я бы хотел, чтобы так было, мне хочется верить, что в каждом дремлет какое-то дарование, пусть и глубоко запрятанное. Пишу об этом, задумываясь, как человеку искать свой путь, как определить, чему себя посвятить? Общаясь с молодежью, я нередко начинаю полушутя препираться, слыша настойчиво повторяемую фразу "я хочу". Она не вписывается в традиционные представления о вежливости: раньше говорили не "я хочу", а "я хотел бы", но чаще всего просто "пожалуйста". Не "Мама, я хочу на ручки", но "Мама, я бы хотел на ручки" или "Пожалуйста, возьми меня на руч-

После показа "Константы" с Тадеушем Брадецким и Славомиром Идзяком
в Канне, 1980 г.

ки". Слово "пожалуйста" было "волшебным", хотя иногда
приобретало гротескные формы. Я знаю истории про ма-
лышей, говоривших: "Мамочка, пожалуйста, пи-пи". Пре-
увеличенная вежливость недавно при печальных обстоятельствах вернулась к нам из-за океана, где родственник
воспитал детей как раз в таком духе, а когда лежал, сражен-
ный болезнью, они звонили нам и говорили: "Папа больше не изволит жить".

В плане личной карьеры это внешне невинное "хочу"
может легко завести в тупик. Поговорка гласит "хотеть —
значит мочь", но на самом деле стоит хотеть только того,
что реально возможно. Молодые люди, снисходительно за-
являющие, чем хотели бы заниматься, обычно не думают
о том, каковы их шансы в данный момент в данном обще-

стве делать именно это, а с другой стороны, не задаются вопросом, есть ли у них способности и объективные предпосылки добиться того, о чем они мечтают.

Значительная часть моих рассуждений касается будущих художников, но в случае инженеров, менеджеров, адвокатов или врачей все точно так же. Необходимо всегда задумываться, чего общество от нас хочет и какие дает нам шансы. Мы не обязаны соглашаться с условиями, которые ставит нам жизнь, и порой в героическом порыве отправляемся на бой с очевидным приговором судьбы, однако надо понимать, что это рискованно. Если можешь себе такое позволить — пробуй, но помни: ты можешь проиграть.

Когда молодой человек принимает решение, чем он будет заниматься, самое большое значение, на мой взгляд, имеет то, не поддается ли он иллюзиям и насколько правильно оценивает свои силы, возможности и характер. Следует метить высоко, но не витать в облаках, ибо падение на землю причиняет боль. Я встречал множество людей, упивавшихся идеалами, а при столкновении с трудностями впадавшими в сомнения и цинизм. Но видел и многих, растративших данный им потенциал: они осторожничали, ценили безопасность и комфорт и струсили перед лицом препятствий. К сожалению, хорошие советы должны быть немного условными и неопределенными — почти так же, как всякого рода предсказания. Просматривая изредка журнальные гороскопы, я умиляюсь изменчивости вероятностей, предлагаемых автором с целью избежать ошибки. Гороскопы — несомненное жульничество, и я не хотел бы советовать столь туманно, в стиле "бабушка надвое сказала".

Конкретных советов не осталось, так что вернусь к этому нестерпимому "я хочу" и расскажу уже неактуальный анекдот. Закат Советского Союза: дефицит всего, еду не покупают, а достают по знакомству. В зоопарке у клетки с тигром стоит группа колхозников и слышит, что ежедневно он съедает несколько килограммов телятины. Колхозник отводит экскурсовода в сторону и с недоверием спрашивает: "Этот тигр правда может столько съесть?" Тот пожимает плечами: "Съесть-то он съест, только кто ему даст?"

Анекдот о России и зоопарке напоминает другую, невымышленную историю. Мои студенты-режиссеры как-то познакомились с довольно молодым нуворишем (в России их называют новыми русскими). Заметив, что он уже пьян, они споили его окончательно, до потери сознания, после чего принесли в зоопарк, положили в пустой клетке на солому и повесили табличку: "*Homo sapiens* — обитает на всех континентах, потребляет до двух тысяч калорий в день, всеядный, теплокровный, примат". Перед клеткой стояла камера и снимала проходивших мимо посетителей — они заглядывали внутрь и бурными аплодисментами встретили пробуждение пьяницы. Он никак не мог понять, как там оказался и почему по соседству сидит горилла. В завершение этого совершенно неприглядного эксперимента студенты предложили протрезвевшему герою выбор: они платят ему гонорар и показывают фильм по телевидению, либо он платит им намного больше за то, чтобы его не показали. В этой грустной и глупой истории мне видится пронзительная метафора: возможно, наш род уже прошел апогей своего развития и вскоре нас заменят какие-нибудь супермены, а мы в нынешнем виде отправимся в зоопарк. Вроде бы научная фантастика, но ведь никому не известно, куда идет эволюция. Все механизмы естественного отбора, благодаря которым мы стали такими, внезапно расшатались, свои гены распространяют не лучшие представители вида (лучшие слишком заняты собой), и вообще, *homo sapiens* неохотно размножается в условиях комфорта.

Размышляя о карьере и самореализации, я с интересом задаю один и тот же вопрос успешным людям — тем, кому бесспорно повезло, будь то в искусстве, науке или бизнесе. (У бизнесменов, кстати, он вызывает наибольшее оживление.) Я спрашиваю, верят ли они, что добились всего собственными силами, просто были лучшими и поэтому выиграли в честной борьбе с достойными конкурентами. Словом, сколько здесь их личной заслуги, а в какой степени помогли обстоятельства, слепой случай или милость Божья, как сказали бы верующие христиане. Ответы бывают разные, но у меня складывается впечатление, что чем глубже человек смотрит на мир и жизнь, тем больше таинственности видит в своем успехе. Конечно, он не приходит ниоткуда, необходимо соответствовать изначальным требованиям. Нужно иметь талант, упорство, умение вовремя придумать хорошую идею, но при этом очень часто случаются непредвиденные вещи, иначе говоря, проявления загадки или Тайны (как верующий человек, пишу это слово с большой буквы). Многие люди, добившиеся успеха, признают, что рядом были столь же способные и упорные, и нельзя понять, почему одним повезло, а другим нет.

Наука содержит множество недооцененных, забытых и заново совершаемых открытий. Даже авторство великих идей часто оспаривается, и нередко слава обрушивается не на того, кто сделал открытие, а на того, кто его распространил, у кого был "медийный" талант и снова — та удачливость, которую невозможно заслужить: она либо есть, либо нет.

Подобные примеры известны и в искусстве. Здесь тоже никогда не ясно, насколько объективны оценки, хотя у людей просвещенных и восприимчивых есть некая общая интуиция,

Лесли Карон и Брижит Фоссе на съемочной площадке "Императива", 1982 г.

которая наперекор постмодернизму подсказывает, что хорошо, а что плохо. Я обращаюсь к элементарным аргументам за неимением иных: произведение искусства обладает ценностью, если встреча с ним делает человека лучше, богаче, мудрее, помогает понять мир и себя самого. Если после общения с произведением (например, с мыльной оперой или банальной поп-песней) мы не изменились, значит, оно пустое, наподобие жевательной резинки — дарит иллюзию, но не питает.

И еще один упрямый аргумент. Цитируя латинское изречение *de gustibus non est disputandum* — "о вкусах не спорят", релятивисты ошибочно его интерпретируют. По их мнению (с которым я не согласен), это выражение означает, что дискутировать не имеет смысла, поскольку у всех разные вкусы и никто никого не переубедит, тогда как речь идет об обратном — эту мысль любил повторять художник Франчишек Старовейский, — вкус либо есть, либо его нет. Вкус можно выработать, и это многолетняя работа. Он формируется в процессе знакомства с достойными произведениями искусства. Отсутствие вкуса презрительно называют безвкусицей. Тот, у кого он есть, не может спорить, хорошо ли сочиняли музыку Моцарт и Бетховен, хорошо ли писали картины Эль Греко и Веронезе. Человек, имеющий вкус, не станет это обсуждать, ибо понимает: есть только один ответ. Это создатели великих произведений. Конечно, можно не соглашаться в деталях: ставить Прокофьева выше Малера, а Камю предпочитать Грэму Грину, но это умещается в рамки хорошего вкуса. А плохой вкус? Все популярное, дешевое, простое, вроде и приятное, но по сути являющееся кичем.

Я знаю, что коснулся взрывоопасной темы, и приведу пример из сферы низкой культуры, где с легкостью можно говорить об успехе: он выражается в количестве заработанных денег или проданных экземпляров. О художественных ценностях мы не говорим, так как их сложнее измерить, хотя можно увидеть. Ценность искусства определяется тем, как оно действует на взыскательную публику, наделенную вкусом или выработавшую его. Если творение вызвало отклик у таких людей, можно говорить об успехе во всей глубине данного понятия. Коммерческий успех радует бухгалтеров, но если произведение будет распродано и при этом оставит людей равнодушными, у художника есть повод расстроиться. Авторы, угождающие узкому кругу, могут питать иллюзии, что это истинные ценители, но велик риск, что они — всего лишь снобы, клика адептов, маньяков, коллекционеров или фанатов. Подчеркнем различие между фанатами и поклонниками. Фанат происходит от слова "фанатик", и серьезного художника не может радовать фанатизм, ведь быть фанатом — просто признак принадлежности к группе; поклонников же объединяет нечто большее — совместное переживание искусства, поэтому им не нужна исключительность. (Поклонник бельканто не может любить только одного оперного певца, а для фаната существует единственный идол, и ни о ком другом он не желает слышать.)

Вернемся к массовой культуре. Лет пятнадцать назад, когда Польша была почетным гостем книжной ярмарки во Франкфурте, мне выпал случай пообщаться с немецкими издателями, представлявшими несколько тысяч произведений жанровой литературы: детективы, триллеры, фэнтези и т. д. Увидев эти выложенные рядами новые книги, я узнал, что ежегодно всего одна или две позиции из каждого жанра оказываются успешными и получают статус бестселлера, — остальные продают в лучшем случае по несколько сотен экземпляров и тут же забывают; причем книги, ставшие лидерами, скорее всего, ничем не лучше. Специалисты по маркетингу проводят совершенно бесполезные исследования, чем именно эти книжки привлекли читателей: обложкой, именем автора, названием или тематикой. А через год во всех категориях появляются новые бестселлеры.

Относительность оценок и вкусов появляется там, где нет истинных ценностей. Великие литературные произведения никогда не становились бестселлерами, если только не говорить о временах, когда читали лишь представители элиты (парадокс, но эти времена могут вернуться). Мой отец с высокомерием повторял, что место бестселлера в мусорной корзине: не стоит читать то, чем восхищаются все вокруг, ведь у большинства людей вкус либо плохой, либо отсутствует в принципе. В защиту радикальных суждений отца добавлю, что под "бестселлерами" он подразумевал романы Хелены Мнишек "из жизни высших сфер", а литературой считал "Ночи и дни" Марии Домбровской, которые

Кшиштоф Занусси, Бен Кингсли, Вера Чехова и Вадим Гловна. Вручение премий Европейской киноакадемии в Берлине, 1983 г.

не били рекордов продаж, но оказали огромное влияние на мировоззрение польских элит.

Меня увлекли темы, напрямую связанные с искусством, но вернусь к основной теме главы — карьере, а также к счастью и к тому, что на пути к успеху человек должен прибегать к помощи судьбы, Провидения или случая. Нередко гордыня или надменность мешают людям предпринимать практические усилия, чтобы их заметили. Фальшивая скромность не позволяет демонстрировать свои заслуги, однако если мы хотим чего-то в жизни добиться, это необходимо. И вновь перед нами дилемма "как съесть пирожок, чтобы он остался цел", как достичь успеха и не потерять достоинства, вместе с которым мы теряем душу? Как совме-

173

стить стремление сделать карьеру с обязанностями по отношению к другим людям? Я придумал историю на эту тему в рамках телевизионного альманаха "Рассказы выходного дня". Она называется "Душа поет". Молодой тенор из провинции случайно попадает на концерт в филармонии, подменяя коллегу. Выясняется, что у него большие способности и серьезные шансы стать известным. Он обсуждает это с директором филармонии (его сыграл дирижер Казимеж Корд, героя — оперный певец Яцек Лящковский, обладающий международной известностью). Помехой для карьеры становится неожиданный вызов судьбы в виде просьбы соседки (Мария Кощчалковская).

[▶ "ДУША ПОЕТ"]

После репетиции Адам приходит в кабинет директора филармонии, чтобы подписать приложение к договору в связи с трансляцией концерта по телевидению. Под окнами тарахтит экскаватор. В кабинете сидят директор и дирижер, который тоже что-то подписывает. Завязывается беседа.

ДИРЕКТОР. Не могу понять, как вы до сих пор оставались неизвестным, имея такой голос.

АДАМ *(шутливо)*. Я прятался.

ДИРЕКТОР. Я говорю серьезно. Вы окончили училище несколько лет назад. Почему остались в провинции?

АДАМ *(не отступая)*. Я люблю природу. *(Дирижер бросает на него суровый взгляд.)* На самом деле после учебы я попал в аварию. Выпал из жизни на целый год. Потом женился и ждал своего шанса.

Дирижер. Но, судя по всему, вы не хотите помочь этому шансу осуществиться.

Адам. Почему?

Дирижер. Вам, видимо, кажется, что мир должен оценить вас без каких-либо усилий с вашей стороны. Однако голос — лишь хорошая карта в руках игрока. Недостаточно ее иметь, надо знать, как правильно пойти. А вы отказались от игры — или я ошибаюсь?

Адам. Не знаю, никогда об этом не думал, никто не говорил мне этого так ясно.

Дирижер. А кто должен был сказать? И где — в училище, на концерте? Советую вам хорошенько подумать, ведь с тузом в руках тоже можно проиграть. Есть люди средних способностей, которые использовали свой шанс и зашли дальше, чем должны были. Но еще больше таких, кто растратил талант и не достиг даже половины того, что мог бы сделать. Вы тоже уже запаздываете.

Адам *(с беспокойством в голосе)*. Но у меня ведь еще есть шанс?

Дирижер. У вас несколько шансов. Их можно сосчитать на пальцах... ну, допустим, двух рук. *(Дирижер поднимает вверх большой палец.)* Завтра будет один из них.

Адам. Когда вы так говорите, я начинаю еще больше волноваться.

Дирижер *(назидательно)*. Борьба с волнением — часть нашей профессии.

Вечер накануне концерта Адам проводит дома. На видном месте лежат выглаженный женой фрак, рубашка и бабочка. Адам репетирует арию Каварадосси. Он сосредоточен на дикции и повторяет.

Адам *(поет)*. E lucevan le stelle, el-le...

Кто-то стучит в дверь. Адам в отчаянии замолкает: он уверен, что кому-то снова мешает его пение. Начинает еще раз, тише. Стук повторяется. В бешенстве срывается с места и идет открывать. За дверью стоит соседка.

АДАМ (*раздраженно*). Все еще слишком громко?
СОСЕДКА. Нет, отчего же. Я по другому делу.

Адам удивленно смотрит на нее и только теперь замечает, что у женщины на глазах слезы.

СОСЕДКА (*тихо*). Моя собака больна. Я не знаю, что делать.
АДАМ. Это впервые?
СОСЕДКА. Да. Раньше она не болела. Помогите мне.
АДАМ. Как я могу вам помочь?! Я не разбираюсь в собаках.
СОСЕДКА. Нужен ветеринар.
АДАМ. Вот именно. Позвоните в скорую или отвезите собаку сами.
СОСЕДКА. Но я не знаю куда. Она никогда не болела.
АДАМ. Возьмите газету и поищите адрес в рубрике объявлений.
СОСЕДКА. У меня нет ни одной газеты. Я их не покупаю.
АДАМ. У меня есть. Правда, вчерашняя, но это не страшно.

Адам пускает соседку в квартиру и начинает искать в мусорном ведре выброшенную газету.

АДАМ. Вот. Здесь есть номер скорой ветеринарной помощи. Позвоните. У меня, к сожалению, нет телефона, зато внизу есть автомат.
СОСЕДКА. Знаю, знаю. Но чтобы позвонить по нему, нужна карта, а у меня ее нет.

В Адаме поднимается злоба.

АДАМ. У меня есть карта. Вот, пожалуйста. Осталось еще несколько минут. Берите.

Соседка принимается искать деньги, чтобы заплатить. Адам протестует. Вздыхает с облегчением, когда женщина уходит. Возвращается к репетиции.

Адам выглядывает в окно. На улице стемнело, идет дождь. Видит соседку, которая стоит у подъезда, держа на руках собаку. Подъезжает такси. Свист чайника отрывает Адама от окна. Он заваривает чай, тщательно отмеривает чайную ложку меда и несколько капель молока. Звонок в дверь. Адам открывает и видит промокшую соседку с собакой на руках.

СОСЕДКА *(сквозь слезы)*. Таксист отказался везти меня с собакой.

АДАМ. А вы сказали ему, что она больна?

СОСЕДКА. Да. Он ответил, что тем более не повезет.

АДАМ. Но скорую помощь вы нашли?

СОСЕДКА. Да. У них, к сожалению, нет машины. Велели мне самой приехать с собакой.

АДАМ. Нельзя подождать с этим до завтра?

СОСЕДКА *(глухим голосом)*. Можно.

АДАМ. Видите ли, я бы отвез вас, но завтра у меня очень важный концерт, я должен подготовиться. На улице дождь, холодно — знаете, как легко простудиться. Я не могу рисковать. Этот концерт — мой главный шанс в жизни. Думаю, вы понимаете.

Соседка молчит. У нее на глазах слезы. Она гладит собаку, не зная, что делать. Адам не может вынести вида ее слез.

АДАМ (*отчаянно*). Ну, поставьте себя на мое место! Собака доживет до завтра, а я не могу рисковать карьерой. От этого зависит будущее моей семьи: я не могу их подвести, это было бы легкомысленно. Она ведь не умирает, незаметно даже, что мучается. Может, до завтра все и пройдет. Днем вызовите ветеринара. Если у вас проблемы с деньгами, я с удовольствием помогу.

Женщина отрицательно качает головой, не переставая плакать.

АДАМ (*вздыхает*). Ладно. Поедем, только оденусь.
СОСЕДКА. Бог вам воздаст!
АДАМ. В этом я не уверен.
СОСЕДКА. Говорю вам, Бог всегда вознаграждает за добрые дела.
АДАМ. А я слышал другое: если сделать кому-то что-то хорошее, тебя обязательно ждет наказание.

Услышав эти слова, соседка возмущается.

СОСЕДКА. Наверное, так говорили плохие люди, никогда никому не помогавшие.

Адам уже одет.

АДАМ. Может, я возьму собаку?
СОСЕДКА. Нет-нет, сама понесу.

Быстрым шагом идут по коридору.

Адам подъезжает как можно ближе ко входу в клинику. Соседка смотрит на дождь за окном.

СОСЕДКА. Подождите в машине, чтобы не промокнуть.

Выходит, возвращается через некоторое время без собаки. Заглядывает в машину.

СОСЕДКА *(печально)*. Будут оперировать. Я останусь с ней, езжайте домой.

АДАМ. А как вы вернетесь?

СОСЕДКА. Я пробуду здесь до утра. Тогда выяснится, все ли успешно.

АДАМ. Что с ней вообще случилось?

СОСЕДКА. Съела какую-то пакость, и она застряла в кишечнике. Было видно на рентгеновском снимке. Если бы не вы, она, наверное, не дожила бы до утра. Спасибо, и езжайте скорее — холодно.

АДАМ. Не лучше ли вам поехать со мной и вернуться сюда утром?

СОСЕДКА. О нет, я не оставлю ее одну.

Соседка улыбается и под струями дождя идет в клинику.

Адам уезжает.
Едет по набережной Вислы, лавируя между лужами. Дорога свободная. Адам вставляет в магнитолу кассету со своей арией в одном из классических исполнений. Включает на полную громкость, чтобы заглушить шум мотора. Проезжает стоящий на обочине автомобиль, изуродованный в автокатастрофе. Вдруг слышит звук раздав-

ливаемого стекла, которое не убрали с асфальта. Вскоре чувствует, как его машина сбавляет ход. Он тормозит, выходит и видит, что шина порезана. Нервно заводит двигатель и паркуется на траве. Стоя под зонтом, пытается остановить проезжающих мимо. Безуспешно. В отчаянии складывает зонт и принимается менять колесо. Закончив, садится в машину, совершенно мокрый и вымазавшийся в грязи, и слышит пение, доносящееся из колонок.

Утром Адам просыпается по будильнику. Выключает его и встает. Хочет откашляться и понимает: у него пропал голос. Пробует запеть, идет в ванную прополоскать горло. Голос не возвращается.

К панельному дому, где живет Адам, подъезжает такси. Из него выходит соседка с перебинтованной собакой.

Адам делает в ванной ингаляцию, как внезапно раздается стук в дверь. Он не открывает и замирает. Рука соседки просовывает под дверь листок бумаги. Там всего одно слово "спасибо", написанное дрожащей, старческой рукой. Адам горько усмехается и выбрасывает листок в мусор.

Адам в кабинете у лора. Врач осматривает горло при помощи ларингоскопа, опрыскивает полость рта какой-то жидкостью и выписывает рецепт.

АДАМ (*хрипло*). Может пройти до вечера?

ВРАЧ. Нет.

АДАМ. Но вы же знаете, как это для меня важно. Может, сделать новокаиновую блокаду, кортизон или что-то в этом роде? Иногда помогает...

ВРАЧ. Думаю, вы не хотите потерять голос навсегда. Нет ничего проще — голосовые связки любят выкидывать разные фокусы.

АДАМ *(мрачно)*. Уже выкинули.

ВРАЧ. Вообще-то, вы помогли им, промокнув до нитки. Так и происходит воспаление горла. Если это было так важно, почему вы не поберегли себя?

АДАМ. Сам не знаю. Высшая сила. Если б я не проколол шину, ничего бы не случилось.

ВРАЧ. Какого черта вы куда-то поехали ночью? Перед концертом надо быть осторожным, особенно если от него так много зависит. Я дам вам справку. Она пригодится, раз у вас подписан договор, а петь вы не можете.

АДАМ. Вы действительно не в состоянии ничего сделать?

ВРАЧ. Даже если бы мог, задумайтесь: у вас есть голос, рано или поздно кто-то его услышит. Если сейчас мы рискнем, вы можете совсем потерять его и остаться без работы. Чем вы тогда займетесь, пойдете учить детей?

АДАМ. Я уже делаю это.

ВРАЧ. Но сейчас есть надежда, что судьба улыбнется вам.

АДАМ *(печально)*. Я думал, она уже улыбнулась. Не представляю, что сказать дирижеру.

ВРАЧ. Просто покажите ему справку и можете ничего не говорить.

Врач выписывает больничный на бланке.

АДАМ. Понимаете, если однажды кого-то подвести, потом никто не будет доверять тебе, считая безответственным и ненадежным.

ВРАЧ. Простите, но разве это не так?

АДАМ. Я думал, что, если кому-то помогаю, со мной не случится ничего плохого.

Врач. Вам известно выражение "благими намерениями вымощена дорога в ад"?

Адам. Значит, нужно думать только о себе и своей карьере, не считаясь с другими?

Врач. Вам вредно столько говорить, вы только ухудшите свое положение.

Врач дает Адаму больничный.

Приближается начало концерта. К филармонии подъезжают такси и личные авто, из которых выходят элегантно одетые гости. Несмотря на поздний час, на ярко освещенной парковке работает экскаватор. Рядом с ним стоит грузовик, у котлована вертятся рабочие.

В филармонии идут последние приготовления к концерту. Слышно, как настраивают инструменты. По коридору взад-вперед ходят оркестранты во фраках. Царит суматоха. В гримерной бас распевается у фортепиано, а баритон переодевается в вечерний костюм. Адам нерешительно стоит на пороге. В дверь заглядывает дирижер, Адам делает шаг в его сторону, но тот убегает, услышав второй звонок.

Дирижер. Я не успею переодеться.

Адам снимает плащ и у туалета сталкивается с ведущим, приводящим в порядок записи.

Ведущий. Ария на бис будет из третьего акта?

Адам молча кивает — ведущий находит причину его нежелания говорить.

ВЕДУЩИЙ. Что, от волнения горло сдавило?

Адам кивает и заходит в туалет. Запирается изнутри и проверяет голос. Чуда не случается. Из горла Адама вырываются хриплые звуки.
Адам выходит из туалета, проходит мимо гримерки и стучит в соседнюю дверь.

ДИРИЖЕР *(из-за двери)*. Минуту, я действительно не успеваю. Только если что-то очень важное.

Адам достает справку и собирается просунуть ее под дверь, как вдруг гаснет свет. Мигая, включается аварийное освещение. Дирижер выбегает в расстегнутой рубашке, открывает окно в секретариате и смотрит на парковку с работающим экскаватором. Оказывается, порвался электрический кабель, по которому шел ток в филармонию. Рабочие вяло изучают спровоцированную ими аварию.

МАШИНИСТ ЭКСКАВАТОРА. Где это видано, прокладывать кабель в земле!

Дирижер отходит от окна и садится.

ДИРИЖЕР *(разочарованно)*. Ну вот и все, концерт окончен *(замечает стоящего на пороге Адама)*. Это для всех нас разочарование, но для вас, пожалуй, самое сильное.

Адам улыбается и отрицательно качает головой.

ДИРИЖЕР. Ну как это нет? Невезение! (*Похлопывает Адама по плечу.*) То, что вы умеете принимать подобные неприятности молча, характеризует вас с лучшей стороны. (*Адам таинственно улыбается и продолжает молчать.*) Не сегодня, так завтра. С таким голосом вы обязательно прославитесь.

В дверях собираются остальные артисты. Поднимается шум, исполнители не скрывают неудовлетворения. Сопрано плачет, бас ругается, дирижер пытается всех перекричать.

ДИРИЖЕР (*кричит*). Прекратите орать! На свете есть трагедии посерьезнее вашего отмененного концерта. Берите пример с коллеги — он потерял больше всех, но улыбается.

Адам с улыбкой выходит из комнаты. Идет по пустому коридору под сценой и все громче смеется сам над собой.
У филармонии вокруг экскаватора столпились люди. Стоит полицейская машина, составляют протокол. Адам подходит к машинисту экскаватора и, не говоря ни слова, целует его в обе щеки. Растерянный рабочий не понимает, утешение это или издевка. Адам бежит к своей машине, улыбаясь, как мальчишка, выигравший в тире.

[■]

Это историйка об оперном певце, потерявшем голос и чудом избежавшем наказания за несомненную легкомысленность.

Поскольку она была продиктована добрыми намерениями, мой герой получил вознаграждение в виде неожиданного "блэкаута", отключения света. История откровенно сказочная. Я как автор подмигиваю зрителю, имея в виду, что "так могло случиться", хотя так и не бывает. Добродетель не вознаграждается. С электричеством должно было произойти чудо.

В связи с этим глубоко неправдоподобным финалом в голову приходит одно соображение. От художника часто требуют рассказывать истории "для укрепления сердец"[1], сочинять нравоучительные сказочки о том, что за добрые поступки нас ждет щедрая награда. В Евангелии никто ничего подобного не обещал. Имею ли я право обманывать зрителя, дабы приободрить его? Мне кажется, не имею. Искусство, создаваемое для укрепления сердец, не слишком серьезно — оно лишь дарит иллюзии. Я позволил себе такой драматургический ход в качестве шутки, всерьез я бы этого не сделал.

Коснувшись темы чуда, хочу спросить себя и других: почему в некоторых ситуациях люди прибегают к молитве о том, чтобы случилось чудо, чтобы задуманное осуществилось? Как правило, люди молятся о здоровье, о любви или об удаче в делах. Молятся, чтобы не произошло ничего плохого, чтобы самолет успешно приземлился, чтобы нашлись потерянные ключи. В эпоху рационализма эти меры кажутся бесплодными. Мы живем с убеждением, что все события материального мира входят в причинно-следственную цепочку, следовательно, неизбежно должны случиться, и молитва ничем не поможет. Почему же тогда люди делают это? Теология заставляет вспомнить теорию вероятностей: все может происходить с большей или меньшей правдоподобностью. Иногда мы находим иголку в стоге сена, хотя шансы

---

1   Эти слова, которыми завершается роман польского классика Г. Сенкевича "Пан Володыёвский", стали творческим кредо некоторых художников.

ничтожны. Теологи утверждают, что Бог создал законы природы и не обязан приоткрывать их тайну, достаточно того, что он выберет маловероятный вариант. Скептики предлагают свой аргумент: Бог существует вне времени, ему неведомы ни вчерашний день, ни завтрашний, и все заранее предрешено. Бог заранее знает, о чем мы будем его просить, и заблаговременно определяет, как с нами поступить. Ошибочность этих рассуждений заключается в использовании слова "заранее": оно относится к человеческой перспективе, но в божественной его нет. Менее возможные события имеют право на существование. И если они происходят, с точки зрения молящегося, это чудо, значит, молитва была услышана.

В представленной выше истории кабель мог разорваться чуть позже, и судьба тенора сложилась бы иначе. Точка отсчета для этих размышлений — карьера, профессиональная судьба. Думая о карьере, мы пытаемся представить, чем готовы пожертвовать ради достижения успеха. Какую цену можно заплатить, чтобы добиться своего, и все ли к этому готовы? Есть ли такие, кто не поступится принципами даже ценой собственной жизни? Или купить можно кого угодно и дело только в ставке? Ответы зависят от нашего индивидуального мировоззрения и даже веры. Можно верить, что человек — это звучит гордо, а можно утверждать, что все когда-нибудь продадутся, предадут, и ни для кого нет ничего святого. Еще раз обращусь к "Рассказам выходного дня", которые снимал во второй половине 1990-х годов. Среди них есть история водителя, случайно услышавшего, как его начальница собирается разорить соседа, пообещав ему победу на аукционе и рассчитывая, что после проигрыша он влезет в долги и за бесценок продаст ей соседний участок. Поскольку у водителя роман с начальницей, теперь она шантажирует его тем, что все расскажет жене. Шофер решает предупредить ничего не подозревающего соседа.

В ролях: Кристина Янда, Петр Шведес, Кинга Прайс.

[▶ "Неписаные законы"]

Чарек остается в кабинете, Халина с удивлением обнаруживает его.

ХАЛИНА. А ты чего ждешь?

ЧАРЕК. Вы его обманули?

ХАЛИНА. Какое тебе дело?

ЧАРЕК. Как я понимаю, он верит, что выиграет этот аукцион.

ХАЛИНА. И что?

ЧАРЕК. Вы ему как-то посодействовали?

ХАЛИНА. Нет.

ЧАРЕК. А он уверен, что выиграет: купит экскаваторы и в итоге останется без заказа.

ХАЛИНА. Он сообразительный.

ЧАРЕК. Мне кажется, вы собираетесь разорить этого человека.

ХАЛИНА. Очень правильно кажется. А что, нельзя?

ЧАРЕК. Думаю, нет.

ХАЛИНА *(развеселившись)*. Кто это сказал?

ЧАРЕК. Есть же какие-то принципы.

ХАЛИНА. И ты говоришь мне о принципах. Ты, как тебя там, Чарек, Чарусь… забыл, как хорошо нам было вчера?

ЧАРЕК. Это другое.

ХАЛИНА. Кто тебе сказал, что другое?

ЧАРЕК. Это мое личное дело.

ХАЛИНА. А это мое личное дело. Не бывает святых людей, Чарусь. У каждого свой скелет в шкафу. Слышал такую поговорку? И у тебя он тоже есть. Так что не суй нос не в свои дела.

ЧАРЕК. Вы не боитесь наказания? Вы сказали вчера, что боитесь и это вас возбуждает. То есть вы понимаете, что это плохо.

ХАЛИНА. Чарусь, ты поел икры, выпил шампанского, не говоря уже об остальном, вот и сиди тихо.

ЧАРЕК. Я сейчас вам нужен?

ХАЛИНА. Нет, а что?

ЧАРЕК. Нужно съездить в автосервис поменять фильтр.

ХАЛИНА. Сколько это займет?

ЧАРЕК. Час-два.

ХАЛИНА. Тогда отгони потом машину в Магдаленку. А меня подвезут.

Натура. День. Около дома Чарека.
Иоланта стоит в защитной позе. Чарек смотрит в землю. Оба испытывают чувство вины, хотя причины совершенно разные.

ИОЛАНТА. Я знаю, что ты звонил. Я не выдержала. Хотела остаться дома и не смогла.

ЧАРЕК. Я тоже не выдержал.

ИОЛАНТА. Чего?

ЧАРЕК. Того, как ты действуешь мне на нервы своей истерикой.

ИОЛАНТА. Не выдержал и?..

ЧАРЕК. Сама догадайся.

ИОЛАНТА. О чем я должна догадаться? Ты сделал мне какую-то гадость, да?

ЧАРЕК. Сделал.

ИОЛАНТА. Какую?

ЧАРЕК. Ну понятно же какую.

ИОЛАНТА. С кем?

ЧАРЕК. С шефиней.

ИОЛАНТА. И что теперь?

ЧАРЕК. Не знаю. Можешь простить меня, можешь дать по морде, можешь вышвырнуть из дома.

ИОЛАНТА. Ты первый раз изменил мне?

ЧАРЕК. Нет, но впервые признался.

ИОЛАНТА. И я должна простить тебя?

ЧАРЕК. Как хочешь.

Иоланта в истерике беспомощно бьет Чарека по голове. Он не сопротивляется. Иоланта перестает.

ЧАРЕК. Что теперь?

ИОЛАНТА. Не знаю. Может, ты знаешь.

ЧАРЕК *(решительно)*. Знаю.

ИОЛАНТА. Что?

ЧАРЕК. Я постараюсь исправить то, что еще можно.

ИОЛАНТА. Что можно исправить?

ЧАРЕК. Всё. Главное — не врать друг другу.

Иоланта выместила агрессию, примирилась с ситуацией, успокоилась. Чарек оставляет ее.

ЧАРЕК. Мне надо бежать.

ИОЛАНТА. Исправлять?

ЧАРЕК *(немного повеселев)*. Вроде того.

Вилла в Магдаленке. День.
К входу подъезжает машина. Из нее выходит Чарек, загля-дывает в сад, видит Халину на террасе: она лежит в ха-лате на шезлонге и погружена в чтение пестрых журналов.

ЧАРЕК. Я пригнал машину.

ХАЛИНА. Отлично, поставь в гараж. И завтра с утра будь на связи, возможно, мы кое-куда поедем.

ЧАРЕК. Вам придется взять другого водителя.

Халина спускается с террасы.

ХАЛИНА. Почему я должна брать другого водителя? Я не держу на тебя зла.

ЧАРЕК. Скоро будете.

ХАЛИНА. Ты угрожаешь мне?

ЧАРЕК. Какая же это угроза? Просто я должен предупредить вашего соседа, что вы его обманули.

ХАЛИНА. Что такого, он обанкротится, а я куплю его участок. Какое тебе до этого дело?

ЧАРЕК. Такое, что я был свидетелем.

ХАЛИНА. И что?

ЧАРЕК. Ничего, я должен ему сказать, вот и все.

ХАЛИНА. Хочешь, чтобы я рассказала все твоей жене?

ЧАРЕК. Она уже знает. Вам нечего ей рассказывать.

Чарек оставляет ключи от машины и направляется к выходу.
Халина смотрит ему вслед. Внезапно срывается и бежит за ним.

ХАЛИНА. Чарек, стой! Черт возьми, не буду же я за тобой гнаться! В чем дело? Ты что, святой? Не лезь в мои дела.

ЧАРЕК. Это не только ваше дело.

ХАЛИНА. Чарек, ты сдурел? Что тебе надо? Могу подкинуть денег, только оставь это.

ЧАРЕК. Каких денег? Хотите купить меня?

ХАЛИНА. А ты разве не продаешься?

Чарек пожимает плечами и отходит. Халина еще раз бросается ему наперерез.

ХАЛИНА. Останься же, давай поговорим.

ЧАРЕК. О чем?

ХАЛИНА. Обо всем. Я тебе объясню! Я бы никогда так не поступила, если бы мне так чертовски не был нужен этот участок. Думаешь, я такое бессовестное чудовище?

ЧАРЕК. Да.

ХАЛИНА. А о себе ты как думаешь?

ЧАРЕК. Так же.

ХАЛИНА. Черт подери, ты мне нравишься. И где ты все это время был? Пошли, все решим, ты можешь кое-что выиграть.

ЧАРЕК. Могу, но не здесь и не с вами…

Чарек делает несколько шагов, останавливается у входа в соседнюю виллу, звонит.
Халина наблюдает за ним. Видя, что к калитке подходит Мариан, ретируется.

МАРИАН. А, это вы…

Халина возвращается домой и проходит по пустым гостиным.

ХАЛИНА. Ну и типчик! Грязный щенок.

Выходит на террасу с бутылкой шампанского и бокалом. Отсюда виден балкон соседнего дома. Там стоят Чарек и Мариан и, смотря на Халину, о чем-то шепчутся. Халина в порыве гнева начинает орать.

ХАЛИНА. Ну что уставились, а?!

В бешенстве бросает в их сторону пустую бутылку — мимо; за ней летит цветочный горшок. Лишь с третьей попытки попадает в Чарека. Обсыпанный землей, он смотрит на Халину, изумляясь ее реакции. Она смотрит на него так же удивленно.

[■]

Любого человека можно купить, и все в конечном счете упирается в цену? Это не менее важно, чем вопрос, каждый ли сломается под пытками или есть те, кто погибнет, но не предаст. Наше суждение в данном случае зависит только от взгляда на жизнь, это в большей степени проблема веры, а не знания.

Знания — сумма того, что мы смотрим, читаем, узнаем от окружающих, и, наконец, нашего собственного опыта. Мой отец, строительный инженер, объяснял: после завершения строительства моста узнать о нем что-либо можно лишь путем проверки на прочность. На мост въезжают грузовики с песком, и если он слегка прогибается под их тяжестью, значит, построен правильно.

А какие проверки бывают в жизни? Человек может оказаться перед лицом опасности или перед лицом искушения. Опасность часто носит чисто физический характер: к примеру, бандиты избивают на улице прохожего. Мы можем броситься на его защиту и, скорее всего, тоже получим, мо-

жем звать на помощь (есть вероятность, что хулиганы до-
гонят нас и поколотят), а можем осторожно развернуться
и притвориться, что ничего не произошло, что мы ничего
не видели. Единственная потеря, которая грозит нам в по-
следнем случае, — потеря самоуважения. В сущности, самая большая из возможных.

В былые времена наше поколение чаще ощущало опасность, связанную со страхом. Искушение деньгами или
карьерой встречалось реже — это были вещи нереальные.
Здесь уместно вспомнить стихотворение Збигнева Хербер-
та "Могущество вкуса"[1]. Народная Польша в материальном
отношении была весьма убога. Привилегии номенклатур-
ных работников в сравнении с западной роскошью выгля-
дели поистине смешно: отпуск в Болгарии, квартира в па-
нельном доме и плохенький автомобиль. Это ассортимент
1960–1970-х годов. Прежде, во время расцвета сталинизма,
он был богаче: власть могла раздавать экспроприированное
имущество, партийные писатели получали виллы и аме-
риканские "шевроле" с шофером.

Оборотной стороной — кнутом рядом с пряником —
был страх. В 1940-е и до середины 1950-х годов под угрозой
находилась жизнь как таковая. Сначала люди пропадали без
вести, затем, когда режим набрал обороты, стали устраивать-
ся показательные процессы, где невиновные люди получали
смертные приговоры. После оттепели угроза жизни ослаб-
ла, но оставался риск различных притеснений и туманные
карьерные перспективы. Так что рядом с талонами на машины и квартиры в ходу был обширный репертуар неприятно-

---

1   "Наш отказ несогласие наше упорство
     силы характера не требовали вовсе
     была у нас малость необходимой отваги
     но в сущности это было дело вкуса" (Пер. В. Британишского).

Том Ладди, Андрей Тарковский и Кшиштоф Занусси в США, 1983 г.

стей: отказ в выдаче загранпаспорта, отправка в армию, блокирование повышения по службе, для художников — цензурирование имени, то есть обречение на неизвестность, не говоря уже о нападениях и избиениях анонимными исполнителями. В самом конце этого списка был суд.

В 1960-е годы я был студентом киношколы в Лодзи. На втором курсе нас начали вызывать на беседы с сотрудниками службы безопасности. Сегодня студенты спрашивают, обязаны ли мы были к ним ходить? Тогда я не задавал себе такого вопроса. В полицейском государстве было очевидно, что гражданин должен прийти на встречу с властью. Три беседы, проведенные со мной в тот год, были спокойными и дружескими. Речь шла об общих вопросах, но в них проскальзывало желание узнать, не ведут ли наши однокашники из других стран какую-нибудь подозрительную деятельность. У нас было несколько студентов с Запада, которых не интересовало ничего, кроме кино, и абсурдные подозрения людей из органов представляли собой лишь вступление к диалогу, целью которого было сотрудничество с ними. После первой же встречи я, исполненный ужаса, отправился за советом к своей учительнице из средней школы Вацлаве Сливовской, отсидевшей в сталинские годы. Ее тактический совет был прост: не молчать, не прекословить, так как они все равно сильнее, а настраивать их против себя иначе, надоедая болтовней о том, что их меньше всего волнует. Рассуждать о проблемах, а не о людях, и ничего не обещать — в особенности хранить тайну. В этом плане мое положение было проще, ведь я учился на режиссера, представлял повествовательное искусство, проще говоря, был рассказчиком. Я предупредил, что постараюсь хранить тайну, однако не обещаю, что выдержу. В тот же самый день на знаменитой лестнице в киношколе я сообщил друзьям, где был (еще жива коллега-документалистка, помнящая этот разговор). Как оказалось, других моих однокурсников тоже вызывали, и на всех — теперь я это знаю — завели досье. Спустя месяц меня вызвали в третий раз, накричали за то, что я разболтал друзьям про предыдущую встречу, погрозили исключением из школы, а я ответил, что наше обучение слишком дорого обходится государству и выгонять меня было бы бессмысленно. В качестве пряника мне обещали помочь сделать карьеру. На это я заготовил аргумент, что они не могут помочь, поскольку в ПНР каждому выпускнику обеспечена работа, а моя проблема с профессиональным будущим состоит в том, что я не могу выбрать между документальной близостью к жизни и вымышленным миром игрового кино.

В моем личном деле в архиве Института национальной памяти[1] от этих аргументов нет и следа, зато искажены малозначащие сведения, а финал и вовсе поразителен: от дальнейших попыток меня завербовать отказались, поскольку, как указано в папке, я поменял адрес в Лодзи на варшавский

---

1 Комиссия по расследованию преступлений против польского народа — государственное учреждение (существует с 1999 г.), занимающееся изучением деятельности органов госбезопасности Польши с 1944 по 1989 г. Отвечает также за люстрацию.

и письма стали возвращаться. Ни один сценарист не придумал бы такого наивного объяснения. Я боялся тогда настолько, что являлся по каждому вызову, просто в какой-то момент они прекратились. Обо всем этом я рассказал в интервью журналу "Политика", после чего какие-то подлецы добрались до моей папки и на волне люстрационных сенсаций опубликовали ее под заголовком "Занусси — доносчик?". Поскольку в публикации стоял знак вопроса, а в конце статьи было написано, что, по мнению Института, Занусси не доносил, я решил не подавать в суд. Тем не менее получилось почти как в анекдоте: в результате неизвестно, украли у него велосипед или он сам его украл.

Это воспоминание касается темы карьеры, но намного лучше в нее вписывается следующая история, где проблема нравственности и карьеры выразилась в удивительной форме. В середине 1990-х годов меня позвали на Всемирный экономический форум в Давосе. Резонно спросить: что общего между художниками и экономическим конгрессом? Рядом со мной по зданию, где шли заседания, ходили президенты, премьеры, руководители корпораций — люди, управляющие миром. Меня пригласили на дискуссию об этике в бизнесе и посадили рядом с каким-то очень важным японцем. Тогда как раз состоялась премьера моей постановки шекспировского "Юлия Цезаря" в Вероне, где я столкнулся с трудностью перевода. В известном монологе Марк Антоний называет Кассия "человеком чести". В современном итальянском языке словосочетание *l'uoto d'onore* означает "мафиози", и на этой реплике кто-нибудь из зрителей обязательно прыскает со смеху. В новой версии переводчик заменил "человека чести" определением "честный человек", поскольку в политике именно оно сегодня является предметом споров. Мой отец, узнав об этом, воз-

С Майей Коморовской в Милане, 1984 г.

мутился и сказал, что честности он ждет от портного или сапожника, от политика же требует большего.

Я процитировал слова отца в Давосе и спросил, можно ли заниматься общественной деятельностью, не имея чести. Под рукой был свежий пример президента Немецкого федерального банка, который в пятницу заявил в интервью, что не видит причин менять процентные ставки, и в следующий же понедельник повысил их. Его высказывание помогло немецкой марке удержаться на плаву, но было неприкрытой ложью, и я считаю, что этот человек повел себя неэтично и потерял честь. Когда я произнес это, мой сосед-японец вскочил со стула и сказал, что я ошибаюсь: президент Бундесбанка поступил абсолютно правильно, ведь его миссия — защита национальной валюты. Однако, добавил японец, последовать за таким поступком может только одно — самоубийство. Тогда честь спасена, дети могут гордиться отцом, а общество понимает, какую высокую цену можно заплатить, занимая такой важный пост. После выступления японца никому было не до смеха. Бесчестный бизнес представляет для мира большую угрозу.

Не хотел бы целиком посвящать эту главу моральным дилеммам, ибо они сопровождают нас всю жизнь, а я стремлюсь сосредоточиться на этапе поздней юности, когда мы решаем, чем будем заниматься и как будем поступать. Ось этих рассуждений — карьера и деньги. В наши мирные времена именно деньги чаще всего становятся самым большим искушением, ради которого мы теряем душу.

О деньгах легко говорить и писать снисходительно, будто мы выше, тогда как для преодоления желания обладать ими нужно иметь необыкновенную силу духа и очень крепкие идеалы, которые не пошатнет материальный соблазн. Поэтому я не доверяю идеалистам, призывающим жить во имя возвышенных идей, предварительно не проверив нашу готовность с пренебрежением отринуть золотого тельца. Короче говоря, я верю в то, что деньги лучше иметь, чем не иметь, и повторяю простенькую пословицу: деньги — хороший слуга, но плохой хозяин. Они должны служить нам, а не мы им.

В практичном обществе по другую сторону океана всем умникам задают вопрос: "Если ты такой умный, почему ты не богат?" Презрительное отношение к богатству, которым не обладаешь сам, всегда отдает лицемерием: презираешь, пока у тебя его нет, а если появится, быстренько полюбишь.

В качестве передышки — фрагмент моего фильма "Повторный визит". Он начинается с интервью, которое молодой человек берет у женщины преклонных лет: обладав в жизни многим, в старости она осталась почти ни с чем и живет в доме престарелых (не самом плохом). Она нажила состояние и потратила его на некие цели — красивые, хотя и непрактичные. В сцене воспоминаний вы увидите ее же сорок лет назад в фильме "Семейная жизнь", уже цитированном.

В ролях: Майя Коморовская, Марек Куделко, Ян Новицкий.

[▶ "Повторный визит"]

Начальные титры на черном фоне прерываются запуском камеры и установкой баланса белого. После этого экран опять погружается в темноту.

Самоубийца *(за кадром)*. Я могу включать камеру?

Тишина.

САМОУБИЙЦА *(за кадром)*. Мы договаривались!

БЕЛЛА *(за кадром)*. Можете, только зачем?

В кадре — лицо Беллы, она смотрит в объектив. За ней в какой-то стеклянной поверхности (окно или дверь) отражается Самоубийца с камерой, установленной рядом на штативе.

САМОУБИЙЦА. Я хотел записать наш разговор.

БЕЛЛА. Это понятно, я в курсе, что такое камера. Но зачем его записывать?

САМОУБИЙЦА. Ну, чтобы осталась запись.

БЕЛЛА. Потому я и спрашиваю: зачем? Кто будет это смотреть?

САМОУБИЙЦА. Не знаю. Я сам. Обещаю, что никому не покажу.

БЕЛЛА. Этого еще не хватало! Я вам не верю.

САМОУБИЙЦА. Мне остановить съемку?

Экран опять становится черным.

БЕЛЛА *(за кадром)*. Снимайте. Мне все равно.

Изображение появляется снова.

БЕЛЛА *(за кадром)*. Я никогда ничего не скрывала. Кто вас ко мне направил?

САМОУБИЙЦА. Никто.

БЕЛЛА. Врете. Я буду называть тебя на ты. Ты врешь. Кто-то рассказывал тебе обо мне, почему ты не говоришь? Что-то замышляешь?

САМОУБИЙЦА. Нет. Я просто хочу как можно больше узнать о людях.

БЕЛЛА. О людях... А почему выбрал меня?

САМОУБИЙЦА. Потому что вы были незаурядным человеком.

БЕЛЛА. Браво. Ты сказал "были". Я что, уже умерла?

САМОУБИЙЦА. Простите, оговорился.

БЕЛЛА. Опять врешь. Не хочешь признаться, что ляпнул правду. Моя жизнь уже позади. Кто тебя подослал?

Самоубийца молчит.

БЕЛЛА (*пытается ему помочь*). Может быть, речь о нашем судебном процессе о реприватизации? Мой брат его начал, не я.

САМОУБИЙЦА. Почему не вы?

БЕЛЛА. Потому. Не твое дело.

Пауза.

БЕЛЛА (*догадливо*). Все ясно... Ты думаешь, раз теперь я живу в доме престарелых, то мечтаю о деньгах? Вот и нет. Нелогично, правда? В твоей головушке не умещается, что деньги могут быть кому-то неинтересны. А такие люди существуют. Те, у кого деньги есть, обычно хотят иметь еще больше, поэтому чаще всего деньги не волнуют тех, у кого они когда-то были. Как у меня.

САМОУБИЙЦА. Но это времена вашего детства.

БЕЛЛА. Ничего подобного. Потом у меня тоже были деньги. Знаешь, почему я ношу фамилию Де Виллер? По мужу-французу. Он был родом из хорошей семьи с традициями. Ты мог прочитать все это в Интернете. Прежде чем приходить, надо готовиться.

САМОУБИЙЦА. Я подготовился.

БЕЛЛА (*строго*). Кто тебя подослал?

САМОУБИЙЦА. Никто.

БЕЛЛА. Но ты знаешь кого-то из моего окружения. Не здесь, конечно, — это вообще не окружение и даже не фон. Половину из них я никогда не видела. Проходя по коридору, специально снимаю очки, чтобы не различать лиц. Но кто-то должен был дать тебе мои координаты. Отвечай, иначе разговора не получится.

Молчание.

САМОУБИЙЦА. Я говорил вам по телефону, а до этого писал в письме, что ищу людей, жизнь которых можно как-то резюмировать.

БЕЛЛА. В таком случае у меня все просто — печальная старость в доме престарелых. А если ты ищешь материал для укрепления сердец, то резюмируй иначе: после долгих лет взлетов и падений — тихая гавань, примирение с судьбой, чувство выполненной миссии.

САМОУБИЙЦА. Миссии?

БЕЛЛА. Это есть в Интернете. Во время военного положения[1] я жила во Франции и помогала полякам, насколько это было возможно и даже больше.

САМОУБИЙЦА. Что это значит?

БЕЛЛА. Как вы нынче говорите? "Это был хороший вопрос", на английский манер. Первый хороший вопрос с вашей стороны. "Больше, чем возможно, — это как?". А вот так. Только потом ты оказываешься в доме престарелых.

САМОУБИЙЦА. Вы раздали свое состояние?

[1] В Польше 13 декабря 1981 г. с целью силового подавления оппозиции было введено чрезвычайное положение, положившее конец триумфу демократических сил "Солидарности" (отменено 22 июля 1983 г.).

БЕЛЛА *(смеясь)*. Нет, я не настолько святая. Я его вложила, но допустила ошибку.

САМОУБИЙЦА. Какую?

БЕЛЛА. Довольно. Ты хочешь слишком много знать, а это совершенно неважно. Когда играешь, раз выигрываешь, раз проигрываешь. Вся жизнь — игра. Твоя, моя. Всё игра.

САМОУБИЙЦА. И какой счет?

БЕЛЛА. Меня спрашиваешь? Себя спроси.

САМОУБИЙЦА. А вы мне не скажете.

БЕЛЛА. Я должна сказать, что с тобой или что со мной? Догадываюсь, что у тебя не все хорошо.

САМОУБИЙЦА. Это заметно.

БЕЛЛА. Разумеется. Посмотри, что ты делаешь с руками. А твои ладони! Ты похож на невротика.

САМОУБИЙЦА. Утаить невозможно.

БЕЛЛА. Надо не утаивать, а бороться с этим. Похоже, я возьму у тебя интервью. Ты не борец по жизни и предпочел бы спрятаться в мышиную нору, правда? Но так не получится. Все переживают минуты слабости, мечтая выйти из игры. Конечно, это можно сделать, но поверь мне: не следует.

САМОУБИЙЦА. Сейчас вы скажете, что жизнь прекрасна?

БЕЛЛА. Она бывает прекрасна. Несмотря ни на что, может быть. Ладно, достаточно.

САМОУБИЙЦА. Ну нет, я ведь только начал. Хотел спросить про времена вашей молодости. Коммунистические времена. Гомулка. Вы жили в полуразрушенном доме с отцом, брат стал инженером и уехал в Силезию, а навестил вас якобы только один раз.

БЕЛЛА. Откуда тебе известно? Это наши семейные тайны. Семейная жизнь не тема для интервью.

САМОУБИЙЦА. Почему? Вы сказали, вам нечего скрывать.

БЕЛЛА. Но нет и ничего такого, о чём я бы хотела рассказывать.

САМОУБИЙЦА. Это неприятные воспоминания.

БЕЛЛА. Не твое дело. Кто тебя на меня натравил? Говори, или заканчиваем. Я не шучу. Говори или проваливай вместе со своей камерой.

Белла закрывает объектив рукой. Через секунду убирает ее.

САМОУБИЙЦА. Помните, ваш брат приехал, потому что отец заболел? Его привез на машине какой-то друг. Я был с ним.

БЕЛЛА. И он рассказал тебе обо мне? Знаешь, когда это было? Ровно сорок лет назад. Знаешь, сколько всего произошло до и после этого?

САМОУБИЙЦА. Но ту встречу вы помните?

БЕЛЛА. Да.

Пауза.

БЕЛЛА. Ты должен был спросить, не помню ли я эту встречу, а почему я ее помню.

САМОУБИЙЦА. Почему же?

БЕЛЛА. Это хороший вопрос, но мой.

Ретроспекция — "Семейная жизнь". Марек, слегка раздраженный, ходит вокруг машины. Тушит сигарету, окидывает взглядом сад и садится у открытой двери, смотря на рахитичную березку, растущую в расщелине треснувшего фундамента.

Прямо рядом с машиной падает слива. Марек видит это, но притворяется, что ничего не заметил. В саду слышатся какие-то шорохи, и снова летит снаряд, на этот раз попадая в салон автомобиля. Марек вскакивает, но сад кажется пустым. Лишь присмотревшись, он видит в густой кроне гамак, растянутый на большой высоте, а в нем — полуголую девушку, которая ест сливы. Она выжидающе смотрит и в ту секунду, когда Марек замечает ее, с хохотом выпрыгивает из гамака, при этом прикрывая излишне обнаженные прелести (прежде позволив их рассмотреть), и очень ловко спускается по ветвям на землю. Марек шокирован. Он прислушивается в надежде, что лесная обитательница вновь покажется в зарослях, как вдруг прямо за его спиной раздается голос, наивно изображающий пение жаворонка. Марек поворачивается, но не обнаруживает источника звука. Зато видит дивное создание, которое выбегает из кустов и направляется в его сторону. Это собака — бедное животное, рожденное от неудачного союза: помесь боксера и немецкой овчарки. Пес подбегает к машине, обнюхивает сиденье, полностью игнорируя владельца. Из кустов доносится резкий женский голос.

БЕЛЛА. Калигари, к ноге. Быстро сюда, Калигари! А вы будьте с ним осторожнее!

Марек непроизвольно поднимает с земли палку. В кустах слышится громкий истеричный смех.

БЕЛЛА. Он не кусается, просто у него блохи!

Марек сконфуженно отбрасывает палку. Из кустов выходит девушка в пляжном халате, наброшенном на нижнее белье. На вид ей лет 25, хотя можно спокойно дать и боль-

ше. *Распущенные волосы, лицо скорее интересное, чем красивое, на лбу странная повязка, темные очки (с одним треснувшим стеклом). Внимательно смотрит на Марека и, заметив на его лице усмешку, возмущенно пожимает плечами.*

БЕЛЛА. Собака, знаете ли, не виновата, что у нее блохи. Здесь крутится столько всяких людей. *(Повышает голос, с негодованием.)* Но это не повод так бесстыдно на меня смотреть!

Сказав это, стремительно отворачивается с видом, выражающим величайшее возмущение, и тут же спотыкается о полу своего халата. Из кармана выпадает несколько слив. План провалился, девушка с улыбкой поворачивается к Мареку.

БЕЛЛА. Черт, не вышло. Я хотела смутить вас. Вы привезли товар?

МАРЕК. Нет, я привез Вита.

БЕЛЛА. Ах! Очень приятно, я его сестра Изабела. Не надо целовать руку, она грязная. *(Вместо приветствия Изабела достает из-за пазухи горсть слив.)* Держи, только что нарвала. *(Резким движением отгоняет собаку, начавшую ласпиться.)* Пошел вон, Калигари. Он ненормальный, с плохой наследственностью. Впрочем, это видно... *(Разражается громким смехом.)*

(Конец ретроспекции.)

ИНТЕРВЬЮ С МАРЕКОМ

Станция технического обслуживания автомобилей. Жилая часть надстроена над мастерской — пригородная за-

*житочность. Марек отвечает на вопросы, прохаживаясь
между машинами. Одет легко.*

САМОУБИЙЦА. Какое впечатление произвела на вас сестра вашего друга?

МАРЕК. Ну какое? Обычная сумасшедшая. Он, кстати, тоже. Но у нее были красивые ноги. Знаешь, не такие спички, как у всех этих моделей, а сильные, мускулистые. Она вообще была как кариатида и могла подпирать балкон. Но внутри какая-то слабость. Хотя чего удивляться, жизнь их изрядно потрепала. Родились в богатстве, а потом разруха, странно даже, что этот ее брат Вит окончил политехнический. Но он старался убежать от прошлого.

САМОУБИЙЦА. В каком смысле?

МАРЕК. Голову в песок — и привет. Делать вид, что до нашего появления на свет ничего не было, что все началось с нас.

САМОУБИЙЦА. Это возможно?

МАРЕК. Возможно. Говорю тебе, голову в песок, как страус. Слышал, что страус на бетоне может расшибить башку?

САМОУБИЙЦА. А вы?

МАРЕК. Что я? Я прожил жизнь спокойно. Имею то, что имею, и больше не надо.

САМОУБИЙЦА. Довольны жизнью?

МАРЕК. Что это вообще за вопрос?

САМОУБИЙЦА. Я всем его задаю.

МАРЕК. Задаешь, но кто тебе ответит?

САМОУБИЙЦА. Я думал, вы.

МАРЕК. Какого ответа ты ждешь? Хочешь услышать "да", тогда да. Хочешь "нет", тогда нет. Это не имеет значения, ничего уже не изменить.

САМОУБИЙЦА. А та встреча с семьей Вита имела для вас значение?

МАРЕК. Откуда я знаю. И да, и нет.

[∎]

В этой главе я рассуждал, все ли мы продаемся, и если да, то за сколько, поэтому теперь пора подумать, что же такое деньги.

Нетерпеливый ответит, что это всем известно, и ради смеха добавит: деньги — вещь, которой нам всегда не хватает. На протяжении долгого времени я был готов подписаться под таким ответом. Я рос в послевоенные годы нужды, потом много лет учился, прикладывая огромные усилия и пытаясь хоть что-то заработать, чтобы не быть вечным паразитом на иждивении у родителей, наконец, получив профессию, начал потихоньку справляться с решением материальных проблем. С тех пор они перестали меня занимать.

При написании этих строк в голове замигала красная лампочка: не лукавлю ли? Разве был в моей жизни такой период, когда я вообще не думал о деньгах? Ведь и сегодня, получая на старости лет пенсию, я думаю о них, как думал и все эти годы, приближаясь к относительной зажиточности. Итак, начинал я весьма скромно, если не сказать убого, а позднее, в зрелые годы, предусмотрительно копил средства, чтобы не оказаться в ситуации экстренной нехватки денег. Я никогда не обладал способностями к умножению финансов, не умел торговать, высчитывать дополнительную прибыль, которую в годы ПНР можно было извлечь, возя с собой товары во время командировок.

Я с уважением отношусь к таким знаниям и никогда бы не посмел подтрунивать над теми, кто наделен этим полезным даром, однако мне он дан не был. Зато я бережлив и экономен. Можно ли считать бережливость вежливым синонимом скупости? Скупость — довольно противный и малодушный порок, но я не уверен, что лишен его. В то же время я горжусь своей репутацией скряги и скопидома в сфере публичных расходов — там, где как продюсер отвечаю за деньги, выделенные на культуру. На этой почве у меня случаются конфликты со многими людьми, жившими при социализме и не видящими разницы между публичным и бесхозным.

Причин тому немало, и все же в защиту тех, кто путает две эти формы собственности, хочу напомнить, что на протяжении долгих социалистических лет царил повсеместный дефицит любых материальных благ. Полки магазинов зияли пустотой, и одних денег для приобретения чего-либо было недостаточно — требовались знакомства, чтобы покупать, как это тогда называлось, из-под полы. Сбережения, хранившиеся в сберкассе, приносили ничтожный процент, рядовые граждане не ходили в банк.

Тема банковских процентов заставляет вспомнить о проблеме ростовщичества. В Средневековье его считали грехом. К человеку, который давал взаймы и требовал отдать сумму бо́льшего размера, относились как к шантажисту, наживающемуся на чужой беде. А просто так деньги никто не занимал — след этого отпечатался в поговорке "в долг давать — дружбу терять", а также в рекомендации Полония в "Гамлете": "Смотри не занимай и не ссужай"[1] *(Neither a borrower nor a lender be)*. Работая в развитых стра-

---

[1] Перевод Б. Пастернака.

нах, я понял, что там все иначе. Если банк дает мне кредит, я становлюсь благодаря этому более надежным. Человек, не имеющий долгов, не вызывает доверия. Все наоборот по сравнению с тем, что я вынес из дома.

Точно так же обстоят дела с ростовщичеством. Однажды мне объяснили, что деньги подобны растению в горшке. Если я отдаю его кому-то на время, растение вернется ко мне выросшим, будет больше, чем в момент передачи. Когда спустя длительное время мне возвращают ровно столько, сколько я дал взаймы, это значит, меня обманывают, не отдав проценты, то есть того, что выросло с момента одалживания. Впрочем, я не собирался читать лекцию по экономике, поскольку совсем в ней не разбираюсь.

Помню, как в школьные годы меня коробило, когда одноклассников ставили друг другу в пример. Идея учителя выделять одних, а иным указывать на то, что они хуже, всегда действовала мне на нервы, поэтому, дожив до седин, я стараюсь следить за собой и не повторять эту ошибку. Нет ничего более раздражающего, чем человек, ставящий себя в пример. (Предлагаю на досуге задуматься о так называемых примерах для подражания. Можно ли ориентироваться на других людей, обязательно ли это? Какое значение имеют жития святых и агиография в целом? Почему мы часто замечаем там искажения фактов, педагогические преувеличения, сделанные из добрых побуждений нас облагородить?) Если так поступает писатель, у книги есть большие шансы быть выброшенной в мусорную корзину взбешенным читателем. Я бы не хотел, чтобы это произошло в моем случае, и проявляю большую бдительность. Обращаясь к случаям из собственной жизни, я не испытываю желания похвастаться. (И снова отступление от темы, достойное от-

На съемочной площадке "Парадигмы", 1985 г.

дельного разговора: хвастовство считается отталкивающей формой поведения, а как же модная нынче самореклама? Достаточно ли здесь простого совета добросовестно оценивать себя и представлять свои истинные компетенции?)

Возможно, столь пространное отступление излишне, просто меня смущает, что я постоянно привожу примеры из своей биографии. Теперь расскажу недавнюю историю, совершенно особенную, сопряженную с сильными переживаниями. Она связана с темой, рассматриваемой в этой главе с разных сторон: что стоит делать за деньги? Далеко не все могут позволить себе таким образом поставить вопрос. Работа миллионов людей банальна, скучна, ее трудно полюбить, и тем не менее она необходима, ее надо выполнять. В особо монотонных делах нам все чаще помогают автоматы: они появляются, например, на платных автострадах, заменяя несчастных, сидящих в будках и собирающих

деньги. Сбор оплаты за проезд — исключительно неблаго-
дарный труд, и если это делает автомат, я ощущаю облегче-
ние, ведь секундный контакт человека в окошке кассы с водителем так неловок! А кассирша в супермаркете? Тысячи
покупателей ежедневно, но все это совершенно бесчеловеч-
но: клиент имеет дело с живым автоматом. Хочется верить,
что в скором времени кассы исчезнут, а мы будем оплачи-
вать покупки картой или с телефона после того, как машина
подсчитает сумму, и облегченно вздохнем, что никто больше не работает на кассе. Правда, в то же время выяснится,
что выросла безработица, а значит, кто-то снова будет несчастен. Впрочем, я собирался писать о другом. Безработица — социальная проблема, и я не могу сказать по этому
поводу ничего умного. Человеку необходима работа, хотя
она может быть унизительной и глупой. Чаще она бывает
нейтральной, не приятной и не оскорбительной, — ею занимается большинство людей. И наконец, где-то наверху
находится творческая работа — та, что приносит радость,
та, которую мы готовы выполнять бесплатно, а иногда даже доплатить, чтобы нам позволили работать.

После долгих лет драматичных поисков, сменив несколько факультетов, я в итоге нашел работу для себя. Я стал
режиссером и около сорока лет занимаюсь прежде всего
этим. Все другие занятия — лишь дополнение к моему ис-
тинному призванию. Иногда я читаю лекции, пишу статьи
и книги, но наибольшую радость мне приносит режиссу-
ра. Я влюблен в свою профессию, уважаю и ценю ее; несомненно, был бы так же ею увлечен, даже если бы мне не пла-
тили (при условии, что не умер бы от голода). Дорожа про-
фессией, я всю жизнь старался ничего и никогда не делать
только ради денег. В те времена, когда я копил на квартиру
и ездил на вечно ломавшемся "трабанте", мне предлагали

снимать на Западе рекламные фильмы. Я отвергал эти предложения, считая, что не могу продать своих чувств во благо торговой марке, посвятить себя расхваливанию достоинств какого-то напитка или шампуня. Зная, что мои коллеги по цеху поддавались этому соблазну, я чувствовал над ними моральное превосходство, хотя среди них были подлинные гении кино (Феллини, например, снимал рекламу макарон, Поланский тоже не гнушался рекламой — оба намного богаче и заслуженнее меня). А у меня была своя гордость, я знал, что, хоть и живу в бедной стране, не продамся.

Прошло много лет, и уже в новой Польше, в 1990-е годы, мне вдруг предложили снять рекламный ролик. Заказ поступил с Запада и предполагал огромный гонорар, но тогда я уже не испытывал финансовых проблем и высокомерно отказался, решив, что если не продался в скудные годы, то тем более не сделаю этого теперь, будучи материально обеспеченным. Мой близкий коллега, человек, выросший еще в довоенные годы, когда в Польше был свободный рынок, усомнился в том, что моя позиция так уж безупречна с нравственной точки зрения, ведь вокруг столько нуждающихся, столько людей просят о денежной помощи на операции, обучение. Пожертвовав двумя неделями из жизни и сняв эту рекламу, я мог бы помочь многим, кому обычно не в состоянии оказать помощь. Удрученный этим простым аргументом, я поделился сомнениями с епископом Яном Храпеком — одним из мудрейших священников, каких мне приходилось встречать, мы дружим уже много лет. Епископ озадачил меня своим советом. По его мнению, я должен был принять предложение и часть заработка потратить на что-то приятное, позволить себе то, что в обычных условиях невозможно, скажем, отправиться с женой на одну-две недели в путешествие, а остальные деньги отдать на благотворительные цели. Изумленный этим ответом, я спросил, почему не мог бы пожертвовать все, и епископ заметил, что, совершив такой внешне героический жест, трудно не угодить в ловушку гордыни, таящейся за любым хорошим поступком.

Это история к размышлению. Ее не назовешь образцовой, и я не предстаю в ней в выгодном свете. Добавлю только, что в итоге не снял эту рекламу по причинам, столь же загадочным, как и само предложение. Заказчик решил встретиться со мной в Варшаве, поехал на своей новой спортивной машине и разбился: на немецких автострадах нет ограничения скорости. Когда я порой думаю об этом, меня охватывает ужас. А еще вспоминается, что на севере Австралии тоже нет ограничений скорости, зато есть пункты проката гоночных машин и превосходные дороги, по которым мало кто ездит, потому что это незаселенная территория. Богатые японцы и американцы приезжают туда прочувствовать скорость. Говорят, что прокат дорогих машин приносит там отличную прибыль. Не меньше, к сожалению, зарабатывают и агентства ритуальных услуг: любители быстрой езды часто сталкиваются с кенгуру. Я рассказываю об этом, чтобы ослабить шок от гибели заказчика. Я не знал его лично и подумал, что это предложение и мои внутренние колебания были ниспосланы свыше как испытание духа. Я ощутил прикосновение Тайны и делюсь этим ощущением, ибо мне кажется, что в современном мире мы теряем из виду измерение, которое можно назвать сверхъестественным. Это важнее всех моих сомнений. Этика без метафизики представляется мне сегодня глобальной проблемой.

Глава 4
Зрелый возраст

В начале книги я с иронией упомянул цитату "детство, безгрешное, вешнее" из "лозаннской лирики" Мицкевича и, ступая по следам классика, хотел назвать главу о зрелом периоде жизни "Век возмужания — время страдания", но это было бы свидетельством пораженческой позиции. Можно ли предупреждать молодых людей, что, независимо от того, что они сделают в жизни, зрелость принесет разочарование? С точки зрения маркетинга идея плохая, однако я готов доказывать обоснованность такой постановки вопроса.

Вся жизнь протекает в условиях борьбы между идеалом и действительностью. Идеал должен быть высоким, тоска по нему — сильной. Но действительность "поскрипывает", постоянно дает о себе знать, приносит разочарование, и нужно быть к этому готовым, иначе тебе угрожает горечь или цинизм. Цинизм — страшнейшая болезнь души, вид рака, который точит изнутри, это утрата веры и надежды, убежденность в том, что идеалов не существует, а если они и есть, то иллюзорны.

Своего рода лекарством от цинизма может быть самопрививка — малая доза яда, активирующая антитела. Цинизм нарочитый, методичный — это проверка каждого идеала на устойчивость. Среди достигших зрелого возраста циников я знаю многих идеалистов, которые витали в облаках, предавались мечтам и внезапно разбились о землю, отрезвели, утратили иллюзии и переживают боль от столкновения с реальным миром. Для защиты веры и надежды нужно осмотрительно дозировать доверие. Наивность может дорого обойтись, ибо протрезвление бывает болезненным.

За прошедшие годы я научился с недоверием относиться ко всяческим неожиданным предложениям, с которыми сталкивался. И поэтому, когда пишу "время страдания", имею в виду страдание "предначертанное", которое можно предугадать. В жизни каждого человека неизбежны разочарования и обман. Но если мы заранее знаем, что будет именно так, а не иначе, то не впадаем в отчаяние. Англосакская поговорка гласит, что трава на газоне соседа всегда зеленее. Все блага, которые мы пытаемся заполучить, в действительности менее упоительны, нежели казалось издалека. Ожидания всегда превосходят реальность, и надо заранее приготовить себя к тому, что так и должно быть.

Зрелый возраст — время, когда человек пожинает плоды своего успеха. Я не уточняю, какого именно. Это может быть успех профессиональный, семейный, личный, а иногда и коллективный. Как народ за последние двадцать пять лет мы добились успеха, но теперь разочарованы: ведь тут должны были вырасти стеклянные дома, вторая Япония, а у нас столько поводов для нареканий. В такие моменты следует сравнить нашу страну с соседними, подумать о временах Второй Речи Посполитой[1] — тогда можно увидеть, что мечты наши, пожалуй, были более радужными, однако все не так уж плохо (пишу в 2014 году, не рискуя гадать, что принесут ближайшие годы).

В индивидуальном плане зрелый возраст — время сбора урожая: мы смотрим, чего достигли в своей профессии, как выстроили личную жизнь, как воспитали детей и что еще осталось сделать. Первое, что подвергается оценке, — планирование. Как наша жизнь соотносится с нашими ожиданиями? Были ли ожидания достаточно амбициозны и притом достаточно реальны, целились ли мы высоко, не совершая при том губительных промахов? Каждому приходится заниматься подобными расчетами много раз в жизни, особенно в зрелом возрасте. Я ищу в своих фильмах иллюстрации к этим размышлениям, и в голову приходит давняя лента "За стеной", придуманная вместе с Эдвардом Жебровским[2]. В этом телефильме героиня, ученый средних лет, терпит фиаско из-за того, что метила слишком высоко. Кто-то подогрел ее притязания, кто-то (или она сама) убедил поставить все на одну карту, отказаться от личной жизни, полностью посвятить себя исследованиям — и вдруг ее увольняют. Она ищет новую работу, но один профессор не хочет ее брать, отсылает к другому профессору, а тот поручает доценту провести с ней решающую беседу и сплавить. Для слогана "Век возмужания — время страдания", хотя в данном случае речь идет о женщине, — этот пример кажется мне достаточно убедительным.

В ролях: Майя Коморовская, Збигнев Запасевич.

---

1   Межвоенный период (1918–1939) в истории польского государства.
2   Эдвард Жебровский (1935–2014) — сценарист и кинорежиссер. Постоянно работал с Занусси в его ранний период; самая известная самостоятельная постановка — "Больница Преображения" (1978).

[▶ "За стеной"]

Доцент старается сделать все, чтобы подчеркнуть, что он не у себя и лишь выполняет поручение шефа.

ДОЦЕНТ. Профессор звонил буквально минуту назад и попросил очень перед вами извиниться... Ему, к сожалению, пришлось уйти.

АННА *(неуверенно)*. Вы можете его заменить?

ДОЦЕНТ *(стараясь держаться дружески)*. Да что вы, это вне моих компетенций.

Наступает неловкое молчание. Анна чувствует, что теряет шанс использовать разговор в своих интересах. Перехватывает инициативу.

АННА. Я говорила вам, что ищу работу. Раньше я работала в университете, но мне не повезло. Диссертация была уже готова, но меня выжили, и теперь надо начинать все сначала. Никогда не знаешь, где у тебя враги...

Доцент слушает равнодушно. Предстоит долгий рассказ.

ДОЦЕНТ. У вас есть публикации?

АННА. Конечно.

Анна немного колеблется. Статьи надо перечислить, она торопливо берет сумку, достает какой-то научный бюллетень.

АННА. Здесь, например.

Доцент бросает взгляд на обложку.

ДОЦЕНТ. Это популяризация.

АННА *(оживленно)*. У меня их, естественно, больше, просто я не захватила.

ДОЦЕНТ. Такие вещи надо иметь при себе... Соберите всё и договоритесь о встрече с профессором.

Анна с готовностью соглашается. Воцаряется тишина. Доцент встает.

АННА. Скажите честно, у меня есть шансы получить должность?

ДОЦЕНТ *(беспомощно разводит руками)*. Это решает только профессор. Со ставками сейчас тяжело...

АННА. Я понимаю, у меня нет никаких требований. Я готова на любую работу, например лаборанткой. Ясно, что для начала... Меня волнует только работа, деньги не играют роли.

ДОЦЕНТ. Видите ли, все не так просто. Лаборантки нам как раз нужны. Скоро дойдет до того, что профессор сам будет мыть посуду. В нормальной лаборатории на каждого научного сотрудника приходится как минимум три помощника, а у нас чуть ли не наоборот...

АННА *(потухшим голосом)*. Наверное, все не так плохо, вы преувеличиваете... *(Пауза.)* Спасибо, что сказали.

Анна берет со стола журнал, убирает его в сумку, нервно поправляет волосы, встает, в дверях кабинета останавливается.

АННА *(с нажимом)*. Я вам очень благодарна...

В ее голосе уже слышна истерическая нотка. Доцент некоторое время продолжает сидеть в кабинете, выходит лишь тогда, когда шаги Анны затихают в коридоре. Он идет через секретариат, заходит в виварий, не говоря ни слова, минует ассистента и лаборанта. Идет вглубь помещения, останавливается среди разложенных книг. Обращается к лаборантке.

ДОЦЕНТ. Отвечайте на все звонки. И даже если позвонит сам премьер — меня нет.

[▪]

Когда я думаю о жизненных стратегиях, о моделях поведения и комплекте проблем, которые кажутся мне распространенными (поскольку каждый когда-либо с ними сталкивается), то весьма существенным представляется выбор между оппортунизмом и непоколебимой последовательностью.

Слово "оппортунизм" в польском языке имеет негативную окраску, хотя, если обратиться к исходному значению, оппортунизм — умение пользоваться случаем и обстоятельствами. Вот пример позитивного значения этого слова: рулевой, который правильно использует ветер, быстрее всех достигает цели. Человек, который ясно видит ситуацию, берет то, что ему предоставляет жизнь, и не упустит подходящего случая, дабы использовать его в поставленных перед собой целях. У такого человека больше шансов на успех, чем у того, кто ни на шаг не хочет сойти с намеченного пути. Непоколебимая последовательность оправдана в специфических жизненных обстоятельствах, а в иных становится выражением гордыни, слепоты, маниакальности или просто страха. Я знаю немало людей, которые от неуверенности в себе держатся за однажды принятые решения, как пьяница за плетень.

Противоположная крайность — жизнь, когда человек плывет, как пробка по волнам, и настолько подвластен обстоятельствам, что в итоге не знает, куда движется. Такой оппортунизм достоин порицания. Но это крайность. А что посередине? (Мы помним, что это не обязательно истина!)

Я вспоминаю сталинские годы, когда людям неподходящего социального происхождения было очень трудно поступить в вуз. Тогда "разумный" оппортунизм подсказывал: подавай документы не туда, куда хочешь, а туда, где есть шанс быть принятым. Однако на некоторые факультеты желающих поступить было меньше, чем мест, и можно было рассчитывать, что сами профессора, опасаясь закрытия специальности, протолкнут через комиссию абитуриентов, которых надлежало завалить.

В политике, науке, искусстве оппортунизм столь же необходим, сколь и опасен: достичь цели можно, только обладая известной долей оппортунизма, но достаточно чуть-чуть перегнуть палку, проявить избыточную гибкость — и, неожиданно для себя, мы придем к цели, обратной задуманной.

Работая в такой ненадежной сфере, как кинопроизводство, я многократно убеждался, что могу делать то, что могу, а вовсе не то, что хочу. Проекты, которые были для меня самыми важными в жизни, проваливались, поскольку не находилось желающих их профинансировать. Зато появлялись другие, и на них средства были. Мне удалось не сделать ни одного фильма, из титров к которому я бы сегодня захотел снять свое имя, за который мне было бы стыдно, и это — счастье, ибо в искусстве всегда существует опасность несчастного случая на производстве, что завершается полным крахом. В современном бизнесе есть такое понятие, как "умение управлять рисками". Художник, политик, ученый, соблюдающие все правила безопасности, ничего не добъются, но в то же время излишний риск приводит к катастрофе. Ученый может впустую истратить талант и все свои силы, сделав ставку на исследования, не принесшие результатов; политик, не оправдавший надежд своих избирателей, навсегда исчезнет с политической сцены. Для художника провал часто означает конец карьеры: как мир может утратить к нему доверие, так и он сам теряет веру в себя.

Когда я задумываюсь о ситуациях выбора в своей профессиональной жизни, в памяти возникает целый список фильмов, которые как бы сами мне подвернулись, а я не захотел отказываться, потому что нельзя отклонять предложения, считающиеся, как говорится, "достойными", пусть нам и не всегда с ними по пути. При таких обстоятельствах я сделал картину об Иоанне Павле II и экранизацию его пьесы "Брат нашего Бога", снял фильм о Кольбе[1], перенес на экран произведения Танкреда Дорста и Макса Фриша, а еще раньше — "Убийство в Катамаунте", целиком снятое в Америке.

От одного фильма я отказался и не знаю, жалеть об этом или хвалиться. В 1990-е годы немецкий продюсер предложил мне сценарий о люксембургском священнике, который попал в концлагерь в Дахау и был отпущен оттуда на девять дней, чтобы вернуться в свой приход и организовать сотрудничество католиков с нацистами. После девятидневных переговоров с гестапо священник отказался и был отправлен обратно в лагерь. К счастью, он дожил

---

1   См. сноску в предисловии.

С Питером Уиром в Сиднее, 1985 г.

до освобождения и после войны стал главой католической организации журналистов и кинокритиков.

Не могу сказать, что я мечтал сделать очередной фильм об оккупации, но посчитал такой фильм одним из тех "достойных", которые нельзя отвергать, поскольку всегда помнил, что в искусстве — а часто и за его пределами — нормой является безработица, и работа — отнюдь не наше право, а милость, которая порой на нас сваливается. Мы уже находились на подготовительном этапе съемок, когда продюсер принес несколько новых сцен, дописанных по его просьбе немецким сценаристом. Эти сцены должны были продемонстрировать, что герой — заключенный Дахау — тоже виноват, ибо (будучи священником!) не поделился с товарищами по несчастью водой, когда ее не хватило на всех. Эта сюжетная линия, почерпнутая из биографии итальянского писателя Примо Леви (сидевшего в Аушвице, а не в Дахау), была исторически лжива и порочила память покойного прототипа героя. Продюсер сказал, что мы можем изменить имя персонажа, однако сам мотив важен: таким образом, священник не будет человеком без недостатков. Я же увидел здесь попытку немецкой ревизии истории. Мне, поляку, следовало засвидетельствовать, что жертвы тоже совершали подлости, то есть снять с палачей часть вины. Я разорвал контракт (очень привлекательный в финансовом отношении) и до сегодняшнего дня не знаю, не проявил ли чрезмерной щепетильности. Ленту в итоге снял Фолькер Шлёндорф (тактично согласовав со мной свое участие в проекте). Упомянутая линия второстепенна и возникает лишь во внутреннем монологе священника на кладбище, когда тот на могиле матери признается, что в лагере проявил слабость. Прокат фильма как произведения религиозного характера был ничтожным (этого следовало ожидать). Он назывался "Девятый день". Его нет в моей фильмографии.

Сколько еще случаев я упустил из-за своей непреклонности? Пожалуй, их было не так много. Мои фильмы по своему характеру не вписываются в так называемый мейнстрим, и я могу считать щедрым даром судьбы, что сделал такое количество личных, авторских картин, никто из-за меня не обанкротился, а я в четвертой четверти жизни еще продолжаю снимать. Правда, с этим у меня все больше проблем, но я и не стремлюсь туда, где безопасно, наоборот — стараюсь идти против течения. Из множества призов за важные достижения особенно меня радует полученная в Торуни на "Тоффи-фесте" награда за упрямство и неподверженность моде.

Во многих профессиях карьера напоминает что-то вроде американского родео. Так и в политике, и в искусстве.

Штука в том, чтобы как можно дольше удержаться в седле, но в конце концов, рано или поздно, все падают.

В этом плане наука более стабильна, достижения дольше сохраняют весомость, но зато там меньше огласки, и не одному профессору случается дожить до момента, когда ученики опровергают его теории. Помню историю о китайском математике, который долгие годы не решался опубликовать результаты исследований, чтобы не ранить сердце своего учителя, придерживавшегося противоположной точки зрения.

В завершение этой мысли, как бы подводя итоги, повторю: не стоит рассчитывать на долговечность приписываемых нам карьерных достижений (сам я дождался книги о себе, вышедшей в издательстве "Крытыка Политычна" и доказывающей мою ничтожность). Не стоит рассчитывать на память потомков, но надо радоваться тому, что время от времени в нашей работе блеснет красота, мудрость или правда, что, по сути, одно и то же.

Несколько лет назад я принимал участие в собрании одной международной организации, занимающейся рынком искусства, прежде всего — музыки, но также и литературы, театра и кино. В центре внимания дискутантов была поп-музыка (а также массовые литература и кино). Пассивно участвуя в прениях, я услышал жалобы на то, что на рынке слишком долго господствуют одни и те же имена, и требования способствовать тому, чтобы звезды вспыхивали и быстро гасли: мол, это справедливо, ведь если чей-то успех слишком продолжителен, меньше места остается другим — на Олимпе тесно и надо как можно скорее столкнуть с него тех, кто туда попал. Во всей дискуссии не было произнесено ни слова о ценности искусства, и когда я робко об этом заикнулся, мои собеседники только пожали плечами. В массовом искусстве, с их точки зрения (и с моей отчасти тоже), хорошее не сильно отличается от плохого: тут, прямо как в лотерее, выигрывает одна какая-то песня, книга или фильм, хотя рядом есть десяток таких же, которые бесследно исчезают. Не преувеличиваю ли я сейчас? Быть может, немного. Прошу считать это гимнастикой ума.

Пользуясь случаем, выскажу соображение, с которым часто не соглашаются мои студенты. Даже если они позволят убедить себя в том, что существует глубокое (хотя отнюдь не резкое) различие между искусством высоким и низким, то все равно будут настаивать, что следует попеременно обращаться к тому и к другому. Тогда я привожу кулинарный пример. Кто знает толк в хорошей, изысканной кухне, не получит удовольствия от фастфуда, кто улавливает утонченную гармонию квартетов Бетховена, не сможет наслаждаться игрой любительского духового оркестра пожарников, потому что пожарники фальшивят, а фастфуд обладает примитивным вкусом. Не хочу прослыть ригористом, но я — за аристократизм духа, который велит выбирать лучшее и не засорять душу чтением бульварных романов, прослушиванием какофонии и просмотром ситкомов. Вкус либо вырабатывается, либо портится, и лучше не травмировать наше восприятие. Негармонизированные звуки, плоский юмор, коряво построенная фраза — все это наносит нам ущерб. Говоря об экологии, мы постоянно твердим о загрязнении воды, воздуха, окружающей среды. Душу тоже можно загрязнить скверным искусством.

Я осознал, что никогда не напишу эту книгу как следовало бы: старательно, обдумывая каждое слово. Я знаю, *как* надо писать хорошие книги. Это не значит, что я *могу* их написать, но мне известно, как подготовиться, как делать заметки, сноски, как оттачивать фразы; в итоге результат будет таким, на какой я способен, не лучше, но и не хуже. И все же я знаю, что ни эту, ни какую-либо другую книжку никогда в жизни должным образом не напишу. Не напишу, поскольку мне не хватит времени и убежденности, что оно того стоит. Я не оставлю других занятий, не перестану путешествовать, встречаться с людьми, работать над фильмами и пьесами. Если бы я хотел отложить работу над книгой "на потом", то, вероятно, это "потом" никогда бы не наступило, ибо я не представляю себе, что когда-нибудь у меня будет ничем не занятая голова и время только для одного дела.

Я так подробно говорю о своих сомнениях, потому что вижу в них модель колебаний, свойственных не мне одному. Они ограничены двумя крайностями; одну я назову перфекционизмом, другую — наплевательством.

Перфекционизм — часть более общего подхода, который не допускает компромисса и гласит: "все или ничего". Практика показывает, что такая радикальная, непримиримая позиция редко позволяет достичь цели. Хотя иногда позволяет. Поэтому трудно определить, когда нужно упираться до конца, а когда лучше уступить. Тем, кто упирается до конца, радикализм иногда предоставляет алиби: "мне не везет в жизни, потому что я не иду ни на какие компромиссы". Подобный образ мыслей легко становится маской гордыни. Человек обязан стремиться к совершенству, но одновременно допускать мысль, что он слаб, далеко не идеален, и порой признавать, что на большее неспособен. Перфекционист терзается оттого, что в чем-то не сумел достичь совершенства. Когда я чувствую, что могу угодить в такую ловушку, то вспоминаю слова покойного епископа Храпека, который часто убеждал людей, сделав все, что в их силах (в данном конкретном случае), остальное отдать на откуп Провидению и не зацикливаться на том, что можно было сделать лучше.

Такая позиция подкреплена уже приводившимся в этой книге советом. Нельзя стыдиться того, в чем ты сам не виноват. Нет смысла горевать из-за того, чем нас наделила природа: генетическое наследство от предков таково, каково есть. Им нужно пользоваться, но переживать, в любом случае, не стоит — подобные переживания напрасны.

Еще раз: что такое перфекционизм? Стремление к совершенству. Прежде всего надо сказать, что это качество во всех отношениях положительное. Все в жизни делать как можно лучше — наша обязанность. Но — внимание! — в каком смысле лучше? Если мы добиваемся объективного совершенства, невозможно в определенный момент не попасть в ловушку собственного тщеславия. Ничто человеческое не идеально; в том числе шедевры искусства, хотя Бах или Моцарт часто кажутся совершенными. Я думаю, нужно априори принять, что совершенство — иллюзия. Возможно, гении и близки к нему, однако идеальный мир не умещается в нашем. Он где-то в другом месте. Мы чувствуем это во сне: порою нам снятся красивые пейзажи, иногда прекрасные женщины и дивные звуки, но, проснувшись, мы не можем их воссоздать. Реальный мир несовершенен. Иудеохристиане, почитающие и Ветхий, и Новый Завет, усматривают в этом следы того, что метафорически названо первородным грехом. Порочна натура человека. В раю человек соприкасался с совершенством, но совершил грех, и тогда все стало неидеальным.

Библейская метафора убеждает не всех. Поэтому давайте отвлечемся от религиозных предпосылок и взглянем на опасность перфекционизма иначе. Психологически ловушка в том, что мы пытаемся достичь совершенства, отчасти напоминающего горизонт, видимый и недоступный: чем ближе мы к нему подходим, тем больше он отдаляется. Положение перфекциониста очень удобно: ему дозволено никогда не завершать свои дела. Конец он всегда откладывает на потом, то есть до момента, когда добьется совершенства. Ваяя из камня, удаляет всё новые куски, пока под резцом не останется кучка мусора. В творческом процессе необходимо однажды сказать себе: хватит. Баста. Дальше, по сути, уже ничего не изменится. Произведение не совершенно, но достаточно хорошо. Только ли в творчестве так обстоит дело? А в других сферах жизни? В политике или воспитании? В образовании или спорте? Если мы хотим участвовать в соревнованиях, то в один прекрасный день должны сказать себе: конец тренировкам, на состязаниях надо предстать таким, какой ты есть в этом сезоне. Иначе никогда не будешь доволен собой. Воспитывая детей, тоже следует признать, что желанной цели ты не добьешься: ни один ребенок не будет идеальным, никогда не станет ангелом, и все же нужно продолжать свои старания, но не мучить себя и других неосуществимой мечтой о воспитании идеального человека. Идеального, то есть совершенного. Совершенных людей нет.

А теперь: что такое наплевательство? Это противоположная позиция, означающая: не стоит стараться, пусть все будет так, как есть, и достаточно. Сегодня наплевательство в особом почете, оно как бы побочный эффект демократии. Если все равны, легко предположить, что все — посредственности, то есть перфекционизма никто ни от кого не ждет. А значит, и стараться нет смысла.

Несколько раз мне приходилось встречаться с молодежью из детских домов. Я заметил, что они избегают лишних усилий и пытаются выжить за счет минимальных затрат. Минимум работы, минимум активности. Отдавать другим ровно столько, чтобы не цеплялись. Слиться с массой. Не выделяться. Не учиться слишком много. Не сильно увлекаться спортом, ничего не принимать близко к сердцу, притаиться... лишь бы продержаться. Я понимаю, живя без семьи, в одиночестве, можно признать такую позицию линией защиты, однако многие выбирают ее по доброй воле. Тогда наплевательство становится сознательной программой.

Наплевательство широко распространено. Люди работают кое-как и кое-как развлекаются. Одеваются как попало, едят что попало и любят точно так же — равнодушно, как придется. Им легко, но хорошо ли?

Я борюсь с перфекционизмом и борюсь с наплевательством. Мне грезится гармония: чтобы человек метил так высоко, как только может, но знал границы своих возможностей. Старался преодолевать барьеры, но понимал, что полностью не преодолеет их никогда.

Я начал с рассуждений о том, что делаю сам. Так вот, я мирюсь с собственным несовершенством. Пишу, наверное, несколько хуже, чем мог бы, если бы превратил это в основную цель жизни, но стараюсь, чтобы получилось как можно лучше. Кто-то сможет упрекнуть меня в небрежности, но я верю, что не всегда и не за всё. Сейчас, впрочем, во мне отчасти говорит художник. Работая над каждым новым сценарием, я мечтаю отсрочить сдачу: вдруг завтра или через месяц у меня появятся идеи получше. Но рано или поздно придется сказать себе: ничего не поделаешь, все будет так, как есть. Лучше пока не получается, этот текст я сдаю, быть может, когда-нибудь сочиню другой, более удачный. Вряд ли я напишу еще много книг, так что считаю нужным высказаться сегодня, поспешить, а не ждать много лет, пока у меня будет больше времени и все свои силы я положу на то, чтобы лучше формулировать мысли. Считайте это моим личным признанием.

Мне вспоминается одна история, не раз повторявшаяся, пока во время военного положения[1] я жил в Париже. Мое имя фигурировало в парижской телефонной книге, поскольку мне было важно, чтобы любой, кто захочет меня найти, мог без проблем это сделать. По выходным мне, случалось, звонили пользователи бытовой техники производства фирмы, в названии которой значится моя фамилия (я сотни раз на встречах рассказывал, что это фамилия наших очень дальних родственников, которым фирма уже давно не принадлежит, они всего лишь миноритарные акционеры, а наши родственные связи почти призрачны, хотя мы, живя в разных странах и занимаясь абсолютно разным делом, знаем и любим друг друга). Поскольку в парижском списке я был одним из двух абонентов, носивших эту фамилию, мне довольно часто звонили разозленные клиенты фирмы, у которых сломался холодильник или стиральная машина. Я объяснял им, что не имею с этим ничего общего, и рекомендовал в будни обратиться туда, где они купили плиту или холодильник. Взамен я всегда получал массу упреков в том, что не чувствую ответственности за товар, который их подвел. Тогда я придумал другой ответ. Я спрашивал, за сколько они купили холодильник или посудомоечную машину, и, услышав цену, сообщал: это так дешево, что не следует ожидать, чтобы приобретенная техника работала идеально. Раз дешевая, значит, подводит.

За много лет до того, как я снимал небольшой фильм в Соединенных Штатах, со мной произошла немного по-

---

1   См. сноску в главе 3.

хожая история, только товаром в некотором роде был я сам. Я был тогда довольно молодым европейским режиссером, впервые приехавшим в США, и поэтому взял на главную роль актрису, которую знал только по другим работам в кино. Когда мы встретились, я понял, что совершил ошибку: актриса на роль героини не подходила. Я не знал, как сказать об этом продюсеру — человеку деспотичному и очень могущественному, — и мой нью-йоркский агент решил научить меня вести такие разговоры. Подняв в моем присутствии телефонную трубку, он заявил продюсеру, что молодой режиссер из Европы получает от него мизерный гонорар. Взбешенный продюсер ответил, что договор уже подписан, а режиссер, то есть я, большего не заслуживает, поскольку молод и еще неизвестен. Мой агент возражать не стал и сказал продюсеру: "Потому я и звоню! Режиссер так неопытен, что неправильно выбрал исполнительницу главной роли. Возьми ты кого-нибудь подороже, такой ошибки бы не произошло, но молодые и неопытные часто обходятся дороже, ведь приходится платить за их ошибки". Продюсер без колебаний согласился с моим агентом. Я же действительно оказался крайне неопытным, потому что в итоге взял эту актрису, и она сыграла совсем неплохо, а вот минутная паника, которую я испытал, и вправду была моей ошибкой.

У обеих этих историй похожая структура. Скверное качество — скромная цена. Надеюсь, эта книга не слишком дорого стоит, и цена — компенсация за то, что она написана не профессиональным философом и не лауреатом Нобелевской премии по литературе, к тому же автор сам признается, что, работая над ней, не слишком старался.

В связи со словом "наплевательство" мне вдруг вспомнилось детство. Послевоенные годы, нужда. Хотя мой отец был инженером-строителем и участвовал в восстановлении Варшавы, в начале сталинской эпохи ему пришлось ликвидировать свою фирму и платить дополнительные налоги, которые взыскивались задним числом в форме штрафа за ведение частного предпринимательства. Отец выплачивал их из небольшой зарплаты уже в государственном учреждении: отдавать приходилось две пятые. Остальных трех пятых еле хватало на еду до конца месяца. Мать тоже работала, и все же денег недоставало. Сегодня, думая о наплевательстве, я вспоминаю те времена. Тогда как будто всем было ни до чего. Мы были одеты кое-как, ели что придется, и с тех самых пор я помню, как отец учил меня, что даже самые изношенные и дырявые ботинки нужно тщательно чистить, чтобы не казалось, будто тебе на все плевать; что за столом надо сидеть прямо и соблюдать правила хорошего тона, чтобы не казалось, будто тебе на все плевать; что нужно штопать дырки в одежде (как правило, на локтях и коленях), выводить пятна и что нельзя сдаваться, то есть сутулиться, наоборот — ходить надо, расправив плечи, потому что живется тяжело. Так мы боролись с наплевательством.

Когда я сегодня думаю о том, как многим сейчас на многое плевать, мне вспоминаются те времена, и я чувствую, что нам было легче. Хотя тогда мир рухнул (я имею в виду наш материальный мир), было совершенно понятно, что хорошо, а что плохо, что следует, а чего не следует делать. Сейчас нельзя утверждать, что все мы поступали надлежащим образом — это было бы неправдой. Однако не будем забывать, сколь велика разница между тем, кто не знает, что хорошо, а что плохо, и тем, кто это знает, но проявляет слабость или поддается искушению. (Быть может, стоит упомянуть Блаженного Августина, моего любимого мыслителя, который пишет где-то на латыни, что человек понимает, что хорошо, и все-таки сознательно выбирает плохое.)

Почему сегодня труднее жить (по крайней мере, мне так кажется)? Потому что сегодня великое множество людей обрело свободу, которая и не снилась предыдущим поколениям. Я подразумеваю здесь свободу в малом, будничном масштабе, а не ту, что пишется с большой буквы. Повседневная свобода означает, что полки магазинов забиты товарами, — раньше люди не выбирали, а радовались тому, что достали. Ели все, что только удавалось купить. Носили одежду, которая на тот момент была в магазине. И вдруг — шок свободы. Многие молодые люди более обеспечены, чем в свое время их родители, и могут выбирать образ жизни: как проводить отпуск, как одеваться и что есть. Этому нужно было научиться. Напряженность в период так называемой трансформации была в значительной степени связана с тяжким трудом обучения стольким новым вещам, привыкания к стольким мучительным возможностям выбора.

Выбор — это и есть свобода. Свободен тот, кто может выбирать. Тот, кому навязывают выбор, раб. Я написал про "мучительные возможности выбора" и вспомнил анекдот о генерале, который, попав однажды в дом лесничего, решил отдохнуть, но деятельная натура заставила его искать себе занятие, и он попросил хозяина дать ему какое-нибудь легкое задание на свежем воздухе. Лесник сказал, что генерал может помочь перебирать картошку, пролежавшую всю зиму в бурте: часть надо выбросить, остальное еще может пригодиться. Генерал уселся над кучкой картофеля и через пару часов заявил, что это страшно утомительное занятие. "Почему утомительное?" — удивился лесник. Генерал посмотрел на него с укором: "Как это почему? Что ни картофелина, то решение". Решение, то есть выбор. Жить в не-

С Чеславом Милошем, лауреатом Нобелевской премии по литературе, 1986 г.

воле порой бывает проще. Кто решает и выбирает, тот несет бремя ответственности. Это изнуряет.

Так что жизнь в условиях свободы нелегка. И, наверное, поэтому те, кто с трудом учится выбирать, часто грешат наплевательством. Они довольствуются чем попало. Хотят как можно скорее сделать выбор, их угнетает обилие возможностей и количество неизвестных.

О чем я сейчас пишу? О выборе в супермаркете? Не только. Муки выбора еще сильнее, когда мы принимаем решения, касающиеся карьеры, профессии, а уж тем более личной жизни. Вот я встретил человека — тот ли это человек, с которым я хочу навсегда связать свою жизнь? Может, не стоит искать дальше, может, удовлетвориться... то-то и оно. Кем попало? Если мы сами понимаем, что выбрали спутника жизни или даже просто друга не потому, что высоко ценим этого человека, а лишь ради того, чтобы, наконец, оставить позади муки выбора, то грош цена нашей свободе. Плохой мы сделали выбор. Выбирали как попало.

Я провокационно поставил знак равенства между любовью и дружбой. Речь идет об образе жизни в целом. Предъявляем ли мы себе и миру высокие требования или довольствуемся тем, что подвернется под руку? Полагаю, что значительная часть поколения, около двадцати лет назад первым внезапно открывшего для себя свободу, не выдержав ее бремени, бездумно упивалась возможностью обладания, радостями, доступными богатым (в том, что касается одежды, еды, жилья, путешествий). А ведь было чему поучиться. Никто из поколения родителей таких возможностей не имел. И тут вдруг, работая в корпорациях, в рекламных агентствах и зарабатывая больше, чем родители и деды, приходится выбирать, куда отправиться на отдых: в Египет или Тунис? А какое вино подать к обеду? А какой надеть галстук или шейный платок? В процессе обучения, поспешно приспосабливаясь к обеспеченной жизни, многие утратили ориентиры, поскольку не вынесли из дома соответствующих навыков и не захотели внимательно присмотреться, где мудрость, а где видимость. Не так давно в одной средней школе юная особа задала мне вопрос, считаю ли я их, молодых, потерянным поколением. Я ответил, что, пожалуй, полностью потерянным не может быть ни одно поколение и уж наверняка не те, кто вступает в жизнь в XXI веке, однако среди тех, кто взрослел десятилетием раньше, процент проигравших действительно высок. Сегодня я вижу их в этих желанных рекламных агентствах, где до сих пор заработки росли из года в год, жизненный стандарт повышался (квартира, машина, туалеты и поездки), а теперь, когда все постепенно стабилизируется, старших заменяют младшими и "старикам" угрожает безработица, так как они уже выработали свой ресурс в сфере деятельности, которую (о, ирония!) называют "креативной" (но не говорят "творческая", ведь творчество — это нечто серьезное, а заколачивание денег за придумывание цепких рекламных слоганов серьезным, конечно, назвать нельзя).

Я беспрерывно критикую наплевательство. Возможно, для симметрии стоит взглянуть на другую крайность — перфекционизм. Он проявляется реже и, хотя бы поэтому, сегодня в меньшей степени нам угрожает. Перфекционисты — "амбиционеры", то есть любой ценой хотят быть лучше всех в какой-то одной области (чаще всего речь идет просто о карьере) и теряют из виду иные стороны жизни. Они лучшие в своем деле, но это вовсе не значит, что они хорошие люди. Они хорошие менеджеры, но плохие мужья (любовники, отцы, соседи). Не следят за собой, толстеют, становятся некрасивыми, однако взбираются по карьерной лестнице. Стоит ли им завидовать? Пустой вопрос. Не стоит. Даже если они богаты и обладают большой властью, то живут плохо, и им, скорее, надо сочувствовать, чем завидовать или восхищаться.

Я только что использовал слово "амбиционер", хотя не уверен, что оно грамматически верно; впрочем, хочу обратить ваше внимание, что слово это латинского происхождения и во многих языках (во французском и английском точно, я проверял) имеет отчасти негативную окраску. В польском переводе шекспировского "Юлия Цезаря" Марк Антоний называет Кассия амбициозным, хотя, пожалуй, следовало бы сказать "амбиционер". По-польски мы говорим ребенку, что у него нет амбиций, когда он приносит двойку за легкую контрольную; про спортсменов (и даже про лошадей) можем сказать, что в борьбе за победу они проявили амбициозность, а еще про кого-то — что амбиции не позволят этому человеку нас подвести. "Амбиционер" же — тот, кто ради достижения своей цели готов шагать по трупам. Так же, как политикан — не политик, а просто плохой человек, который, стремясь к цели, вовсе не думает о политике, то есть об общем благе. "Амбиционер" — перфекционист в рамках собственных амбиций. А следовательно, пример с него брать не стоит.

Ну и в завершение — о наплевательстве. Я вижу сегодня, сколько изобретений прямо-таки поощряют наплевательское отношение к делу. Взять хотя бы этот телефончик, который мы носим в кармане и с которого в любую минуту можно куда угодно позвонить. Часто в общественных местах, в автобусах и аэропортах я невольно слышу разговоры разных людей по телефону. Необязательные, от нечего делать. О себе любимом. Приехал, еду, сижу, стою... Человек ни секунды не задумывается, может ли это кого-то еще интересовать, удобно ли в данный момент собеседнику с ним говорить. В разговоре, как и в любом другом деле, надо уважать себя и других. Пустой разговор — это и есть наплевательство. Часто небрежны блоги в Интернете (не все, но большинство из тех, что мне попадались). Кое-как бывают написаны письма, особенно электронные, — если пишешь на бумаге, все-таки необходимо прилагать какие-то старания.

Я пишу об этом не затем, чтобы отпугнуть кого-то от новой техники. Напротив, техника — это хорошо, нужно только, не пожалев небольших усилий, установить для себя определенные рамки, строгие ограничения. Уважающий себя и других человек не занимается пустой болтовней, не пишет небрежно, не ведет себя кое-как.

Возможно, я правильно сформулировал свою мысль, однако прошу не судить меня по тем меркам, которые я предлагаю для всех, ибо может оказаться, что именно я пишу абы как или впадаю в перфекционизм и, например, зря придираюсь к деталям. (Скорее, это относится к кино, нежели к моим литературным сочинениям.) Я делаю эту оговорку, поскольку, намереваясь высказать какое-то принципиальное (притом верное) соображение, мы часто останавливаемся на полпути, скованные страхом, что сами не выполняем предъявляемых себе высоких требований. И я стараюсь примириться с тем, что, действительно, не во всем таким требованиям отвечаю. Не отвечаю, но пытаюсь. Пока человек не щадя сил старается что-то сделать лучше, он живет, ибо развивается. Я пробую об этом не забывать, потому что не хочу становиться живым мертвецом, хочу постоянно развиваться, а удалось ли мне это, выяснится на Страшном суде.

Вернусь еще раз к фильму "Дополнение", который уже цитировал. Мой герой, студент медицинского института, как любой человек, борется со своей заурядностью (об этом идет речь в сцене исповеди). Как я заметил, сегодня похвала наплевательству проистекает из философии, которая ставит под сомнение существование каких бы то ни было различий, провозглашает, что любой из нас не лучше и не хуже других. Понятно, что надо быть очень осторожным в своих суждениях — можно критиковать определенные черты или свойства, но не человека в целом. Однако имеет ли смысл отмена всяческих оценок? Разве возможен мир без истины, добра и красоты? Ценностей недостижимых, но подлинных. Я ненадолго остановлюсь на этом вопросе, вспоминая давние студенческие времена.

Несколько лет я изучал философию. Это было в шестидесятые годы в Кракове. Философский факультет Ягеллонского университета после оттепели 1956 года был единственным государственным учебным заведением на всем пространстве от Эльбы до Владивостока, где преподавали "нормальную" историю философии, а марксизму отводилась лишь часть семестра на четвертом курсе. На других факультетах, от физики до полонистики, марксизм преподносили как государственную религию, но занимались этим особые кадры партийных философов, и декан факультета, профессор Ингарден, распорядился отвести им отдельный вход в здание. Даже в обычных разговорах разграничивали: вход для философов и вход для марксистов. Думаю, только Краков мог позволить себе подобным образом демонстрировать независимость духа.

Поступая на философский факультет после физфака, я не очень-то стремился к точности, каковую в Кракове предлагала как феноменология, так и аналитическая философия. Мне были намного ближе экзистенциалисты, особенно в их христианской ипостаси. Философию я изучал слишком мало и слишком поверхностно, чтобы прочно примкнуть к какой-либо философской школе, зато стал испытывать глубокую антипатию к мысли Гегеля, Маркса и Энгельса, поскольку эти философы своими произведениями подкрепляли довольно отвратительную действительность, построенную на их доктринах.

Я вспоминаю об этом, потому что вслед за неприязнью к марксизму приобрел неприязнь к постмодернизму, который вырос из марксизма и стал отцеубийцей. Насаждая сомнения в существовании истины и утверждая тотальный релятивизм, постмодернизм перечеркнул марксизм, лишив самонадеянную философию уверенности в себе (и это безусловная заслуга постмодернистов), но посеянные им сомнения были глубоки до отчаяния.

Не берусь своими словами описывать постмодернизм и потому прибегаю к помощи профессионального философа, профессора Яцека Холувки:

> Деррида, Лиотар, Лакан и Рорти выдвигали разнообразные редукционистские тезисы, например: что философия всегда занималась только философией, что изучение текстов исчерпывается изучением текстов, что сосредоточенность на реальных проблемах — безответственное визионерство. Следовательно, можно говорить, что хочешь, ибо неопровержимых истин не существует. Не имеет значения, каким языком мы пользуемся — все языки равно достойны, и нет оснований утверждать, что одни описывают мир лучше, а другие — хуже. Наконец, по мнению постмодернистов, мы не имеем доступа к самим фактам и должны довольствоваться произвольным представлением о них, содержащимся в теориях, а уж какие мы создаем теории — наше дело. Из-за этого когнитивного гиперлиберализма философия перестала ценить сама себя. Популярность приобрела бессмыслица, а мыслительная дисциплина стала считаться заскорузлым доктринерством. Философия отказалась рассуждать о принципиальных вопросах и измельчала по собственной инициативе.
>
> То, что умеренно дозируемая неуверенность вдохновляет на поиски, сомнению не подлежит, но неуверенность абсолютная может вести (и ведет) к потерянности, выражением которой является отчаяние.

Я спорил об этом в 1990-е годы, читая в Варшавском университете курс лекций для студентов полонистики (и, кажется, еще межфакультетских курсов). На первой же встрече слушатели, которые оказались ярыми приверженцами деконструкции, приняли меня в штыки. Слухи об этом дошли до декана, который остерег меня, что я участвую в дурном деле: зароняю в умы студентов семена тоски по неколебимой уверенности, от которой он бы хотел их уберечь, потому что, говоря вкратце, отсюда один шаг до фашизма. Я же, хотя и был устрашен картиной фашиствующей молодежи, придерживался и по-прежнему придерживаюсь мнения, что как раз тотальная неуверенность заставляет людей хвататься за простые рецепты, к коим относятся как левачество, так и фашизм.

Касаясь фашизма, я вступаю в сферу необыкновенно деликатную, ибо историческая оценка этого движения и его еще более преступной версии — нацизма, неоспоримо негативна. Эти идеологии были, безусловно, преступными, и эпитеты "фашистский" или "нацистский" сегодня означают просто преступный.

Можно сожалеть, что публичные дискуссии часто ведутся на уровне таблоида или бульварной прессы. Я и сожалею, хотя, с другой стороны, стараюсь понять людей, которых подавляет бремя существующих в сегодняшнем мире сложных проблем. Люди хотят простых, понятных определений и нередко по невнимательности сваливают в одну кучу преступное и разумное.

Многие напрасно ассоциируют с фашизмом действия со всех точек зрения положительные: работу над собой, формирование характера, дисциплину и ответственность по отношению к себе и другим. Некоторые даже харцерства[1] не приемлют только потому, что оно, имея некие военные коннотации, якобы противоречит постулату не-

---

1   Польское молодежное движение, основанное в начале XX в. по примеру британских скаутов. Приоритетом харцеров является самосовершенствование, в том числе физическое.

ограниченной свободы. Я не сомневаюсь, что навязывание сверху любой добродетели дает посредственные результаты, но также вижу, что многие молодые люди, растерявшиеся на распутье, склоняются к добру под влиянием коллективной дисциплины. Для людей сильных, независимых выбор всегда должен быть не только свободным и самостоятельным, но и полностью личным. Однако в общественном масштабе, там, где работают такие понятия, как статистика, закон больших чисел и средние величины, полезно предлагать молодежи некие рамки, в которых они смогут перемещаться. Поэтому я испытываю непопулярную сегодня симпатию к харцерству и иным организациям, пропагандирующим работу над собой. Думаю, лишь благодаря им мы сможем уберечься от стай бритоголовых фанатов, желающих раствориться в массе, отрекшись от всяческой индивидуальности.

Не знаю, насколько ясно я пишу, — допускаю, что любая фраза, вырванная из контекста, может когда-нибудь обернуться против меня. Как-то раз одна выдающаяся специалистка по этике уже окрестила меня на страницах желтой газеты "Факт" "Леппером[1] польской культуры". Это было, когда я заметил, что в прискорбном эротическом скандале с участием Романа Поланского главное — не невинная жертва и разнузданный сатир, а проявление всеохватной распущенности, между прочим, популярной в кругах, пропагандирующих неограниченную свободу.

Рассуждения о постмодернизме заверщу признанием, что, когда лет пятнадцать назад я читал лекции в Американском университете в Зас-Фе в Швейцарии, в соседней

---

1 Анджей Леппер (1954–2011) — скандальный политик и предприниматель, лидер крестьянской популистской партии "Самооборона". Был вице-премьером Польши и министром сельского хозяйства с мая по сентябрь 2006 г. и с октября 2006 по июль 2007 г. Покончил жизнь самоубийством.

аудитории вел занятия отец постмодернизма Деррида. После его лекций студенты приходили ко мне, и я дерзко заявлял, что, хотя Жак Деррида войдет в историю как великий философ (а я нет), по моему мнению, в важнейших вопросах он ошибается. Невинные американцы частенько со мной соглашались, поскольку мое английское произношение было лучше. Деррида, истинный француз, говорил по-английски довольно-таки ужасно.

Свою неприязнь к деконструкции я выразил четко, без обиняков, в нескольких сценах своего недавнего фильма "Сердце на ладони". Таких глупых рецензий на этот фильм в Польше мне, кажется, не приходилось читать ни разу за свою долгую профессиональную жизнь. Отзывы продемонстрировали тупость авторов, которые, увидев в титрах имя известной поп-певицы Доды, решили, что на старости лет я ищу поддержки у ее публики. Большей глупости не придумаешь. Фильм, плохой он или хороший, по жанру является черной комедией и философской притчей. Дода в маленьком эпизоде иллюстрирует месседж, смысл которого в том, что никто не должен быть таким, какой есть. Поп-певица, выступавшая на сомнительной вечеринке у олигарха, в финале картины исполняет арию *Casta Diva* ("Целомудренная дева") из оперы Беллини "Норма". Думаю, тому, кто не заметил здесь иронии, лучше не заниматься критикой. Весь фильм — попытка высмеять постмодернизм, пользуясь его собственным языком. Не мне судить, сработал ли этот прием, но стоит обратить на него внимание.

А напрямую, открыто постмодернизм появляется в сцене, когда олигарх перед пересадкой сердца сочиняет завещание на случай, если операция окончится неудачей. Он придумывает, как навредить миру.

В ролях: Богдан Ступка, Шимон Бобровский, Борис Шиц, Мачей Закосчельный, Марек Куделко.

[▶ "Сердце на ладони"]

Кабинет олигарха Константия в его вилле. Ночь. Юрист сидит за столом. Константий и его личная ассистентка смотрят в компьютер.

Константий *(секретарю)*. Пиши под диктовку.

Юрист. Нет, лучше, чтобы завещание было написано вашей рукой.

Константий. Но я не знаю, как оно пишется.

Юрист. Это как раз не имеет значения.

Константий *(раздраженно)*. Мне проставлять суммы или проценты? Всего этого столько... сам не знаю.

Юрист. Зависит от того, кому вы хотите завещать.

Константий. Не кому, а на что.

Юрист. Кстати, на что?

Константий. Хочется максимально навредить миру, если помру.

Ассистентка *(догадливо)*. "Аль-Каида". Терроризм.

Константий *(сердито)*. Чушь. Они вон сколько зарабатывают на нефти!

Константий широко разводит руки. Смотрит на экран компьютера и, проглядывая картинки в поисковике, размышляет вслух.

Константий. Не знаю, кто тут из вас самый толковый. Я уже провел тесты, но еще не получил результатов.

Ассистентка холодно смотрит на юриста, затем берет инициативу в свои руки и начинает стучать по клавиатуре. На экране компьютера появляется клонированная овечка Долли.

КОНСТАНТИЙ. Тепло. Тепло. Генная инженерия. Клонирование может погубить человечество. Хотя... не факт.

Ассистентка печатает, продолжая поиски. Открываются философские сайты. Константий читает.

КОНСТАНТИЙ. Деконструкция! Берем. Учредим гранты и стипендии. Если молодежь на это клюнет, человечество костей не соберет... Презентация деконструкции в Интернете: "Человек — машина с потоком вожделения"; "Ботанической моделью человеческой шизофрении является ризома Бог"; "Мы изучаем следы и подвергаем сомнению, что именно оставляет след"; "Субъект — это в сущности псевдорелигиозная иллюзия". (*Без колебаний принимается писать завещание.*)

Молодой несостоявшийся самоубийца Стефан попадает под опеку людей олигарха.

СТЕФАН. Но я не хочу быть. Вообще не хочу.
АНДЖЕЛО. О том и речь. Но мы хотим тебе помочь. Ты же видишь, что у самого тебя не получается.

Неприглядный отельчик. Константий велит водителю остановиться за углом. В одиночестве ожидает появления Анджело со Стефаном. Те подъезжают к входу в отель; все здороваются.

КОНСТАНТИЙ. Вижу, вас не удалось переубедить.

СТЕФАН. Говорите мне, пожалуйста, ты.

Константий жестом отсылает помощников. Садятся со Стефаном на обшарпанные кресла в грязном холле. В глубине Анджело у стойки расплачивается за комнату.

КОНСТАНТИЙ. Чем больше я о тебе думаю, тем яснее вижу, что ты прав.

СТЕФАН. В чем?

КОНСТАНТИЙ. В том, что жизнь бессмысленна, что мир подл и глуп, а Бога не было и нет. Добро и зло — одно и то же, поэтому не стоит жить.

СТЕФАН. А вы живете.

КОНСТАНТИЙ. Да, живу и все больше об этом жалею. Только в моем случае жизнь уже приближается к концу, но если бы мне довелось еще раз прожить ее заново, я поступил бы, как ты. Ты все еще упорствуешь в своем намерении?

В голосе Константия слышится легкое беспокойство; Стефан некоторое время медлит с ответом.

СТЕФАН. Да.

КОНСТАНТИЙ (*одобрительно хлопает Стефана по плечу*). Могу я тебе как-то помочь? Может, у тебя есть желание, которое еще держит тебя здесь? Может, ты хочешь кому-нибудь помочь?

СТЕФАН. Разве что только кошкам и собакам, которые мучаются в приюте.

КОНСТАНТИЙ. Заметано. Что-то еще?

СТЕФАН. Больше ничего.

КОНСТАНТИЙ *(догадливо)*. Но ты не знаешь, как убить себя, вроде ведь уже два раза пробовал.

СТЕФАН. Да. У меня никогда ничего не получается. Даже это. А я думал, это так просто. Я слышал, в Цюрихе есть клиника, где людям помогают покончить с собой.

КОНСТАНТИЙ. Я устрою тебе это на родине. Знаю, тебе надо как можно скорее.

СТЕФАН. Мне все равно, хотя я уже отправил несколько прощальных писем.

КОНСТАНТИЙ. Такие письма нужно писать в двух экземплярах. Мой тебе совет: здесь для тебя снят номер, напиши, кому еще захочешь, а я сегодня или лучше завтра утром пришлю сюда моих людей, они тебе помогут.

Константий успокаивающе похлопывает Стефана по спине, скрывая волнение. Он хочет попрощаться как можно быстрее, но контролирует свои движения и прощается с достоинством.

КОНСТАНТИЙ. Скажем друг другу с облегчением, что мы нигде не встретимся, потому что вечной жизни не существует.

СТЕФАН. Вы уверены?

КОНСТАНТИЙ *(с глубоким убеждением)*. Да. Если бы я думал иначе, должен был бы изменить всю свою жизнь, а так, к счастью, не должен.

[■]

Судя по моим насмешкам над постмодернизмом, я привязан к непреложным понятиям, таким как добро, истина и красота. Последняя — область моей работы, и я, естественно, обязан о ней размышлять.

Если бы меня как сценариста спросили, с чего такой человек, как я, начнет свои размышления о красоте, я бы побился о заклад, что с вероятностью сорок процентов он процитирует Достоевского: "Красота спасет мир". Однако сам я сосредоточусь на некрасивости, безобразности. Не знаю — ведь я не филолог и мне даже не пришло в голову поискать, — откуда в разговорной детской речи взялось слово "бяка". Возможно, от "безобразный" — потому что на букву "бэ", да и детям взрослые иногда могут сказать: "Ах ты, безобразник!" — что не всегда звучит строго, а то и, наоборот, шутливо. Синонимов у слова "безобразность" в славянских языках очень много: от "уродство, уродливость" до более мягких — "неказистость, непривлекательность". Так или иначе, обе эти категории, "красота" и "уродство" — как и весь в целом набор базовых ценностей, — весьма решительно оспариваются в современной культуре, и даже обращение к этой теме выглядит анахронично. Я уже слыву реакционером, ибо говорю о вещах, которые сегодня, по мнению многих, преодолены. Но, обращаясь к Норвиду в поисках подходящей цитаты, я вижу, что проблема эта не нова и в XIX веке тоже не давала покоя поэту, наблюдателю культурной жизни. Норвид пишет: "Не ищут Красоты поэты, музыканты... / И даже — женщины, и даже дилетанты — / Сегодня ждут, чтоб что-нибудь стряслось — / Ждут потрясений или обольщений..."[1] Забавно, что некоторые слова из репертуара XIX века сегодня не потеряли актуальности. "Обольстительность", возможно, не часто встречающийся термин, но если посмотреть на таблоиды, то они

---

1   Перевод Д. Самойлова.

как раз и являются носителями информации, делающими упор на вещи потрясающие, вещи ошеломительные и обольстительные, особенно в изданиях, предназначенных женщинам. Словом, явление это не новое, а с некоторых пор оно набирает силу и ощущается очень отчетливо.

В последний год жизни Иоанна Павла II мне удалось привезти в Ватикан необычных художников. Я действовал от имени фонда (почетным председателем которого был профессор Бартошевский[1]), занимающегося отслеживанием случаев столкновения высокой культуры с низкой. "Низкая культура" — определение, считающееся оскорбительным, поэтому, открыто используя это понятие, мы всегда добавляем: "из вежливости называемая массовой". Мы исследуем, что эти культуры — высокую и низкую — объединяет, что разделяет, что между ними общего, а что не позволяет сблизиться. В личном письме папе римскому я указал, что хочу пригласить к нему брейк-дансеров, уличных танцоров, потому что они танцуют на улицах по всему миру, а из окон Апостольского дворца их не видно. Этот аргумент подействовал. Папа позволил нам приехать, хотя его окружение сильно сопротивлялось. Так брейк-данс попал в Климентинский зал: парни вертелись на головах перед папой римским. Он тогда уже сидел в кресле, изображавшем папский трон, но ездившем на велосипедных колесах. После выступления папа обратился к ребятам, крутившим пируэты: "Если вы делаете это бескорыстно, ради красоты, вы художники. А если с какой-то иной целью, для личной славы или денег, это уже загубленное искусство". И добавил, что всякое искусство, слу-

1 Владислав Бартошевский (1922–2015) — политик и общественный деятель, публицист, активный участник антикоммунистической оппозиции. Многолетний председатель Совета охраны памяти борьбы и мученичества, обладатель звания "Праведник народов мира".

жащее любой цели, кроме красоты, будет с изъяном, ибо становится пропагандой или рекламой. Позднее в разговоре он заметил еще: "Это касается религиозного искусства". Если кто-то занимается искусством, заранее зная, каков должен быть результат, то есть не проходит своего пути на наших глазах, не ищет решения, а провозглашает нечто, изначально ему заказанное, это искусство тоже загублено, о чем мы прекрасно знаем, ибо видим, какой сакральный кич сопутствует религиозности — как христианской, так и любой другой.

Я рассказал об этом, поскольку есть что-то очень симпатичное в том, как папа римский подчеркнул, что красота может быть ангажированной и тогда уже неполноценной, с изъянами. Возьмем рекламу. Как это ни парадоксально, реклама (я говорю о рекламе аудиовизуальной) иногда играет положительную роль. Она одинаково обходится как со словом, так и с изображением. Для меня положительное свойство рекламы в том, что она подобна щуке в пруду: уничтожает то, что успело стать банальным. Если когда-то я мог восторгаться запечатленным на пленке солнечным закатом, то теперь, зная, что в каждой новостной телепрограмме отпуск в Египте будет прорекламирован именно таким закатом, лишь иронически усмехаюсь. Это удешевленная картинка, слово "красота" к ней уже неприменимо, это красота на продажу. Когда я вижу плавно кружащуюся женщину с прекрасными развевающимися волосами, я не восхищаюсь ее женственностью — я знаю, что речь идет о шампуне. Это понятно. И красота эта тоже загублена, она состоит на службе.

Сегодняшнее состояние влиятельных умов, формирующих общественное мнение, по-моему, весьма прискорбно, ибо постмодернизм в самых разнообразных формах или, если посмотреть шире, релятивизм обрели голос такой си-

Кшиштоф Занусси, Изабель Юппер и Жак Ширак в Берлине, 1988 г.

лы, что уже практически невозможно сформулировать какой-либо противоположный тезис. Просто стало принято говорить, что ничего нельзя сравнивать, всему есть свое место, и потому оценочность и любая аксиология непрогрессивны. Этим не подобает заниматься, это анахронизм. Все существует само по себе, мир атомизирован, поделен на ряд феноменов, каждый из которых — иной и особый. Трудно найти хоть одного политика, который бы не высказался на тему разнородности как абсолютной ценности. *Diversité culturelle*[1] — идеальная формулировка для любой из десятков организуемых на деньги налогоплательщиков конференций, где пережевываются эти темы. Что ж, *diversity*[2] — очень милое слово, но оно скрывает тот факт, что различий

1   Культурное разнообразие (*франц.*).
2   Разнообразие, многообразие (*англ.*).

не существует: все разное — в равной степени хорошо, ведь иначе будет или хуже, или лучше. Меня же в культуре интересует только лучшее — иное мне безразлично. Не опасаясь прослыть злоязыким, я говорю, что прихожу в торговый центр не за сотней разных зубных паст — мне нужна одна, лучшая, и не морочьте мне голову этим *diversity* — оно просто утомительно. На одной конференции я встретил Умберто Эко, великого интеллектуала, профессора, и задал ему вопрос: "Почему вы, гуманитарии, избегаете хотя бы попыток оценивания и сопоставления?" Он ответил мне на это искренне, не задумываясь: "Не скажу, что совсем уж избегаем, но ведь это так трудно". Тогда я спросил: "А за что вы получаете деньги? Ведь профессору платят за решение трудных проблем. Простые я и сам решу". Мне видится здесь некоторая безответственность гуманитарных наук, допустивших, что ради общего спокойствия не надо ничего оценивать, иначе кто-нибудь может обидеться. Как наши коллеги, которые приезжают в Свиноустье, где вышеупомянутый фонд ежегодно устраивает культурные конфронтации. В этом году один участник "Танцев со звездами" оскорбился, узнав, что программа, в которой он выступает, отнесена к низкому искусству. К счастью, остальные не обиделись.

Кстати, на фестивале "Карусель культуры" *(Karuzela Cooltury)*[1] состоялась попытка завязать серьезный разговор в несерьезных летних условиях: там прошла дискуссия с участием трех бывших министров культуры (исключая поляков — мы настолько осмотрительны, что не приглашаем соотечественников, дабы обойтись без всякого рода политических последствий). Были приглашены блестя-

---

1   В названии игра слов: "культура" *(пол. kultura)* и "потрясающий, классный" *(англ. cool)*.

щий российский интеллектуал, бывший министр культуры Михаил Швыдкой, Рокко Буттильоне из Италии и госпожа министр культуры, а вернее, советник по культуре в канцелярии Герхарда Шрёдера. Рокко Буттильоне, католический философ, яростно критикуемый в СМИ, поделился своими соображениями, причем в присутствии темпераментных оппонентов из "Крытыки Политычной" со Славомиром Сераковским[1] во главе. По мнению Буттильоне, сторонники прогресса сегодня увяли, потому что нет больше культивируемого ими мифа, утопии. Современная Европа уже не мечтает о лучшем мире. Осталась мечта о том, чтобы все хорошее длилось как можно дольше. Наши прадеды на протяжении всего XIX века грезили о всеобщем просвещении, всеобщем достатке, общедоступном здравоохранении, всеобщей демократии и всеобщем уважении прав человека (все эти мечты в значительной степени, хоть и не полностью, уже осуществились). Сейчас можно бороться за более полную их реализацию, но таким идеям недостает полета. Эта позиция не перспективна. Куда идти дальше? Какой должна быть новая мечта человечества? Отвечая на этот вопрос, Буттильоне — интеллектуал, профессор, философ — заявил: "Ведь у вас, — обратился он к прогрессистам, — есть простая идея. Вы просто-напросто говорите: надо разрушить то, что есть, а там посмотрим, появится другое, может, все будет отлично".

Я включил этот диалог в свой последний на сегодня фильм "Инородное тело". В Польше он был встречен на удивление враждебно. Затрудняюсь сказать, кем бы-

---

1 Славомир Сераковский (р. 1979) — публицист, социолог. Основатель и главный редактор журнала "Крытыка Политычна" ("Политическая критика"), лидер сообщества леволиберального толка, сформировавшегося вокруг этого издания.

ли противники, поскольку нелегко найти общий политический знаменатель: атакующих почти столько же, сколько защитников (идейная сторона политического разделения польского общества мне тоже неясна). Общий знаменатель я ищу по отношению к прогрессу, точнее, стараюсь понять, что разные люди считают прогрессивным. Должна ли показателем этого явления быть неограниченная свобода личности — главный лозунг светского гуманизма, можно ли воспринимать свободу как условие полноценного развития человека, и тогда развитие становится целью, а свобода — лишь средство?

Возможно, то, что я тут пишу, — тема для философского семинара, однако, представив в своем фильме христианство как источник вдохновения, не идущий в разрез с прогрессом, я вызвал лавину негативных реакций. В большинстве отзывов, как это обычно бывает, уровень аргументации был весьма примитивен. Часто аргументы или, скорее, эпитеты били не напрямую, а были направлены на эстетику фильма. Повторялся упрек, будто я написал плохие диалоги, хотя рецензенты явно хотели выразить несогласие с процитированным выше мнением о роли трансгрессии и о прогрессистах, "людях завтрашнего и даже послезавтрашнего дня". Мои разъяренные критиканы не в состоянии были заметить, что вся эта сцена пронизана иронией (кто всерьез назовет себя человеком послезавтрашнего дня?), а важна суть спора. Есть ли у христианства будущее?

Премьера моего фильма в Польше случайно совпала с выходом в свет не публиковавшегося прежде эссе Колаковского[1] "Иисус осмеянный", в котором автор-

---

1 Лешек Колаковский (1927–2009) — философ, эссеист, публицист, занимавшийся, в частности, философией религии. В 1968 г. в связи с участием в демократических протестах был вынужден эмигрировать; жил в Англии.

С Борисом Ельциным в Москве, 1991 г.

агностик поднимает тот же вопрос, отмечая, что вытеснение христианства из общественной жизни совершается не путем дебатов — ему способствует бессмысленный гогот. Колаковский высказывает обоснованное опасение, что без христианства вся наша культурная и цивилизационная формация распадется. Я разделяю это опасение, так как не вижу в светском гуманизме ничего иного, кроме христианства, трактуемого избирательно, с отрицанием метафизики.

Испытывая на собственной шкуре боль из-за отказа в диалоге и пренебрежения, выражаемого издевательским смехом, я спрашиваю себя, что так враждебно настраивает людей, верящих в иной прогресс, против тех, кто верит в христианство. Несомненно, сами последователи учения Христа делают многое, чтобы пробудить неприязнь в инакомыслящих, однако очевидно, что плохие чувства пробуждаются плохой верой и плохими адептами, тогда как неприязнь часто имеет "висцеральный" характер, то есть, говоря нормальным языком, попросту идет из нутра.

Полагаю, что за гоготом, в частности, скрывается страх, возникающий при мысли о главных вопросах бытия: о смерти, о зыбкости нашего существования, о предсказанном конце света, который может наступить в любой момент. Подобные мысли отравляют атмосферу спокойной беззаботности, которой так самозабвенно наслаждается обогащающееся общество. Несколько десятилетий без войны, без эпидемий, без крупномасштабных катастроф заложили фундамент для иллюзии, что жизнь — это легкое, приятное приключение, и нужно просто ей радоваться. Несчастья случаются с другими. Порой кто-нибудь внезапно заболеет раком или умрет от инфаркта, иногда какой-то ребенок родится калекой, но об этом, по общему мнению, нечего думать, достаточно заплатить сущие гроши — и шансы пострадавших сравняются.

Пострадавших от кого? От слепой судьбы? Или от Бога, пути которого неисповедимы и который испытывает невинных, насылая на них беды, но ведь он милосерден?

Абсолютно беспечная жизнь обманчива, потому что, когда наступит час проверки, мы можем оказаться к ней не готовы. А ведь и природа, и человеческая натура способны преподносить нам сюрпризы. Как правило, мы побаиваемся предсказуемых опасностей, обусловленных политикой, однако и природа может застать нас врасплох. Возьмем, к примеру, извержение вулкана, после которого не будет урожая и мы начнем массово умирать от голода. А лихорадка Эбола или птичий грипп? И наконец, мы сами — разве наша натура меняется настолько сильно, что мы можем быть уверены в самих себе? Можно ли не сомневаться, что среди нас не найдется таких, кто захочет повторить опыты концлагерей и ГУЛАГа?

Есть религии, которые учат, как избегать страдания. Есть и такие, что подталкивают к агрессии. В истории христианства тоже имеются свои темные страницы, но это следствие не самой доктрины, а ее искаженных трактовок. Христианство представляет перспективу вечности, то есть Воскресения, и предлагает способ установить некое равновесие между заботой о жизни вечной и заботой о земной жизни. С моей точки зрения, результатом баланса стал отмеченный в христианском мире небывалый прогресс. Неужели этот источник вдохновения исчерпан?

Думаю, вопрос невероятно важен, но есть еще более существенная и далеко идущая проблема. Христианство пригодилось человечеству, однако это еще не значит, что оно — носитель Истины. В это можно только поверить. Вопрос, сформулированный Достоевским как единственно важный, гласит: существует ли Бог в самом деле или же является творением человека? Человек мог выдумать себе Бога удобства ради. Как банальную повседневность я помню высказывания кое-кого из поколения моих дедушек и бабушек, часто повторявших: хорошо, если прислуга верующая, — тогда они должны исповедоваться, а значит, меньше воруют. Это можно назвать сведением веры до уровня плинтуса или даже полуподвала. В Египте мне рассказывали, что большинство кассиров в банках — христиане-копты. Якобы они, согласно статистике, честнее своих сограждан-мусульман. Политкорректность не позволяет провести соответствующие исследования, но, каковы бы ни были результаты, вера не пропорциональна коллективной нравственности. Силу веры определяют те, у кого она самая глубокая. А что это значит? Что остается полагаться на интуицию. Сила веры —

наверняка не фанатизм, поскольку фанатизм есть ограниченность, сужение духа. Сила веры предполагает всеобъемлемость, но опять же — что это такое?

Оставим эту тему и на секунду вернемся к моему первому вопросу. Может ли христианство быть источником вдохновения сегодня? Либо иначе: какой должна быть современность? Все ли новое — непременно хорошее или же новое следует отбирать, отделяя зерна от плевел (эти деревенские метафоры звучат сейчас очень старомодно — думая о селекции зерен, я невольно представляю себе трубку Резерфорда)?

Премьера "Инородного тела" прошла и в России. Прием совершенно иной, нежели в Польше, но дискуссии похожи, только без агрессии. Я участвовал в ряде встреч и осознал, что в русском языке нет во всеобщем употреблении слова, означающего современность как "модернити"[1]. Есть современность в значении дня сегодняшнего, которому вовсе не обязательно модернизироваться. Это Запад превратил модернити в неоспоримую ценность, ибо благодаря прогрессу нам живется все лучше. Общаясь с японцами по-английски, я чувствую, что на их ступени развития модернити тоже высоко ценится, однако ей всегда сопутствует критицизм. Допускает ли наш критический взгляд на это понятие мысль, что именно в модернити есть место для христианства?

В качестве перебивки и иллюстрации к этим размышлениям предлагаю сцену из моего фильма "Инородное тело". Две сотрудницы корпорации полушутя-полусерьезно обсуждают свои планы.

В ролях: Агнешка Гроховская, Вероника Росати.

---

1   Модернити (от *англ. modernity* — "современность") — широкий термин, в данном случае употребленный для определения современной эпохи, которой свойственны непрерывное развитие и движение вперед.

[▶ "Инородное тело"]

Интерьер виллы Крис. Ночь. Мира отчитывается о своих успехах.

МИРА. Попался. Я сказала, что у него есть шанс узнать, какую мы предложим оферту.

КРИС. А он тебе что предложит за то, что ты все ему выложишь?

МИРА. Ничего. Я притворилась, что влюблена в него без памяти.

КРИС. И он поверил? Ведь у него прекрасная жена. Нужно кого-нибудь на нее натравить. Может, этот Анджело наконец на что-то сгодится. Итальянец с итальянкой... Надо выяснить, есть ли у него кто-нибудь. Не верю, что он такой святой.

МИРА. Он едва не испортил мне все дело. Психопат какой-то. Мораль начал читать — пришлось его выгнать.

КРИС. Теперь моя очередь, слушай внимательно. Ты должна переспать с этим Алессио, иначе не сможешь заглянуть в его компьютер.

МИРА. Я понимаю... Вопрос, сколько я получу. В мои обязанности это не входит. Я в проститутки не нанималась.

КРИС. Фу! Что за слова? Девятнадцатый век. Эротика ради дела — это свобода и прогресс. А иногда еще и удовольствие. Алессио этот вполне себе.

МИРА. Не в моем вкусе.

КРИС. Ну тогда остается долг. Но мне бы хотелось, чтобы ты это хорошо понимала. Мы поддерживаем прогресс, а значит, освобождение от любых уз и любых обязательств, включая приличия. Важно умение перейти границу. Трансгрессия. Фонд дает деньги на все в таком духе, потому что это наш принцип.

МИРА. Наш, то есть чей?

КРИС. Наш — людей прогресса. Людей завтрашнего дня, которые хотят, чтобы существующий мир рухнул. Мир денег, мир классов. Трансгрессия его разрушит. А потом посмотрим. Наверняка появится что-нибудь получше, впрочем, это меня уже мало волнует.

Крис смотрит на Миру — видно, ей понравилось, что, выслушав ее, младшая коллега призадумалась. Мира замечает этот взгляд.

МИРА. Анджело подал в фонд какую-то заявку на помощь калеке.

КРИС. Да пошел он. Для этого есть государство. У меня скорее рука отсохнет, чем я дам на что-то подобное хоть грош. Неужели налогов недостаточно?

[■]

Я часто спрашиваю студентов, действительно ли все настолько не поддается измерению, настолько несопоставимо, что и в сфере культуры, и в жизни единственная адекватная реакция — релятивизм. И сравниваю пещерного человека, дикаря и хама, с человеком высоко одухотворенным

(имея в виду, к примеру, Ганди, Мать Терезу, Дага Хаммар-
шёльда[1]) — разница налицо, и нормальный человек не станет это оспаривать. Одни превосходят других в культурном
плане. Или же возьмем "мораль Кали"[2], которую "расист"
Сенкевич, возможно, позаимствовал у британцев. Всем нам
такая мораль знакома. Не нужно ехать за границу, чтобы
увидеть человека, говорящего: "я украсть — хорошо, у меня украсть — плохо", "если меня обокрали, это ужас, если
я украл, все в порядке". Разумеется, эта позиция хуже позиции человека, который не только с уважением относится к чужой собственности, но еще и готов делиться своей.

Оспаривание шкалы ценностей просто свидетельствует о лености мысли — никаких оснований для этого нет.
Нравственный релятивизм никоим образом не подтвержда-
ется повседневным опытом. Однако верно и то, что западная культура сегодня утратила веру в себя и — надеюсь, ненадолго — убежденность в том, что человечество в опоре
на наши ценности совершило величайший в истории шаг
вперед. Ведь не в египетской, не в индийской или китайской,
а в иудеохристианской цивилизации корни того необыкно-
венного явления, благодаря которому мы живем в развитых
странах, где голод уже стал редкостью, а не правилом, как это
было тысячелетиями, где болезни в известной степени по-
беждены, а продолжительность жизни увеличилась. Человеческая свобода в большом масштабе стала доступна массам.

---

1 Даг Хаммаршёльд (1905–1961) — шведский государственный деятель; будучи
   Генеральным секретарем ООН (1953–1961), занимался, в основном, урегули-
   рованием конфликтов на Ближнем Востоке и в Африке. Посмертно награ-
   жден Нобелевской премией мира.
2 "Мораль Кали" — устойчивое выражение, означающее двойные стандарты.
   Вошло в обиход благодаря роману Г. Сенкевича "В пустыне и пуще" ("В дебрях Африки"), где один из героев — негритенок по имени Кали — оценивал
   человеческие поступки в зависимости от того, кто их совершает (ср. "готтен-
   тотская мораль").

На съемочной площадке "Прикосновения руки", 1992 г.

Это ошеломительный успех нашей цивилизации. Однако мы как будто устыдились того, что натворили. Устыдились (и правильно!) за свои проступки: колониализм, тоталитарные преступления XX века, — но одновременно словно бы потеряли веру в себя, а это для всех опасно.

Я читаю текст, посвященный интеграции. В течение многих лет я — выскакивая как черт из табакерки, ибо художнику это дозволено, — в разных уголках мира высмеивал идеи мульти-культи, полагая, что они симпатичны в теории, но абсолютно нереалистичны; эти идеи основаны не на том, что нужно внимательно приглядываться к другому человеку, дабы осознать его особость, а на предпосылке, что мы одинаковы и посему в рамках *diversity* можем как угодно отличаться друг от друга. Я читаю немецкого юриста Удо Ди Фабио, пишущего об интеграции в немецком обществе: "Сторонники подкрепленной благими намерениями политики толерантности, которая делает щедрые предложения интеграции с целью предотвращения культурной фрагментации общества, не замечают основной проблемы. Зачем представителю плодотворной, то есть иной, неевропейской, культуры интегрироваться в западную культуру, раз она — по крайней мере, по мнению этого иммигранта — не воспроизводит достаточно потомства, а сама уже не располагает никакой трансцендентной идеей и движется к своему историческому концу? Почему он должен впутываться в культуру, которой свойственны как наглость, так и неуверенность, культуру, которая растратила свое религиозное наследие?" И еще одна его же цитата: "…когда лишенная веры в себя, гибкая и релятивистская культура встречает на своем пути культуру укоренившуюся, уверенную в себе, основанную на общепризнанных доктринах, то, как правило, первая приспосабливается ко второй". В общем, если так пойдет и дальше, нам несдобровать.

Впрочем, возможно, этого и не случится, ведь можно взглянуть на ситуацию с другой стороны. Я черпаю оптимизм из наблюдения, опубликованного в одной газете. Эудженио Скальфари, итальянский журналист и издатель, сформулировал следующую мысль: мы живем во времена второго варварства, в эпоху возвращения варварства. Для итальянцев это всегда актуально. Я сам по происхождению итальянец и охотно причисляю себя к приверженцам традиции, насчитывающей не одну тысячу лет. Мои польские корни не столь глубоки. Скальфари писал, что римлянам были отвратительны пришедшие из-за Альп варвары — люди настолько примитивные, что ходили в штанах, вставляя каждую ногу в отдельную штанину, а для римлянина, наверное, нельзя было придумать ничего хуже. Понадобилось несколько веков, чтобы варвары, раздавив полностью коррумпированный, утративший веру в себя Рим, заново подняли культуру, причем на уровень

Президент Лех Валенса вручает Кшиштофу Занусси
звание профессора, 1992 г.

гораздо более высокий, чем был уровень античной культуры. Мне напомнило об этом чтение Боэция, а когда я посмотрел фильм своего великого коллеги Феллини "Сатирикон" по роману Петрония, то осознал, как страшно выглядел мир без христианской перспективы. Разумеется, я понимаю, что варварам понадобилось несколько веков, чтобы переварить все оставшееся от Рима и развиваться дальше.

Мы продвинулись намного дальше, чем они. И сегодня имеем нечто подобное. А именно: переживаем нашествие варварства, которым является варварство внутреннее. Омассовление обществ привело к тому, что наш варвар — это безликий прохожий, существовавший здесь всегда, только раньше никто не спрашивал его мнения, он не мог никак себя выразить, был лишь объектом истории. Теперь он голосует, как ему заблагорассудится: он — потребитель, поэтому выбирает.

Он не обязан никого слушать — и не слушает. В связи с этим прохожий в своей массовой ипостаси вытесняет те элиты, которые веками определяли картину мира. Вот перемена, произошедшая в последнее время, вот то новое, с чем мы живем. Это дает надежду, что вскоре варвары в огромном количестве цивилизуются и породят (до этого, боюсь, я не доживу) следующую, более высокую культуру, которая снова подтолкнет человечество вперед. Ибо омассовление — это перелом. Посмотрите на образование. Что с того, что его уровень понизился. Повсеместно. Современный врач знает не больше того, что некогда знал фельдшер. Но это не страшно, потому что сейчас таких врачей-фельдшеров столько, сколько не было никогда за всю историю; благодаря этому столь многим доступна медицинская помощь. Так же много сейчас инженеров, учителей. Людей образованных стало несравнимо больше. Что с того, что они хуже образованы. Если сопоставить плюсы и минусы, мы получим доказательство колоссального развития общества. Столько людей продвинулись далеко вперед! Это определенный знак надежды: быть может, все не так плохо, как кажется поначалу.

Обратимся еще раз к красоте и безобразности. Сегодня принято говорить "красота и уродство", как того требует массовый вкус, имеющий гигантский экономический эквивалент. Массы обладают большой покупательной способностью, каковой раньше никогда не имели. Я выражаюсь, как дилетант, потому что экономические термины учил по газетам, но, кажется, смысл передаю верно. Я знаю, что такие певицы, как моя любимая Дода (эту любовь я понимаю особым образом), были и во времена Гайдна и Моцарта. Они собирали гроши в трактирах, на свадьбах — грóши, пфенниги, копейки. Всю жизнь бедствовали и упорно пели для масс. А Гайдн или Моцарт? Моцарт проматывал гигантские деньги, которые получал от императора, епископа, принца. То были люди с высоким уровнем требований, музыкально образованные, что являлось одной из классовых примет. Не станем говорить об их огромной покупательной способности: когда император платил, Моцарту было что проматывать. В то же время бедняжка, поющая в таверне, едва сводила концы с концами. Ситуация как бы симметричная, все сходилось. Внешний, материальный эквивалент соответствовал шкале ценностей.

Развод зажиточности с культурой в широком масштабе начался уже вскоре после Первой мировой войны. На самом деле еще в эпоху Второй империи[1] параллельно с активным, бурным развитием мещанства можно было заметить признаки упадка высокой культуры. Сегодня я не могу представить, что владельцы крупнейших состояний в нашей стране имеют столь превосходное музыкальное образование, что заскучают без новых произведений Пендерецкого и закажут ему оперу для исполнения у себя, в своем доме. (Я не говорю, что они могли бы заказать мне фильм, ибо этого точно не произойдет.) У них нет такой потребности, это не их. Они вложат капитал в спортивный клуб, потому что и вправду недалеко ушли от масс. Они неразрывны со своей массой и связаны с этим клубом, эмоции болельщика им ближе, чем эмоции в концертном зале. Но и тут положение дел со временем должно исправиться.

Вернусь к проблеме вкуса. Вкус либо есть, либо его нет. Так вот, драма массовой культуры — это как раз драма масс, у которых или плохой вкус, или вообще никакого нет. Зато они обладают большой покупательной способностью, и потому выбор масс более заметен, чем выбор элит.

1   Период бонапартистской диктатуры во Франции (1852–1870).

Стоит еще на минутку отвлечься и поразмышлять об этой перспективе. Будучи человеком немолодым, я хочу верить, что у моей цивилизации есть шанс, что она не должна погибнуть, что у нее есть будущее. Она может этот шанс упустить, но может им воспользоваться. Именно поэтому мне так хочется, чтобы данная человеку от природы потребность в идеале, каковую я вижу в каждой известной мне цивилизации, нашла свое новое выражение. Все идеалы в некотором смысле похожи. В сущности, речь всегда идет об одном и том же: о добре, красоте и истине, иногда по-разному понимаемых, по-разному называемых, но по сути своей одинаковых. Идеал заставляет человечество искать новые решения. Сегодня мы даже не представляем, как этот идеал мог бы себя проявить в новую эпоху.

Помню неприятный разговор с моими родственниками в Италии. Я находился в компании людей, держащих в своих руках немалую часть мощной итальянской промышленности в разных ее отраслях. Было это в начале понтификата Иоанна Павла II. Мои собеседники плохо отозвались о новом папе римском. Я услышал: "Это дестабилизатор". Сказаны эти слова были очень серьезно. Я ответил: вот и замечательно, так и должно быть. Христианство по природе своей — фактор дестабилизации. Если оно подлинно, то обязано быть символом протеста. А они на это: "Ты рассуждаешь безответственно. Мы, в некотором роде управляющие обществом или, по крайней мере, его материальными ресурсами, придерживаемся противоположной точки зрения. Общество, чья роль сведена к потребительству, безопасно. Возьми общество семидесятых: в развитой Европе нет войны и нет никакой военной угрозы. Однако люди, ослепленные идеалом, готовы друг друга убивать. Поэтому хорошо, что общество об этом не мечтает и даже не думает". Мне вспомнилось, как некогда один партийный деятель, изрядно выпив, в порыве гениальной искренности заявил: "Главное: каждому рылу — кормушку!" Это социальная программа, обеспечивающая стабилизацию, равновесие. Я часто беседую с дипломатами и каждый раз хватаюсь за голову, видя, что они не могут сформулировать, каков истинный смысл стабилизации, но при этом убеждены в ее высшей, абсолютной ценности. Стабилизация зла? Когда Европа была разделена на два лагеря, нам постоянно внушали: только ничего не трогайте, сохраняйте статус-кво, не то станет хуже. Стабилизация. Люди на Западе говорили: "Вы, на востоке Европы, вынуждены терпеть, ничего не поделаешь, так распорядилась судьба". А мы не желали терпеть и говорили: никакой стабилизации, мы хотим дестабилизировать Европу; и будем надеяться, что, с помощью большого вклада, внесенного папой римским, нам удалось вырвать прежнюю систему с корнем. Стабилизация не была благом, сейчас стало лучше, чем было. Благо это ложное, и таким же ложным благом видится мне разнородность (если речь не идет о генах, но это особая статья).

С моей точки зрения, толерантность — тоже ложное благо. За это мне приходится оправдываться: ведь, говоря так, я сразу попадаю в ряды жутких реакционеров. Конечно же, я считаю, что на безрыбье и рак рыба, и толерантность хороша, если нет ничего лучше, однако в вопросе толерантности могу сослаться на житейский опыт. У меня девять лабрадоров. У этих собак в генах заложена охота на птиц, а поскольку в наших окрестностях птицы — это, в основном, куры, я годами вынужден был платить соседям за кур, которых лабрадоры мне приносили, и есть куриный бульон, который не выношу. С помощью палки мне удалось обучить собак толерантности. Они действительно смирились с существованием кур, но нечего и мечтать, что когда-нибудь их полюбят. Поэтому прошу учесть: я верю в прогресс человечества, если говорить о любви как императиве, но когда речь заходит о толерантности, ссылаться на любовь нужно очень осторожно. Особенно если есть подозрение, что толерантность включает терпимость ко злу, а зло сносить нельзя. Вспоминаю публичные дебаты в Свиноустье, когда с одной стороны выступали Гретковская, Сераковский и Жаковский[1], а с другой — Петр Войцеховский, выдающийся писатель и католический эссеист. Он высказался напрямую: "Да ведь толерантность — понятие мутное. Добро не вопиет о толерантности, добро самодостаточно. Быть толерантным к злу нельзя. Что же нам остается? Если мы не знаем, хорошо что-то или плохо, давайте будем толерантны". Это не очень-то вдохновляющий идеал, а из него сделали едва ли не обязательный лозунг, который сейчас — один из немногих позитивных (наряду с лозунгом охраны окружающей среды), и пока еще можно на него ссылаться, не рискуя прослыть закоренелым реакционером.

В завершение сошлюсь на небольшой фрагмент из Книги Бытия, заставивший меня призадуматься, потому что речь в нем идет о безобразном. Звучит он примерно так: "Склоны гор стали скалисты, и на них уже нельзя было выращивать растения, умершие начали гнить, их поедали черви, а лица человеческие уподобились обезьяньим, ибо образ Бога, по подобию которого мы были созданы, отдалился". Разве наше пристрастие к безобразному в культуре, радость от того, что добро разоблачено и таковым не является, да и красота ника-

---

1 Мануэла Гретковская (р. 1964) — писательница и общественный деятель; в 2007 г. основала Партию женщин. Яцек Жаковский (р. 1957) — журналист и публицист; активно участвовал в общественно-политических переменах в Польше на рубеже 1980–1990-х гг.

кая не красота, — разве эта радость не продиктована именно отдалением от образа, заключавшего в себе тоску по идеалу?

Своих студентов я прошу не соглашаться с тем, что они от меня слышат, и высказывать свое несогласие. Некоторые наши встречи становятся для меня экзаменом: студенты не только задают вопросы, но и, более того, в чем-то меня упрекают, а я должен объясняться или оправдываться. В результате каждый год я открываю все новые зоны несогласия, возникающего в основном из-за того, что меня неправильно поняли. Причем я априори предполагаю, что это моя вина. По законам социальной коммуникации, мы отвечаем не только за отправленную информацию, но и за то, как она будет понята. (Рекомендую эту очевидную истину политикам и религиозным лидерам.) Среди тезисов, чаще всего оспариваемых моими студентами, есть один, касающийся спонтанности, которую молодые готовы считать абсолютной добродетелью, я же из упрямства, в согласии с викторианской традицией, твержу, что спонтанность — признак недостаточной культуры. Студенты противопоставляют спонтанность условностям, фальши, видят в ней свидетельство искренности, а я делаю упор на то, что спонтанно могу проявить свою звериную натуру, и лишь культура заставляет меня считаться с чувствами других людей.

Студенты регулярно протестуют против моих жалоб на так называемую массовую культуру. Я знаю, что понятие "аристократизм духа" опционально, то есть его можно принимать или отвергать, однако настаиваю, что общение с низким искусством становится причиной испорченности вкуса, нечуткости к пошлости, снисходительности к кичу, короче говоря, сводит на нет гарантирующую хороший вкус тонкость восприятия, которую человек обязан воспитывать в себе всю жизнь.

Каролина Вайда и Петр Адамчик в фильме "Галоп", 1996 г.

Упомяну еще об одном из мелких и смешных упреков в мой адрес. Я шутливо раскритиковал тот факт, что в ходе стремительных перемен в нашем обществе, сопровождающихся массовым подъемом по социальной лестнице, перепутались авторитеты, и внезапно портной или повар становится знаменитостью и учит нас в СМИ, как одеваться и что есть. Я высокомерно спрашиваю: "А откуда они это знают? Куда их приглашают?"

В традиционной общественной модели, в которой я был воспитан и которая сегодня уходит в небытие, представление о гастрономии имел тот, кто бывал в лучших ресторанах и кого принимали в домах, где хорошо готовили. Повар смиренно спрашивал у своего работодателя, угодил ли его утонченным вкусам. Соответственно, истинно элегантная дама, встречавшаяся на приемах с другими элегантными дамами, объясняла портнихе, что и как надо сшить, что носят в "высшем свете". Портниха или повар в "высшем свете" не бывали. Сегодняшние перемены в обществе лишают интеллигенцию как социальную группу роли оракула в таких вопросах, как кухня, или мода, или правила этикета, то есть хорошего тона; впрочем, кое-какие следы этого я еще нахожу, наблюдая, как новый средний класс неуверенно делает первые шаги в мире, представляющем собой нынешний аналог "высшего света" (по традиции это мир дипломатии, большой политики и по-настоящему крупного бизнеса, где духовное убожество нуворишей клеймится особенно сурово).

Из тем, которые всегда подталкивают студентов к дискуссии, назову еще застенчивость, которую я осуждаю как симптом тщеславия, постоянной концентрации на себе. Застенчивые люди не скромны, а скромные не застенчивы. Если человек скромен и не думает о себе, его не душит страх, что́ о нем подумают другие. А застенчивость проявляется именно так.

Комплект сомнений, присущих зрелому возрасту, кажется настолько обширным, что его просто невозможно охватить. В зрелом возрасте наши жизненные пути расходятся и биографии складываются по-разному, в зависимости от того, какую мы выбрали профессию и — прежде всего — стиль поведения. Все, что я написал выше, сводится к поискам гармонии и равновесия между различными крайностями. Равновесия между материальными и духовными ценностями, то есть между тем, что можно иметь, и тем, кем стоит быть. Между профессиональной деятельностью и семейной жизнью, между амбициями, притязаниями и пассивностью, подсказанной трезвым реализмом. Все это продиктовано позаимствованной у древних греков интуицией, которая учит, что высшая ценность — умеренность и гармония, что надо стремиться к равновесию, чтобы не упасть.

Любое предписание "как жить" не может быть исчерпывающим и применимо лишь к определенным характерам, ситуациям и обстоятельствам. Если бы я сейчас выдвинул совершенно противоположный тезис, утверждая, что в жизни имеет смысл без остатка отдаваться чему-то одному, например карьере или любви, что нужно, невзирая ни на что, последовательно реализовывать только одну страсть, то, произнося эти слова, я был бы недалек от истины. Некоторые живут именно так и преуспевают. Великие художники, ученые, спортсмены, путешественники, бизнесмены, общественные деятели (как Мать Тереза из Калькутты) не искали в жизни соразмерности.

В искусстве гармония сопутствовала различным формам классицизма, а на другом берегу был романтизм готики и барокко. Романтизм не боялся крайностей — именно крайности нас изумляют и восхищают. Может быть, каждому из нас следует определиться, сколько в нем от классика, а сколько от романтика, и сделать выбор? А верен ли он был, покажет зрелый возраст.

В нашей неуверенности есть и уверенность: мы богаты не тем, сколько имеем, а тем, сколько отдаем; жить стоит так, чтобы после нашей кончины людям стало жаль, что нас больше нет. Одним словом, чтобы жить хорошо, нужно жить для других — не для себя. А этими "другими" могут быть и отдельные люди, и коллектив, и дело, которое служит всем. Такое "дело" — истина в науке и красота в искусстве.

Глава 5
Смерть и вечная жизнь

К огда я назвал свой фильм "Жизнь как смертельная болезнь, передающаяся половым путем", название, как правило, вызывало смех, потому что ассоциировалось с венерическими болезнями. На самом деле суть этого чудовищного изречения содержится в первой части. Жизнь — болезнь в том смысле, что она неминуемо приводит к смерти.

У всех культур в истории человечества было вполне однозначное отношение к смерти. Нам известны погребальные обряды в Египте, где останки человека пытались держать в сохранности, похожие обычаи в Южной Америке и совершенно противоположный подход в Индии: там по сей день трупы сжигают, а прах развеивают, чтобы от умершего не осталось и следа.

Во всех религиях заключена тоска по вечной жизни, иначе — бессмертию. Порой, например в исламе, эти представления приобретают очень буквальный, земной, материальный характер: райские сады и гурии. Иногда бессмертие безлично, как в буддизме. Христианство говорит о воскресении плоти и вечной жизни, под чем повсеместно понимается продолжение существования человека, а не растворение в неопределенном бытии.

Для христиан вечная жизнь является наградой за жизнь земную, следовательно, веря в милосердие Божие, можно считать смерть освобождением от мук бренного существования. Мало кто наделен такой верой, чтобы тосковать о смерти — напротив, большинство из нас думают о ней со страхом.

Если вообще думают. Высокоразвитый, сытый и богатый мир избегает мыслей о смерти. В нашей культуре смерть — что-то несерьезное и далекое, она случается с другими, а выражение *memento mori* — "помни о смерти" — призыв, которым жило все христианское Средневековье, сегодня кажется просто реакционным, будто современный человек считает, что ему гарантировано право на вечную беззаботность. Об этой глупой беззаботности я хочу сказать отдельно, ибо убежден: приятные вещи, в основе которых ложь, вредны. Жизнь не может быть сплошным развлечением и погоней за удовольствиями, потому что в этом случае она противоречит истине и ведет к саморазрушению.

Удовольствие, понимаемое как состояние блаженства, вечной эйфории и концентрированного наслаждения (его приносят, например, сексуальные отношения), могут доставить наркотики (по-итальянски их называют *stupefacenti*, то есть однозначно: "оглупители"). Наркотики сокращают жизнь, но позволяют субъективно замедлить течение времени — таким образом, человек, делающий ставку на жизнь в помутнении, последовательно избирает удовольствие в как главенствующую ценность и подчиняет ему все свое существование.

Распространение наркомании в развитых обществах — признак того, что мы на пути к распаду и самоуничтожению.

С женой Эльжбетой

Интуитивно почти все признают очевидность этой мысли, но когда требуются рациональные аргументы для доказательства тезиса, что удовольствие — не самая главная ценность, чаще всего мы натыкаемся на целый ряд концепций, защищающих гедонизм, культ наслаждения, право на постоянное блаженство, а любой отказ или самоограничение воспринимающих как покушение на человеческую свободу.

Вспомним Фому Аквинского, создателя схоластики и величайшего мыслителя западного христианства. Именно он предостерегал от греха мечтательности, или бегства от реальности, когда мы прячем голову в песок перед лицом убогости нашего существования. У меня не получается найти точную цитату, но полагаю, что вся западная цивилизация нацелена на борьбу с мировым злом и не дозволяет витать в облаках.

Веками человеческая жизнь проходила в борьбе с природой, и это была борьба за выживание. Люди все время жили под угрозой смерти: от руки врага, от эпидемии, от неблагоприятных природных процессов или, наконец, от голода — верного спутника человечества вплоть до XX века, когда наиболее прогрессивные страны столкнулись с испытанием изобилием. Еда на каждом шагу! Улицы, полные запахов! Дешевые фастфуды. А в результате — всеобщая проблема ожирения. В дефиците оказалась культура отказа, самоограничения. И даже просто культура, ведь она традиционно определяет время приема пищи и ее количество, велит питаться умеренно, не обжираясь. Культура вообще учит "не поддаваться", а мир потребления, наоборот, соблазняет слоганами: "ты этого достойна", "позволь себе всё", *carpe diem* — "лови момент".

В последней главе я пишу то, с чего следовало начать. Речь зашла о смерти и болезнях, а старость — время подведения итогов, которые никогда не бывают простыми и однозначными. Те, кто не жалел здоровья, нередко радуются жизни многие годы, а следившие за собой становятся безвинными жертвами болезней. Одни постоянно балуются наркотиками и не попадают в зависимость (как знаменитый директор концерна *FIAT* Джанни Аньелли), других после одной пробы безобидной на вид травки затягивает в пучину зависимости (так же бывает и с алкоголем). Напрасно искать на земле справедливость. И в этом, по мнению сомневающихся, кроется причина возникновения религии. Она обещает, что счета сравняются, произойдет компенсация и справедливость восторжествует. Христиане верят в Судный день (православные называют его Страшным судом), у индуистов и буддистов есть представление о реинкарнации, согласно которому в следующем воплощении нас ждет награда или кара. Мне довелось побывать на встрече с далай-ламой, когда он размышлял, зачем христианам чистилище. Оно нужно, чтобы сохранять веру в справедли-

Оставляя отпечаток руки во время Международного кинофестиваля в Пусане, 2000 г.

вость: зло должно быть наказано. На земле сложно найти доказательства того, что добродетель вознаграждается. Чистилище гарантирует: зло не останется безнаказанным.

Идея чистилища расходится с идеей вечной жизни вне времени и пространства. Пребывание в чистилище имеет свой срок, следовательно, это еще не вечность. Думаю, сегодняшний уровень знаний в области физики позволяет принять данную концепцию и сопоставить ее с гипотезой параллельных миров, искривлением пространства-времени, теорией струн и т. д. К слову, если бы теологи ориентировались в научных достижениях (как в свое время разбирался в них Фома Аквинский), уроки религии стали бы более убедительными и привлекательными для молодежи. Увы, призыв Иоанна Павла II к теологам использовать — по примеру Фомы Аквинского — средства современных точных наук, почти не нашел отклика. Теология так и остается на уровне европейского Средневековья.

Вследствие бесславной "культурной революции" континентальный Китай просто зияет духовной пустотой. Бурный рост доходов и разрушение традиций стали причинами того, что огромные массы людей думают исключительно о деньгах. Китайская культура тысячелетиями развивала определенные формы духовности, хотя, в сущности, по-моему, всегда была крайне прагматична. Таким, по крайней мере, представляется нам, европейцам, Конфуций и его ученики. После "культурной революции" духовность, даже если была скромна, исчезла вовсе, и ее место занял грубый культ обладания.

Приведу пример лекций для студентов-гуманитариев в Гуанчжоу. Два дня я говорил о том, чего не купишь за деньги: о таких вещах, как уважение, общественное признание, бескорыстная симпатия, — и замечал в глазах слушателей глубокое недоверие. В конце концов, они задали вопрос: о чем я, собственно, рассказываю? Ведь у них любой обогатившийся человек пользуется уважением в обществе, даже если известно, что он нажил состояние нечестным путем (конечно, если его на этом не поймали). Один приятный студент напрямую спросил меня: "Разве может быть что-то лучше денег?"

Вим Вендерс и Кшиштоф Занусси на Международном кинофестивале
в Пусане, 2000 г.

В этой перспективе видно, что христианство, когда-то
уже пытавшееся достучаться до Китая (в лице иезуита Мат-
тео Риччи и его польского коллеги Михала Бойма), могло
быть для китайцев привлекательным — как это произошло
в Корее (Южной, разумеется). Там примерно 30 процентов
населения считают себя христианами, разделяясь на про-
тестантов и католиков в отношении три к двум (привожу приблизительные данные). Польза от сближения Китая
с христианством для Европы и Америки была бы несомнен-
на: все мы оказались бы в кругу одних ценностей. В христианстве берут свое начало права человека, которые в современном Китае ставятся под сомнение и позиционируются
как локальная ценность, соотносимая только с нашей частью света. Подобное происхождение имеют идеалы свобо-

ды, равенства и братства, столь ускорившие развитие всего мира. Полагаю, это сближение пошло бы на пользу и Китаю — при условии, что в XXI веке христиане наконец перестали бы утилитарно относиться к вере, что — к нашему позору — навсегда останется в истории колониализма.

Трудность преодоления ментального барьера между Китаем и христианской Европой, с моей точки зрения, заключается в том, что называют "инкультурацией христианства", то есть сочетанием евангельского учения с местным культурным наследием. К последнему определенно относятся Аристотель и Фома Аквинский, а с ним вся схоластика, всё еще присутствующая в нашей теологии. В Китай имеет смысл идти без этого багажа, предлагая трактовку Евангелия, приближенную к современности, быть может, с опорой на инструментарий физики, космологии и математики. На этом языке обещания воскресения и вечной жизни, общения святых и спасения, которое наступит вне времени и пространства (или в ином времени и в ином пространстве?), были бы сегодня в Китае более понятны, чем переведенные с латыни термины, не имеющие китайских аналогов. Я убедился в этом, рассказывая о заповедях любви, вызвавших у слушателей искреннюю неприязнь, ведь как можно пропагандировать любовь, если это чувство, а чувства следует контролировать, а не подчиняться им.

Я веду эти рассуждения, понимая, что им здесь не место и что они не способны убедить теологов, как не убедили их слова Иоанна Павла II. Утешаюсь я всегда тем, что подобные мысли родились именно у польских католиков — достаточно назвать имена незабвенного архиепископа Жичиньского и по-прежнему здравствующего ксендза профессора Хеллера.

Вернемся к теме старости и смерти. В одном фильме, снятом на английском языке, я использовал в финальной сцене мысль, высказанную мамой. Приближаясь к сотому дню рождения и одряхлев, она повторяла, что это состояние необходимо: пока человек здоров, ему ни за что не хочется умирать, а старческая немощность весьма способствует уходу. Еще мама говорила, что умирать здоровым не подобает, ибо здоровье — это капитал: его нужно использовать, тратить, а не накапливать впустую.

Теперь сцена из "Прикосновения руки". Пожилой композитор утешает своего молодого поклонника, который некогда вдохновил его творить, а теперь сам терзается сомнениями.

В ролях: Макс фон Сюдов, Сара Майлз, Лотер Блюто.

[▶ "Прикосновение руки"]

На террасе сидит старый композитор в инвалидном кресле. Рядом — молодой человек, который внимательно смотрит на него. Старик тихим голосом описывает свою жизнь.

Старый композитор. Дряхлость, приходящая на старости лет, — большое благо. Благодаря ей, мы становимся бесчувственными. Жизнь перестает нас волновать. Мы спокойно ждем смерти. Человек, в общем-то, ожидает ее с радостью. Знаешь, у этого состояния есть положительные стороны. Я хожу в туалет, не сходя с места. Меня моют, кормят с ложечки. У меня с моим сыном много общего. И ты очень мне помог.

МОЛОДОЙ ЧЕЛОВЕК *(удивленно)*. Неужели ты счастлив?

СТАРЫЙ КОМПОЗИТОР. Несказанно.

МОЛОДОЙ ЧЕЛОВЕК. А у меня нет ничего. Я ощущаю внутри пустоту.

СТАРЫЙ КОМПОЗИТОР. Пустоту? Помню, когда-то ты уверял меня, что мы лишь орудия, или... как ты это назвал? Оружия? Теперь я должен убеждать тебя в этом?

Старый человек добродушно улыбается. Молодой встает, чтобы скрыть слезы, потекшие из-под очков по щеке.

[■]

В этой картине я изображаю смерть в мягких тонах, говорю о примирении с неминуемым. В светской перспективе смерть — уход в небытие. В религиозной — шаг в неизвестность.

Думая и говоря о смерти, невозможно пройти мимо *sacrum*, вопроса о святости. Современная культура вытесняет это понятие. Для многих людей не святы ни флаг, символизирующий народ и потери, понесенные предыдущими поколениями во имя нашей жизни, ни такие места, как кладбища. Рационализм спорит с магией, а святость в известной мере относится к магической сфере. Обо всем этом могут дискутировать философы, но результат их спора нам не безразличен, поскольку за ним следуют разное правовое регулирование и разная система ценностей. В связи с этим хочу процитировать свое выступление на собрании польских и немецких психиатров.

Постановка вопроса "святость жизни против ценности жизни" отражает определенную неуверенность, с которой мы сталкиваемся сегодня в интеллектуальной, философской жизни Европы и всего мира. Думаю, эту неуверенность стоит концептуализировать, пусть даже на любительском уровне, поскольку она никуда не денется и будет иметь далеко идущие последствия. Европа, в особенности Западная, в рамках латинской культуры всегда высоко ценила разум — *ratio*. Он был для нас гарантом правильного решения проблем. При помощи разума можно прийти к истине, разрешить наши конфликты и личные проблемы. Этот подход, который в ответ на иллюминизм[1] развился с необыкновенной силой, все еще жив.

Мы всегда чувствовали: эмоции необходимо контролировать, внимательно следить за ними и усмирять. Наша эпоха, безусловно, является воплощением рационализма. А рационализм не слишком приемлет понятия, ценности и мыслительные пространства, касающиеся вещей иррациональных по своей природе. Таких, например, как вера. Вера, или Тайна. С этим разум плохо справляется. Он естественным образом хочет проникнуть в Тайну, то есть разрушить ее. Для сегодняшних представлений о жизни наиболее распространенным является суждение, что гуманность — некая ценность, представляющая собой континуум, проще говоря — можно быть человеком в большей или меньшей степени. Эта "поступательная гуманность" отражает точку зрения, что жизнь может иметь большую или меньшую ценность. Если она очень мала, ее, грубо го-

---

1   Учение христианского богослова и философа Блаженного Августина (354–430) о сверхчувственном озарении человеческой души.

воря, можно перечеркнуть. С тем же успехом можно сказать: иногда ценность жизни равняется нулю. Очевидно, что именно такие представления лежали в основе нацистского геноцида.

Поразительно, что сегодня прогрессивное человечество вновь приблизилось к этим взглядам. Все зависит от качества жизни. Если жизнь полноценна, то достойна похвалы, "пусть будет", а если пуста, незначительна, от нее можно избавиться. Это мотивация эвтаназии, но отсюда прямая дорога к возвращению той самой концепции: избавимся от тех, кто человек в столь малой степени, что и трястись над ними не стоит, просто поможем им покинуть этот мир. Надеюсь, подобный рецидив не случится, однако концепция мыслительной вседозволенности ведет именно туда. На противоположном полюсе располагается нечто глубоко иррациональное — убежденность в святости жизни.

Современная постиндустриальная культура неохотно принимает понятие святости, что бы под ним ни подразумевалось. Художественная культура занята главным образом трансгрессией, преодолением любых ограничений и табу. Это самая модная ценность, а может, и псевдоценность, выставляемая сегодня напоказ. Если границу переходят во имя свободы, это трансгрессия, и тогда все, что нарушает святость, становится ценностью. Достаточно вспомнить выставки изобразительного искусства, скандалы вокруг рекламы — все они спекулируют на том, чтобы сделать еще один шаг вперед и перечеркнуть понятие святости в широком понимании: религиозном, историческом, национальном или святости человеческой жизни. Превращение смерти, секса, деторождения в спектакль, всё более лихо закручивающийся, — и есть трансгрессия, которая высоко ценится современной актуальной культурой.

Считается, что, если человек совершает акт трансгрессии, он уничтожает *sacrum*, тем самым расширяя сферу человеческой свободы. Так полагают выразители этих взглядов, а они составляют основу современного культурного истеблишмента. И все же идея, что жизнь священна, а святость трудно измерить, дает основание утверждать: если жизнь возникла, она должна быть. Не мы ее источник, следовательно, не имеем права ею распоряжаться. Святость не ищет истоков, ибо они — за пределами нашего понимания, и поэтому жизнь неприкосновенна, какая бы ни была: хорошая или плохая, пустая или полная, — живое всегда свято. Это убеждение обнаруживается в верованиях многих народов, оно содержится во множестве религий. Вспоминаются джайнисты в Индии, метелкой расчищающие перед собой дорогу, чтобы не растоптать ни одного живого существа, ни одной гусеницы или комара, который может оказаться на пути. Любую мысль можно довести до крайности, но это следствие осознания, что жизнь настолько священна, что нельзя трогать ее в любых проявлениях.

Разумеется, нам не так просто понять это в условиях, когда люди воюют друг с другом, и нелегко быть последовательными настолько, насколько пытаются джайнисты. В одну из поездок в Индию со мной приключилась такая история. Водитель, которому я по ошибке дал на чай в десять раз больше, чем мог себе позволить (получив мизерные суточные, полагавшиеся в ПНР), так безумно обрадовался, что из благодарности решил показать мне больше, чем другим туристам, и привез в "Обезьяний храм" в Варанаси. Небольшую часть чаевых он тут же потратил на фрукты для принесения в жертву обезьянам. Он соответствующе подготовился к этому ритуалу, совершил омовение, после чего достал из стоявшей неподалеку корзины две суковатые

На съемках "Дополнения", 2002 г.

палки — одну взял себе, вторую дал мне со словами: "Теперь мы принесем дары обезьянам".

— А зачем эти палки? — изумленно спросил я.

— Чтобы огреть обезьяну, если начнет царапаться, — ответил водитель и, поскольку я был в очках, добавил: — Вам это особенно угрожает.

— Погоди-ка, — сказал я. — Обезьяна — священное животное?

— Конечно, священное.

— И ты будешь бить ее палкой?

— Да, буду.

— Как одно сочетается с другим?

— Очень просто: обезьяна священна, но ее царапанье — нет, так что я не позволю себя царапать.

Простые люди порой лучше понимают суть величайших философских дилемм, чем сами философы. Нам очень трудно различить, когда мы имеем дело со святостью жизни, а когда чувствуем себя вправе убивать. Убийство для защиты, убийство животных с целью прокормиться — открытые вопросы. Но некоторые современные мыслители высказывают на этот счет весьма небезопасные идеи — я имею в виду прежде всего профессора Питера Сингера, с которым имел честь познакомиться в Австралии. Сингер, родом из польской еврейской диаспоры, пошел дальше всех, развивая теорию об уравнении в правах всех видов животных без каких-либо исключений для человека. Он предлагает относиться к маленькому человеку, как к взрослому животному, утверждая, что они находятся на одном уровне сознания. С моей точки зрения, это рационализация убеждения, что человечность имеет поступательный характер и в меньшей степени касается также животных. Если вчитаться в концепцию биоэтики Сингера, эвтаназия предстает в ней просто благом. Он неявно призывает к ней, что представляется мне дикостью, особенно в свете его происхождения.

Сегодня развитые страны живут с ощущением вечного карнавала, в котором, по сути, ничто не запрещено, ибо все кажется безопасным. Мы позволяем себе в мыслях все, не понимая, что, если некоторые наши представления станут реальностью, они могут спровоцировать несчастья.

Поэтому я с тревогой смотрю на призывы к трансгрессии. Не меньшее беспокойство вызывает у меня политкорректность, являющаяся очень опасной ширмой: она дает возможность вызревать опаснейшим мыслям в отрыве от реальности. Ощущение святости жизни в таком экстремальном случае, как жизнь психически больного человека, — пример, на котором это видно лучше всего. То, что жизнь священна, нам подсказывает интуиция, убежденность, или это сознательный выбор? А может быть, мы на стороне тех, кто считает, что ценность жизни надо измерять? И если ценность невелика, то ничего не поделаешь, кто-нибудь сделает из этого соответствующие выводы.

Я мог бы процитировать многих известных мне ученых по обе стороны баррикад, но обращу особое внимание на то, что пишет немец Петер Слотердайк, один из самых популярных современных философов. Мне кажется, временами он приближается к Сингеру, и я очень этого опасаюсь, особенно в Германии — стране, где необходимо постоянно напоминать о наглядных последствиях такого рода взглядов.

Теперь представлю фрагмент картины, возникшей благодаря моим своеобразным отношениям с психиатрами. Первая встреча с ними произошла еще в детстве, когда мне было четыре года. Я уже писал, что, пройдя через лагерь для повстанцев в Прушкуве и спрыгнув с поезда, направлявшегося в Освенцим, мы с матерью попали в психиатрическую больницу в Творках. Мама притворялась пациенткой, а я помню неописуемый страх перед визитами седовласого доктора, иногда приходившего к нам вместе с немцами. Мне приходилось прятаться под кроватью, поскольку для моего пребывания в больнице не было никаких оснований. Спустя тридцать лет, в начале 1970-х годов, я приехал в Творки снимать сцены в психиатрической лечебнице для "Иллюминации", и мне навстречу вышел тот же седовласый врач. Он рассказал о своих больничных перипетиях, по мотивам которых я написал сценарий, включив туда мотив "эвтаназии" психически больных. Одна частная пациентка этого врача была убита таким образом. Я выслушал ее историю, однако понадобилось больше десяти лет, чтобы она превратилась в фильм.

Приведу финал ленты. Прототипом главной героини стала та женщина, страдавшая формой шизофрении, при

которой периоды ремиссии были особенно ярко выражен-
ными, поэтому я в итоге и снял этот фильм. Ремиссия давала надежду, что деградировавший и внешне напоминавший
зверя человек снова может стать нормальным и помнить
о том, как жил раньше. Этот феномен должен удерживать
нас от каких-либо оценок качества жизни.

В ролях: Рене Саутендайк, Джулиан Сэндс, Тадеуш Брадецкий.

[▶ "Если ты где-нибудь есть..."]

*Врач-психиатр, без одной руки, идет по лесочку вокруг со-
жженной больницы и рассказывает Юлиану.*

Врач. Это было в сорок первом. Тогда у меня еще была
рука. Я потерял ее позже, во время восстания. Сначала до нас дошли слухи, что они собираются уни-
чтожать психически больных. И вот однажды утром
приехали и приказали персоналу покинуть здание.
Я спрятался в туалете и смотрел. Можете представить себе, что значит для врача видеть, как его паци-
ентов ведут на смерть... Казнь ненормальных — это
забава...

Юлиан. Тогда же расстреляли и Нину? (*Врач пожимает
плечами.*) Я не помню, какая дата стояла на свидетель-

стве о смерти. Знаю, что оно пришло значительно позже. И, кажется, было подписано вами.

ВРАЧ (*взволнованно*). Нет, нет. Это должен был сделать немецкий врач. Мне все вам рассказывать?

ЮЛИАН. Да. Я хочу знать, мучилась ли она.

Врач на мгновение задумывается.

ВРАЧ. Полагаю, так же, как и все. Думаю, поначалу она не понимала, что это конец. Когда они стали стрелять, то не убили ее. Она была ранена. И тогда — возможно, вследствие шока — опять наступила ремиссия, как это уже случалось. Она стала вести себя нормально. Заговорила на хорошем немецком, обратилась к врачу с просьбой о помощи. Он заинтересовался и потом, уже после приказа застрелить ее, нашел историю болезни и сам на месте сделал вскрытие головного мозга. Он понимал, что она не была полькой и ее охранял некий закон, но вы же знаете, тогда никто не соблюдал законы. Ее похоронили где-то здесь. Остальных... остальных мы похоронили там, но что касается вашей жены... Мне очень жаль.

Юлиан долго молчит.

ЮЛИАН. Я надеялся, вы знаете, где она лежит. Я бы поставил там крест или камень с надписью...

Юлиан уходит, не попрощавшись. Садится в лесу и закрывает лицо руками. Пытается представить сцену, которую описал ему врач.

[■]

Сегодня нельзя не задумываться о том, есть ли вообще что-то святое и нужно ли нашему обществу сознавать святость или мы можем обойтись без нее. Избавление от ощущения святости, а значит, и от ощущения тайны — прогресс? Можно ли будет считать это полным освобождением человека или регрессом в развитии нашего рода? В общественных дискуссиях данная проблема обсуждается, хотя и в ином контексте. Часто между строк, в скрытой форме, появляются те же предложения, что когда-то привели к истреблению психически больных, "ведь они были неполноценны". Иногда я слышу от обычных людей такие, возможно, необдуманные слова: "Ну зачем тратить деньги, какая от этого польза, если они — пациенты — все равно ничего не понимают? К чему им эта жизнь, не лучше ли помочь им покончить с ней раз и навсегда?"

В жизни нашей цивилизации есть такие сферы, о которых мы не говорим открыто, но память о нацистском геноциде душевнобольных должна быть для нас предостережением о том, что определенные взгляды могут иметь страшные последствия. Все мы понимаем, что это было преступление, что это было зло. Не может быть и речи, чтобы кто-то оправдывал сегодня убийц людей, страдавших психическими заболеваниями. Горе нашей культуре, если мы прислушаемся к тем, кто именем прогресса провозглашает лозунг качества жизни и может признать чью-либо жизнь лишенной ценности, предлагая сделать эвтаназию.

Мы склонны верить в иллюзии, что все худшее у человечества уже позади. С момента окончания кровавой войны прошло два поколения, и мы убеждены, что стали другими, намного лучше, благороднее тех, кто убивал, бомбил и сжигал. А ведь нет никаких рациональных предпосылок так думать. В нынешних обстоятельствах мы полны снисходительности, толерантности, терпимости, эмпатии и много чего еще, но исторический опыт подсказывает — в человеке всегда дремлет зверь. Вывод: нужно быть начеку, в первую очередь нельзя доверять самим себе, иначе нас ждут горькие разочарования.

С другой стороны, не надо забывать, что человек многократно переступал через себя, совершал героические поступки и делал это осознанно. Я различаю героизм, вытекающий из ограниченности, внутренней слепоты или фанатизма, и героизм как сознательный выбор, необыкновенным примером которого был подвиг священника-францисканца Кольбе, отдавшего свою жизнь в нацистском концлагере за другого человека; Кольбе не знал его и не имел по отношению к нему никаких личных обязательств. Свое решение он мог отменить в любой момент, поскольку комендант лагеря отказывался верить, что кто-либо в здравом уме способен по собственному желанию пожертвовать своей жизнью. Интересно, есть ли в современном мире ценности, за которые не жалко отдать жизнь? Если нет, может быть, наша жизнь немного го стоит? Есть ли у нас то, что мы не продадим ни за какие деньги? Я ставил этот вопрос в начале книги и повторяю его в конце. А теперь — фрагмент киносценария об отце Кольбе, предваренный коротким рассказом об истории создания ленты.

С некоторым смущением вынужден признаться, что Максимилиан Кольбе не был той личностью, о которой мне хотелось сделать фильм. Более того, среди всех современных святых, пожалуй, именно он представлялся мне наиболее трудным человеком. Предполагаю, что если бы я встретился с ним, то не почувствовал бы никакой "химии", иногда возникающей между людьми независимо от разницы в возрасте и положении.

И вот во второй половине 1980-х годов мне поступило из Германии предложение снять картину о Кольбе. В то время Ежи Урбан, пресс-секретарь правительства, отвечавший за идеологию, публично указывал Католической церкви на антисемитизм святого отца и его связи с наиболее обскурантистским течением католицизма. Изучив биографию Кольбе, я нашел материал, подтверждающий эти обвинения, хотя нет сомнений, что они были сильно преувеличены в целях антикатолической пропаганды.

На мое согласие делать фильм о Кольбе повлияло также то, что поляку было бы странно и неправильно упустить шанс рассказать о выдающемся соотечественнике, когда предложение приходит из страны, несущей вину за мученическую смерть героя. Дополнительным аргументом в пользу этой работы стала возможность участвовать в подготовке сценария будущей картины.

Решающую роль, однако, сыграло эссе Яна Юзефа Щепаньского[1], опубликованное в Польше по случаю беатификации Кольбе. Автор текста разделял мои сомнения, вызванные сложной и противоречивой биографией францисканца, но в то же время с огромной силой выразил мысль, положенную в основу сценария: святость может появиться благодаря одному решению — когда человек добровольно приносит себя в жертву, спасая жизнь ближнего. Поступок Кольбе был тем более героическим, что спасенный не приходился ему родственником, не являлся кем-то выдающимся — это был анонимный узник, тот са-

---

1   Ян Юзеф Щепаньский (1919–2003) — польский писатель, журналист, автор нескольких киносценариев, в том числе на военную тематику.

мый *Jedermann* — каждый человек, имярек[1]. Просто ближний, и ничего больше.

Работая над сценарием, мы с Щепаньским поражались, как велика диспропорция между драматизмом истории, развернувшейся на плацу в Аушвице, и восприятием ее свидетелей.

Измученные многочасовым стоянием, заключенные думали только об одном: продержаться, не упасть, ведь это равнялось смерти. Акт самопожертвования, совершенный Кольбе, Иоанн Павел II назвал одной из немногих подлинных побед Второй мировой войны. Участники этой победы спустя годы смогли извлечь из памяти лишь обрывки тех событий. Таким образом, в основу драматургии фильма легло расследование: попытка воссоздать, что на самом деле там произошло. Из рассказов очевидцев складывается реконструкция, где нельзя быть уверенным ни в чем, кроме одного: францисканец заменил собой заключенного, которому выпала участь умереть в "голодной камере" в отместку за побег другого узника.

Этот другой узник и стал главным героем фильма. О нем толком ничего неизвестно — ходили слухи, что он пережил войну, поселился где-то за океаном и до конца своих дней терзался тем, что его побег стал причиной гибели десяти случайных людей. Один из десяти пошел на смерть добровольно — это был Кольбе.

Роль беглеца сыграл известный мне ранее австрийский актер Кристоф Вальц, недавно получивший две премии "Оскар" за работы в фильмах Тарантино. Кольбе в исполнении Эдварда Жентары предстает более мягким и добро-

---

1 Отсылка к поэтической притче австрийского писателя и драматурга Гуго фон Гофмансталя "Имярек" (*Jedermann*), написанной в 1911 году по мотивам средневековой моралистической пьесы.

сердечным, нежели священнослужитель был в жизни. Мы решили так сделать, потому что о святых в стране, где живут их почитатели, нельзя высказываться в полемическом ключе. Это было бы обыкновенной бестактностью, так что художественные аргументы должны были уступить здесь человеческим. В картине звучат упреки, которые предъявляли Кольбе идеологические оппоненты и даже собратья по монашескому ордену, однако они всегда появляются заочно и не вплетены в драматургическую структуру.

Лента снималась в момент падения коммунистического режима. Польская сторона успела включиться в производство, спасая себя от компрометации (фильм о польском святом без производственного участия поляков!). Съемки шли на территории бывшего лагеря, а вскоре после их окончания было принято решение из уважения к евреям придать комплексу Аушвиц-Биркенау статус кладбища и не снимать там игровые ленты. ("Список Шиндлера" через несколько лет делали в специально построенных декорациях.)

И последнее воспоминание, которое я хотел бы зафиксировать на бумаге спустя более двадцати лет. Камера смерти. Оголодавшие и обезвоженные люди перед смертью должны были напоминать скелеты, обтянутые кожей, — даже самые умелые художники по гриму не воспроизведут этого. К нашей съемочной группе обратились родители молодого человека, страдавшего ужасной болезнью — мышечной дистрофией. Он понимал, что жить осталось немного, и попросил взять его статистом в сцену смерти Кольбе, чтобы эта болезнь хоть как-то пригодилась, а от него после ухода остался след на кинопленке. В фильме вы можете увидеть его в сценах в камере прямо рядом с Кольбе.

В ролях: Анджей Щепковский, Кристоф Вальц, Ян Пешек, Эдвард Жентара.

[▶ "Максимилиан Кольбе"]

Адвокат Гурецкий, бледный, исхудалый мужчина, сидит на кровати, опираясь на высокую стопку подушек. Движением руки указывает гостю на стул. Ян садится.

Адвокат (*слабым голосом*). Значит, это ты?

Ян. Да, это я тогда сбежал.

Адвокат. А мы стояли на плацу. И молились, чтобы тебя поймали. Ты знал, что так будет?

Ян. Да, я тоже однажды так стоял.

Адвокат. Ну да. Там думаешь только о себе.

Ян. Мне представился случай.

Адвокат. А десять человек должны были из-за этого подохнуть.

Ян. А если бы вам выпала такая возможность?

Адвокат (*подумав*). Я бы тоже сбежал.

Ян. Скажите... Этот монах, отец Кольбе... Как это произошло? Вы видели?..

Адвокат. Я не знал, что это за тип. Он был из другого блока. Только потом мне сказали. Я стоял далеко. В четвертом или пятом ряду...

Сцена переклички: теперь мы видим ее с того места, на котором стоял адвокат. (Во всем эпизоде за кадром — голоса адвоката и Яна.)

298

Отец Гвардиан. Дорогие братья! Нам стали известны новые подробности мученической и достойной смерти нашего незабвенного брата и отца Максимилиана Марии Кольбе. Один человек, вернувшийся недавно из Освенцима, свидетельствует, что много дней из голодной камеры доносились голоса совместных молитв и песнопений. Пусть в годину испытаний это станет нам утешением и примером. Пребывая духом с отцом Максимилианом Марией, прочтем за упокой его души литанию к Непорочной Матери Божьей.

Гвардиан начинает петь молитву, братья присоединяются к нему.

Ретроспекция. Камера голодной смерти. Приговоренные читают ту же литанию. Отец Кольбе стоит на коленях у окна. Остальные в разных позах. У некоторых нет сил стоять на коленях, и они сидят, прислонившись к стене, или лежат на бетонном полу. Вся сцена — в полумраке.

Ретроспекция. Камера смерти. В ней остался только отец Кольбе, он, как и прежде, сидит у стены. С протяжным скрипом открывается дверь. Заходит эсэсовец со шприцом в руке. Подходит к Кольбе, который открывает глаза и смотрит на немца со слабой улыбкой. Эсэсовец поднимает его исхудавшую руку и вонзает в нее иглу. Камеру заливает яркий свет. Из-за кадра слышны четко произносимые слова: "Нет больше той любви, как если кто положит душу свою за другого человека".

[■]

Хотелось бы поделиться размышлениями о том, что вечно, и том, что современно, прогрессивно. Вообще, на эту тему должен рассуждать мудрец, эрудит, а не художник. Я художник, к тому же представитель молодого и не слишком серьезного аудиовизуального искусства, которое за прошедшее столетие оставило позади печатное слово. Мир движущихся изображений в XX веке расширился. Уже вошло в привычку сетовать по поводу этого явления и жаловаться, что все плохо, тогда как можно утверждать, что все хорошо. Впрочем, истина содержится в обоих этих заявлениях.

Именно с помощью печатного слова, вставшего на службу пропаганде, XX век породил два самых чудовищных несчастья — два тоталитаризма. Изображения и звуки проверяют на подлинность все, что мы выражаем языком понятий. Правда, порой эта проверка может завести слишком далеко. Вспоминается, как один епископ (не в Польше) мучился из-за пресс-секретаря, который немного косил и ко всему прочему имел заостренные уши. Этого было достаточно, чтобы любое заявление епископата, передаваемое этим секретарем, звучало неубедительно, — все из-за его облика, не внушавшего доверия. На самом деле он был умным и благородным человеком, но цивилизация изображений уделяет внешности особое внимание.

Как художник я бы хотел сформулировать определенную точку зрения на прогресс. Примерно с XII века история в Европе стала ускоряться. Наша иудеохристианская цивилизация в материальном отношении начала уверенно обгонять все другие. Мы достигли уровня развития, и не снившегося никому до нас. Всеобщий достаток обрел неслыханные масштабы. Мы живем лучше, чем когда-либо жилось людям. Раньше большинство голодало и замерзало. Хорошо было лишь немногим. Сегодня голодает и мерзнет меньшинство. Всем остальным даны в распоряжение вещи, о которых когда-то могли только мечтать сильные мира сего. Сегодня самый заурядный человек обладает большей энергией, а значит, большей свободой, нежели в свое время римские императоры. Мы можем в тот же день принять решение и полететь дешевыми авиалиниями на отдых в Турцию, а императору требовались недели и месяцы, чтобы преодолеть такое расстояние. Это огромная разница. Этот прогресс — дело рук нашей цивилизации.

Какова была роль христианства в ускорении хода истории? Сошлюсь на личный опыт. В 1987 году (если не ошибаюсь) в Королевском замке в Варшаве принимали самого главного человека в СССР — президента Михаила Горбачева. На встречу с ним позвали людей из мира науки и культуры. Меня считали цивилизованным диссидентом и не ожидали никаких скандалов, поэтому пригласили на трибуну, куда были направлены камеры, главным образом советские. Я сформулировал мысль, что поскольку ни одна цивилизация не достигла такого темпа развития, как наша, имеющая иудеохристианские корни, то, возможно, известные трудности цивилизационного развития в Советском Союзе связаны со слишком большим отходом от этих корней. Высказывание получилось умеренно задиристым. Потом я узнал, что Горбачев спросил у кого-то, имея в виду меня: "Он еврей? А то похож". Конечно, глупые шутки про политиков — любимое дело художников, но в России сочетание "иудео" с христианством не так распространено, как на Западе, и вопрос советского президента мог иметь более глубокий смысл.

Произошло ли цивилизационное ускорение благодаря иудеохристианству? По мнению моему и многих других людей — да. По сравнению с другими монотеистическими религиями, только иудеохристианство поставило человека настолько высоко, что открыло неведомые прежде творческие перспективы. А почему это ускорение стало наблюдаться лишь по прошествии двенадцати веков христианства, пусть объясняют историки.

Благодаря собственным изобретениям, человечество распоряжается немыслимым количеством энергии, и поэтому все мы могущественны. Что повлекла за собой новая ситуация? Общество стало массовым, и произошло это совсем недавно. Один из моих любимых авторов, философ Хосе Ортега-и-Гассет, писал в 1920-е годы, что мы живем в эпоху уравнивания. Уравниваются доходы, стирается дифференциация культурного уровня у различных социальных групп, происходит уравнивание полов. Это действительно так. Это новшество нашего времени. Как любой человек, сохраняющий бдительность, я спрашиваю: хорошо это для нас или плохо? Хорошо, ибо всем полагается то, что до сих пор принадлежало лишь немногим. Нужно ощущать счастье и солидарность, видя, что другим людям живется как никогда хорошо.

И все же у массового общества есть недостатки. К ним нужно внимательно присмотреться. Взглянем на культуру. Ортега-и-Гассет пишет: "Несерьезная культура идеально выполняет требования развитого общества". Иначе говоря, наступило время карнавала. Это вызов. Не свидетельствует ли культура, что наша цивилизация в каком-то смысле исчерпала себя?

Испанский ученый добавляет: "...заурядные души, не обманываясь насчет собственной заурядности, безбоязненно утверждают свое право на нее и навязывают ее всем и всюду. <...> отличаться — неприлично"[1]. Я слышу ды-

---

[1] Цитата из работы Х. Ортеги-и-Гассета "Восстание масс" в переводе А. Гелескула.

Аудиенция у папы римского Иоанна Павла II в Ватикане, 2004 г.

хание этой мысли. И мне кажется, что в мире культуры мы дорого платим за омассовление. Рождается вопрос: это временная или постоянная цена?

Нашу эпоху называют постмодернистской, и мы ощущаем, с какой силой в ней отзывается нигилизм, который Ницше окрестил "самым жутким из всех гостей". Нигилизм возникает тогда, когда кажется, что все можно и что современность стала чем-то абсолютным, когда культура неохотно обращается к прошлому и молчит о будущем, поскольку оно непосредственно нас не касается. Это и есть то самое новшество — пожалуй, нехорошее, ибо так размывается картина жизни, в которой мы обязаны отличать добро от зла и правду от лжи. Постмодернистское мышление пытается свести это различение на нет или, по крайней мере, как-то его замаскировать. Думаю, наше упоение современностью и успехом — жалкие, типично ученические

303

восторги, если посмотреть на них в исторической перспективе. Обратите внимание, насколько хуже стали современные университеты. Когда-то, в средневековые времена, оппоненты перед началом дискуссии должны были представить точку зрения противника, иначе полемика считалась недействительной. Сегодня противника, особенно в мире политики, ставят в такое положение, чтобы досадить ему, даже не пытаясь прислушаться к его мнению. В науке этот обычай тоже широко распространен. Обидно. Полагаю, из-за этого пространство научной свободы стало уже, чем в XIX веке. И говорит это только об одном: мы строим цивилизацию без сильных корней, врéменную цивилизацию.

Еще одна проблема связана с авторитетами. Массовая культура подрывает их. Она утверждает, что не существует людей умных и более умных, и никто не имеет права ничего никому подсказывать (даже не говорю — диктовать). Тревожное явление. Я наблюдаю его в той сфере культуры, которой сам занимаюсь: в современном кино, сериалах. Здесь отсутствует перспектива, поднимающаяся над будничностью. Нет перспективы вечности. Нет перспективы традиции. Близкий к католицизму интеллектуал Дариуш Карлович пишет о современной культуре, что "для трагедии все слишком весело. Может быть, прием, в котором мы участвуем, — уже поминки? Только никто еще в этом не разобрался". Меня мучает эта мысль. Я ощущаю всеобщее сопротивление тому, что опирается на прочные ценности и говорит о постоянном. Сегодняшней культуре не нужны прочность и постоянство.

Гегель напоминал, что полнота жизни — это не чувство сытости, удовлетворения, успеха и достигнутой вершины. Сервантес говорил, что дорога всегда лучше постоялого двора. А мы находимся именно в нем. И нам хуже, потому что — парадокс! — мы чувствуем себя лучше. Ситуация опасная, ибо мало кто понимает, что делать с нашей культурой, чтобы она снова начала искать то, что постоянно и вечно. На каком языке говорить с людьми, чтобы они поняли, что их жизнь бедна именно потому, что так богата?

Не менее сложна проблема патриотизма. Каждый раз, когда я пишу о своих чувствах к родине, чувствую себя, как на допросе в полиции. Достаточно ли я патриотичен? Заслуживаю ли своего паспорта и принадлежности к сообществу, выжившему благодаря кровавым жертвам и страданиям поколений? Француз или англичанин могут принадлежать к своим странам в силу того, что родились на их территориях. Будучи поляком, я должен понимать: существование свободной Польши — чудо, ведь на протяжении всего XIX века нормой было ее отсутствие. Отсутствие как государства, потому что именно от него отказались поляки, голосуя на Гродненском сейме[1] за окончательный раздел Польши. Однажды в России мне подарили один из трехсот оригинальных документов о разделе, напечатанных в Петербурге по приказу императрицы Екатерины II, получившей от этого акта самую большую выгоду. (Я передал бумагу во дворец в парке Лазенки, где он экспонируется в покоях королевского камердинера Рикса.)

Возникает вопрос: после Гродненского сейма перестала существовать Польша или только государственность моей страны? О чем думали наши шляхтичи, подписывая этот страшный документ — верили, что поляки обойдутся без государства и продержатся несколько грядущих веков, умело управляемые теми, кто делал это лучше них? Я думаю

---

1   Собрание сейма Речи Посполитой, состоявшееся осенью 1793 года в Гродно, на котором был одобрен Второй раздел Польши.

об этом, поскольку со стороны отца у меня итальянские корни. Италия столетиями была раздроблена и лишь в эпоху Гарибальди ощутила необходимость в общей государственности, причем это осознание пришло к мещанству: народ, аристократия и церковь не поддерживали объединения. Польша с опозданием — в XXI веке — наконец становится мещанской. Каков же этот польский патриотизм, поднявший народ на повстанческую борьбу еще во времена Костюшко и потом в ходе большевистской войны?[1] Поляки хотели иметь государство. Почти все поляки.

В странах с более счастливой историей патриотизм — спокойное чувство. Французы любят родину с присущей им своеобразной иронией и известной рациональностью, любят "французскость", таящуюся в элегантности, утонченном вкусе и превосходной кухне; они вспоминают о военных победах лишь изредка, хотя не забывают о Карле Мартелле и святой Жанне д'Арк, о фортификации Вобана[2], но прежде всего — о "маленьком капрале", модернизировавшем всю Европу, а заодно утопившем родину в крови настолько, что демографически ей не удалось от этого оправиться.

Польскому патриотизму свойственно мученичество, на нем лежит печать кровавой жертвы тех, кто отдал свои жизни, чтобы мы могли быть свободны. Мы навсегда обязаны им и должны выражать свою благодарность на кладбищах, зажигая на могилах лампадки со свечами. От этого долга нельзя отказаться, хотя по прошествии двух десятилетий суверенитета торжественные празднования все чаще приоб-

---

1 Восстание Костюшко вспыхнуло в 1794 году в ответ на Второй раздел Польши, однако в результате долгих боев было подавлено и привело к Третьему разделу в 1795 году. Под большевистской войной подразумевается Советско-польская война (1919—1921).

2 Военные крепости, выстроенные по проектам выдающегося французского инженера Себастьена Ле Претра де Вобана (1633—1707), включены в список всемирного наследия ЮНЕСКО.

ретают скандальный и позорный характер. Текущая политика пытается использовать историю в своих целях. Молодые люди, видя это, возмущаются и охладевают к прошлому. Мое поколение может только испытывать стыд от происходящего и размышлять о том, как легко опорочить святое.

Вспоминается грустный анекдот. Дождевой червь вылезает с сыном на поверхность. Они восхищаются красотой луга, после чего отец велит возвращаться под землю. "Зачем нам туда возвращаться?" — спрашивает расстроенный червячок. "Потому что там наша родина", — отвечает его папа. Этот анекдот родом из эпохи ПНР, когда любовь к нашей бедной родине воспринималась как неизбежность, ибо все в Польше было хуже, чем на Западе: материальные и духовные стандарты, общественные и межчеловеческие отношения, квартиры, машины и больницы. Патриотичный рекламный слоган "Польское значит отличное" звучал как приговор. Польские товары уступали по качеству, их единственным достоинством было национальное происхождение.

Все это сегодня меняется. Появилось много хороших польских товаров, у нас успешное самоуправление, политическая трансформация в Польше прошла бескровно и удачно, да и наша демократия весьма неплоха. Мы можем гордиться собой, не задирая нос и не хорохорясь. У нас действительно многое получилось. Тогда почему мы постоянно жалуемся? Потому что внутри сидит спесивый перфекционизм. Мы уверены, что должны быть лучше всех, а если это не так, начинаем сетовать. Нас не устраивает утешение "для сельской местности сойдет" — мы хотим быть выше. Это вроде бы хорошо и в то же время плохо. Нужно метить максимально высоко, но при этом трезво оценивать возможности. До второй Японии все еще далеко, хотя в экономике мы добиваемся успехов, непонятных нам самим. Умеем ли мы радоваться тому, что в момент кризиса остаемся "зеленым островом", или — как в мрачной поговорке — не радуемся, пока все хорошо, зато будем вспоминать, как хорошо было?

Мы по-прежнему бедны, хотя и быстро обогащаемся. С каждым годом отрыв от Запада всё сокращается. Кто-то остроумно заметил, что теперь в регионах Польши, обозначаемых латинской буквой *B* (а то и *C*), водными видами спорта уже можно заниматься в аквапарке, а не в глиняном карьере, как это было до недавних пор. Бедность наполняет стыдом, порождает комплекс неполноценности. Мы любим подчеркивать, что не виноваты в своей бедности, ведь исторические обстоятельства не давали нам шансов развиваться. Независимо от того, сколько правды в этих суждениях, в последнее время у нас все больше поводов хвалиться своей состоятельностью.

Иногда мы не умеем хвастаться тем, что приносит нам славу. Уже давно стало ясно: во всевозможных кризисных ситуациях, когда происходят большие несчастья, катастрофы, стихийные бедствия, поляки на многое способны. Поляком быть хорошо, ибо люди в нашей стране в трудную минуту идут на самоотверженные поступки, могут сорганизоваться и действовать солидарно. Мы хорошо помним наводнения в Польше двадцатилетней давности и то, как жители Вроцлава спасали город, опираясь на доверие к собственной выборной власти, церкви и соседям. И хуже помним, что Польша занимает четвертое место в мире по количеству волонтеров в хосписах. Постоянно слыша нарекания на безыдейную и интересующуюся одними деньгами молодежь, мы вдруг узнаём, что лидируем в сфере бескорыстного самопожертвования на мучительном фронте помощи смертельно больным.

С Никитой Михалковым на съемках фильма "Персона нон грата"
в Москве, 2005 г.

Мы живем в совершенно нормальное время и из-за неожиданности этого положения не знаем, как себя вести. Патриотизм уже не должен быть мученическим — он может принять спортивный характер. Мы играем в команде, которая держится на неплохом уровне, — пусть не в первой лиге, но точно во второй. Можем гордиться успехами и не скрывать неудач. То, что плохо, исправим. Мы страна немалых шансов и больших надежд. За нами тянется хвост упущений, отсталости, балласт утраченного XIX века. Нам не хватает государственной, управленческой культуры. Мы недостаточно доверяем государству и его органам, да и самим себе, но можно по-прежнему верить, что это постепенно изменится. Достаточно пересечь нашу восточную границу, чтобы начать ценить то, чего мы уже достигли.

С моей точки зрения, основанием для надежды являетсяся способность признавать свои ошибки. Двадцать пять суверенных лет дали нам шанс критически взглянуть на собственное прошлое. Мы больше не должны носиться со своими обидами (впрочем, несомненными) и можем признать, что были в истории не только жертвами. У нас есть грехи по отношению к евреям, русинам и частично даже к немцам. Старые грехи мы делим с литовцами, ибо вместе стояли у руля Речи Посполитой и напали на Москву.

В нормальные, спокойные времена патриотизм проявляется без криков, шелеста знамен и юбилейных торжеств, хотя нельзя осуждать тех, кому необходимо таким образом выражать свои чувства. В обыкновенные времена патриотизм — это добросовестная уплата налогов и капля бескорыстной готовности к действиям, целью которых является наше общее благо: будь то участие в выборах или сбор мусора в лесу, будь то радость победы или печаль от проигрыша (даже если можно свалить вину на политического оппонента).

В книге, изданной к девяностолетию Владислава Бартошевского, один из наиболее талантливых молодых польских писателей Войцех Кучок пишет, что благодаря юбиляру может без стеснения думать о патриотизме. В подтексте ощущается недовольство молодого поколения утилитарным использованием понятия "родина" с целью кого-то изолировать, заклеймить и взять на себя роль судьи, выносящего решение, кто хороший поляк, а кто нет. Читая это, я вспомнил, как однажды в Быдгощи активисты "Католического действия"[1] не дали мне высказаться по проблемам

---

[1] Движение светских католиков, действующих под церковным руководством и стремящихся усиливать роль христианских ценностей в общественной жизни.

Польши, потому что у меня иностранная фамилия. Пять поколений моих предков строили автомобильные и железные дороги именно в Польше, так что, думаю, у меня есть основания чувствовать себя поляком, хотя, цитируя Бартошевского, любовь к родине сродни любви к матери: мы не говорим о ней без надобности, поскольку это очевидное чувство. Человек, расхаживающий по городу и рассказывающий всем, что любит свою мать, ненормален.

Итак, патриотизм — это норма. Мы любим Польшу со всеми ее изъянами и верим, что с ними можно бороться, что родина — это не приговор, а дар. Мы не обязаны вечно страдать за нее, но время от времени должны что-то для нее делать, чем-то ради нее жертвовать. А прежде всего нужно ценить то, что родина есть, ведь ее могло и не быть. Радоваться тому, что некоторые вещи в Польше лучше, чем где-либо, а те, что хуже, мы постараемся исправить.

Предугадывание будущего — занятие, неминуемо обрекающее нас на осмеяние. Понимая это, я прошу у читателя снисходительности, а тем, кому ее не хватит, советую самим произвести подобную операцию. Опишите свои представления о том, что нас ждет, а потом посмейтесь над собой.

Убежден, что в течение моей жизни произошло несколько событий, изменивших мир, в особенности его наиболее развитую часть, к которой принадлежит Евро-Атлантический регион. Мне кажется, важнейшая перемена заключается в том, что человечество получило доступ к энергии, какого не знала история. В результате в развитых странах мало кто голодает (более серьезная проблема — ожирение), исчезла унизительная работа не по силам, возникло массовое общество, где привилегии бывших элит стали широкодоступны. Такие блага, как свободное время, доступ к просвещению, культуре, развлечениям и здравоохранению, свобода перемещений и безопасность жизни повсеместно воспринимаются как то, что полагается каждому.

Вторая перемена, случившаяся на рубеже XX–XXI веков, — информационная революция: неограниченные возможности общения и доступа к данным, а также легкость их пересылки. Любой человек может связаться с кем угодно. Глобальная деревня, или глобальный город, охватывает значительную часть жителей планеты.

Какими будут последствия этих перемен? Станет ли человечество, живя в богатстве, безопасности, сытости и информированности, лучше? Уменьшится ли количество зла на планете?

Думаю, это возможно, но не гарантировано. Человеческая природа пока что не изменилась (хотя близится очередная революция, которая вмешается в идентичность вида и начнет постепенно совершенствовать человека, расширяя его возможности за счет генетических изменений и симбиоза организма с техникой). Комфортная, беззаботная жизнь свободных людей подвергает их другим соблазнам, отличным от тех, что известны нам по временам нужды. Сытый человек становится ленивым, а лень может сократить проявления насилия. Это оптимистичный вариант.

В дивном новом мире может также произойти катастрофа, связанная с отсутствием мотивации для совершения усилий. Человечество может предаться удовольствиям и демократично погружаться в наслаждение, источником которого будут наркотики, бесплатные и дозируемые так, чтобы эйфория длилась максимально долго. Это вариант самоуничтожения.

Дабы немного отвлечь читателя от этих тревожных рассуждений, поделюсь опытом, полученным на съемках "Галопа" в варшавском зоопарке. Его сотрудники рассказыва-

С Валерией Голино на съемочной площадке "Черного солнца", 2006 г.

ли, что в неволе животные, особенно крупные млекопитающие, страдают различными нервными расстройствами, поскольку условия жизни там диаметрально отличаются от их естественной среды обитания. Одна из причин этих неврозов — легкость в получении пропитания. В зоопарке животных кормят регулярно, в определенные часы. Им не нужно предпринимать никаких усилий, чтобы добывать пищу. Если же специально создавать трудности: например, давать белым медведям рыбу, замороженную в больших кусках льда, или подвешивать мясо для тигров на труднодоступных ветках, заболевания могут пройти. Разве это не предостережение для человечества? Разве упрощенная жизнь не приводит к нарушению равновесия?

Не сомневаюсь, что это так. Человек инстинктивно сопротивляется деградации. Одной из форм защиты является спорт — мы создаем совершенно ненужные препятствия только затем, чтобы их преодолевать. Без особой необходимости бегаем, прыгаем, плаваем, как бы компенсируя легкость, с какой покупаем питание в супермаркете. Можно ли с помощью такой метафоры разработать некую программу для человечества? Кто убедит массы усложнять себе жизнь, потому что это пойдет им на пользу, поможет сохранить как физическое, так и психическое здоровье?

Между крайностями, в большинстве случаев недостижимыми, может сформироваться будущее, где можно представить себе появление новых сетей человеческих взаимоотношений. На протяжении двухсот лет в Европе (и несколько меньше в остальном мире) существуют национальные узы. Идентичность человека все еще определяет принадлежность к нации, хотя это в известной степени врéменное, историческое явление. В разные времена люди объединялись на основе культурных, классовых или поколенческих сходств. Элиты Нового времени всегда были космополитичны. Люди ощущали бóльшую близость культуры и мировоззрения в кругу рыцарства или аристократии, нежели в этническом или языковом пространстве.

Новая информатика — это сети, начинающие сегодня объединять людей. Они могут образовать новую политическую систему, которая придет на смену старой, но все еще незаменимой представительной демократии, могут заменить связи по национальному признаку чувством широкой солидарности людей, исповедующих похожие идеалы, одинаково способных жертвовать собой и переступать через себя. Если бы это общество мечты стало реальностью, возможно, удалось бы отринуть сегодняшний приземленный идеал экономического роста в пользу идеала духовного роста. (Не представляю себе статистику, фиксирующую, как сильно за год вырос духовный уровень людей.)

А что в этой новой ситуации будет с религиями, придающими осмысленность духовной борьбе человека? Быть может, появится синкретическая религия новой сети. Или же — и в это я больше верю — сохраняя религии, накопившие мудрость поколений, помноженную на мудрость Откровения, мы научимся радоваться разнообразию, которое не что иное, как соперничество за то, кто воистину приближается к сути того, что всегда останется Тайной. (В этом запутанном предложении завуалирована мысль, что как христианин я в каком-то смысле получил самый большой шанс.)

Несколько столетий мы живем в парадигме развития и прогресса, но человечество тысячелетиями существовало без этой парадигмы. Мир просто был очень стар, дети жили столько же, сколько их родители, внуки — столько же, сколько деды, и не ожидалось никаких особых изменений. Все должно было продолжаться в том же духе. Есть цивилизации, для которых это стало частью менталитета, мировосприятия, они почувствовали определенную цикличность жизни, но совершенно не видят, что мир должен меняться, то есть к чему-то стремиться. Это проблема горизонта перемен.

Наша цивилизация благодаря прекрасной парадигме развития добилась успехов, о которых сама сегодня забывает. Еще никогда людям в таких масштабах не было настолько хорошо, как теперь.

Для нашей цивилизации характерна самокритика. Мы постоянно видим свои ошибки, и это замечательно, мы обязаны так делать, чтобы не впасть в самодовольство. При этом нельзя позволить себе обходить стороной вопрос: что дальше? Куда мы идем? Чего мы хотим, когда мечтаем, а не ищем быстрых решений? К чему стремится человечество в целом? Я не нахожу однозначного ответа. На вопрос, осознаём ли мы, что доставшиеся нам привилегии полагаются всем жителям Земли, мы, не задумываясь, ответим утвердительно. Но можно ли представить это в реальности? Есть ли у каждого из миллиарда двухсот миллионов китайцев шанс ездить на собственной машине? Кто посмеет сказать "нет"? Они могут построить автострады и купить себе машины. Обладают ли китайцы, как индийцы, как все мы, правом отдыхать на песчаном пляже у моря? Да, но им не хватит пляжей всего мира. В Китае меня познакомили с забавной статистикой. Если поделить количество китайцев и индийцев на квадратные метры песчаных побережий Земли, окажется, что, пытаясь разместить там всех, их придется укладывать слоями.

Это парадоксальное доказательство того, что мы безответственно не заглядываем вперед, не задаваясь вопросом: как организовать жизнь на планете и что делать, если придуманные модели не оправдают надежд? Мне бы хотелось слышать шум мыслей на тему "Как жить в будущем?". Нам следует задуматься об интересах человека, о том, что ему понадобится, чтобы стать абсолютно полноценным во всех отношениях — не только материальном, но и духовном. Что необходимо ему обеспечить? Как мы представляем устройство будущей жизни и как видим в ней самих себя? Любой из этих вопросов можно спроецировать на простые, повседневные вещи. Я обсуждал с директорами школ, нужно ли, чтобы представители разных полов становились похожи, женщины уподоблялись мужчинам и наоборот, или контраст между ними все же необходим для сохранения человечества и культуры? Действительно ли мы верим, что напряженность, вызываемая разнородностью, имеет значение? Я хочу слышать подобные дискуссии и не желаю выносить заключения на основе того, что подсказывает мне интуиция. Я бы хотел, чтобы мне помогали в этом гуманитарные науки, но чаще мне попадаются диссертации на маловажные, маргинальные темы.

Сегодня мы стоим перед этими глобальными вопросами. Что будет с нашим родом дальше? Какое право мы имеем видоизменять нашу натуру? Обсуждать перечисленные проблемы мы будем в обществе, в принципе не верящем, что мы были кем-то сотворены, — дает ли нам это определенные обязательства? Чем еще могут руководствоваться люди, размышляя, можно ли улучшить человека?

Некоторые утверждают, что скандалы вокруг генетически модифицированной пищи подстроены людьми, которые по экономическим соображениям хотят заблокировать американский импорт. Я не верю им так же, как и тем, кто пугал нас Чернобылем, расписывая ужасы ядерной энергетики. Сегодня мне жаль, что мы в свое время не построили в Польше атомную электростанцию. Французы потирают руки, поскольку не поверили в россказни экологов и, благодаря нескольким АЭС, стали независимыми от газа и нефти из Сахары. Я прекрасно знаю, сколько раз меня обманывали, подогревая эмоции и нравственные чувства. Позднее оказывалось, что это манипуляция.

Я не перестаю беспокоиться о человеке будущего. Каким он должен быть? Будет ли ходить с мозговыми имплантатами или без, стоит ли самосовершенствоваться при помощи химических процессов или не следует этого делать? Если мы не знаем ответов, значит, гуманитарные науки нас подвели, никто не помог нам четко сформулировать, что имеет смысл, а что ошибочно. Современное десакрализованное общество не понимает, что значит "возникнуть из небытия", не чувствует, что сам факт существования — чудо, нечто необычайное, ведь нас могло и не быть.

Чем старше я становлюсь, тем больше вижу на горизонте книг, которых уже точно не успею прочитать. И тем настойчивее призываю людей науки задумываться над этими глобальными вопросами.

У нас, поляков, много комплексов, и это серьезный козырь: комплексы часто становятся мотивацией к действию. Мы хотим показывать себя, поскольку не очень уверены в своих силах. Так почему бы нам не инициировать общеевропейские дебаты на фундаментальные темы? Почему мы терпим болтовню постмодернистов, их плоские, пустые слова о разнообразии и толерантности, словно в них есть какой-то ответ на наши вопросы? Все это красивые слова, но из них ничего не следует. А толерантность и вовсе приводит к безразличию. Если нам все равно, мы можем быть толерантны. Это не то же самое, что любовь. Она — совсем иной постулат.

Общественные программы, которые сегодня разрабатываются, не просто не амбициозны — они жалки. Мы так мало требуем от человечества, оказавшегося в таком прекрасном историческом моменте, какого не было прежде, и ведь неизвестно, сколько он продлится (планеты может не хватить на всех, и придется ограничивать себя: отказываться от чего-то, ездить на море раз в несколько лет, разыгрывать билеты в Лувр, так как очереди к "Моне Лизе" будут выстраиваться на месяцы, а то и на годы). Мира уже не хватает на всех. Что остается? Предложить всем переместиться в виртуальную реальность? Очевидно, что нам хочется есть не виртуальные устрицы, а настоящие, проводить отпуск на берегу моря и ощущать запах соленой воды, а не кормиться иллюзиями, предоставленными чипом, вживленным в мозг. Но не слишком ли легкомысленно отвергать вероятность, что новым миллиардам людей будет недостаточно реальности, и тогда на помощь придет виртуальный мир?

Наименее заметное благо сегодня — материальная состоятельность. Важно, чтобы люди не голодали, но сколько еще им требуется? На дорогах пробки, значит, каждому нужен личный вертолет, и в Польше их будет 35 миллионов? Пожалуй, плохая идея. Но является ли благосостояние абсолютной ценностью? Надо следить, чтобы люди не обогащались слишком быстро? Коммунизм преподал нам урок, как можно расходовать человеческий труд и сдерживать материальное развитие. Думаю, мы не хотим второй раз это проходить. Но что же тогда сегодня есть благо? К чему человечество должно стремиться, на что следует ориентировать людей? На тотальное потребление или самоограничение?

И последний вопрос. Он касается теологии. Наша амбивалентная логика испытывает трудности с такими вещами, как милосердие, прощение и справедливость, явно противоречащими друг другу. А ведь мы употребляем еще более рискованное слово: "вечность". Жизнь после жизни проходит вне времени. Мне неизвестны теологи, которые занимались бы этой проблемой с точки зрения логики, искали формулировки, ответы на главные вопросы относительно того, что находится за пределами времени и пространства. Сами эти ответы — вне времени и пространства. Но теология фактически хранит здесь полное молчание, поэтому молодежи кажется, что религия оперирует мышлением из другой эпохи, является верой бабушек и дедушек, а ведь это не так. Хочется, чтобы инструментарий современных наук помог нам понять то, что две тысячи лет назад в Галилее иным, более простым языком объяснял пастухам и ремесленникам человек по имени Иисус. Это серьезный интеллектуальный вызов — с какими примерами рассказать притчу о заблудившейся овце, чтобы показать, что там может идти речь о галактике? Молодое поколение, к сожалению, не знает, зачем овцам пастух. И это понятно. Библейская метафорика неясна современным людям, но в ней заключена мудрость, которую нужно уметь понять в контексте того времени, представив при этом, что оно ничем не отличается от нынешнего — просто для описания той эпохи необходимо найти аналогии, объясняющие истинный смысл. Для углубления понимания и видения Библии с нашей перспективы не хватает языка современной физики и математики. Зато полно работ, где одно и то же перемалывается языком Фомы Аквинского. Я бы хотел видеть в теологах людей широких взглядов, которые при этом не предложат мне какой-нибудь нью-эйдж[1] и полнейший теологический хаос (что несложно, ибо люди, как известно, не знают меры). Я считаю, что сегодня слишком мало "ветра в волосах", а эпоха требует глобальных обобщений, которые будут актуальны, пока кто-нибудь их не опровергнет и не найдет более полных объяснений.

Мы живем в атмосфере спокойствия, словно так будет всегда. Безумная ошибка. Нельзя обольщаться, что все останется без изменений, поскольку наше время необычное. Нам надо задумываться как можно глубже и сознавать необычность того момента человеческой истории, в который посчастливилось жить. Образованных людей по-прежнему слишком мало, чтобы заниматься пережевыванием незначительных, банальных проблем. Времена воистину таковы, что требуют больших сил, и это нужно использовать, иначе потом окажется, что мы, словно муравьи, одурманенные повседневностью, не заметили, как перед нами или над нами пронесся циклон истории, что цивилизация изменилась, что мы перестали ее узнавать и понимать, ибо не смотрели на нее в ходе сотворения.

---

1 Общее название различных современных псевдорелигиозных движений и течений, имеющих мистический, оккультный характер и проповедующих скорое наступление новой эры.

Послесловие

В этой книге я старался добиться смешения всяческих материй[1]. Моя фильмография состоит из авторских лент, фрагменты которых я использовал, чтобы выстроить рассказ о разных жизненных аспектах. Я решил проверить, удастся ли сложить все воедино, и обратился к мультимедийности. Это эксперимент.

Понимаю, что многие вопросы остались без ответа. Мне так и не удалось оценить альтернативные издержки любого выбора, который мы делаем. Дилемма "съесть пирожок или оставить его целым", обыкновенное желание человека радоваться жизни без ущерба для духовного мира, так и осталась нерешенной.

Говоря о жизненных стратегиях, я люблю обращаться к двум метафорам. С одной стороны, жизнь напоминает прогулку по парку: кругом подстриженная трава; если на пути встречается речка, то мелкая, а животные — одомашненные. Отправляясь гулять, мы потакаем нашим при-

---

1   Перефразированная цитата из романа Г. Сенкевича "Огнем и мечом".

хотям, ведь в парке можно все: пойти налево или направо, назад или вперед, как нам только нравится. Но есть и совсем иная картина жизни — джунгли, через которые человек продирается, каждую секунду подвергаясь опасности. Одно неверное движение — и мы провалимся в болото, или нас разорвут на части дикие звери. В джунглях нужно держаться проводника, и нет места капризам, зато есть место мужеству и упорству, смелости и самоотверженности.

Нетрудно догадаться, что я выступаю за второй вариант, поскольку он ближе к реальности. Жизнь — опасное приключение, нередко завершающееся поражением. Сколько среди нас проигравших, сломленных и отчаявшихся! А ведь еще недавно эти люди были молоды и полны надежд. Возможно, они упустили свой шанс, но их также же могли подвергнуть испытанию, оказавшемуся непосильным. С нами часто происходят вещи, которые нельзя понять. Откуда на свете увечья, отставание в развитии, безвинные страдания? Этому нет рационального объяснения. Можно лишь верить: в мире есть смысл, хотя мы и не в состоянии его постичь.

Смысл — ключевое слово. Смысл против абсурда, хаоса и пустоты. Люди, верящие в смысл, допускают идею о существовании Творца. Ксендз профессор Хеллер упрямо повторяет: Бог — это математика, ибо если природный мир можно описать математически, это аргумент в пользу смысла. Но где же Богочеловек? Где его Воплощение? Каждой эпохе нужно искать свои ответы.

Когда заходит речь о смысле, рождается банальный вопрос: а зачем вообще это все? Кому нужна наша жизнь, наше существование? К чему годы ежедневного труда, монотонных занятий, борьбы за то, чтобы удержаться на плаву, выжить? Часто бывает так, что мы понимаем: больше ниче-

У посольства Польши в Москве, 2014 г.

го не достичь, и даже не стоит пытаться, поскольку из этих попыток ничего не выйдет. И что тогда?

Вновь встает вопрос, имеет ли человек моральное право (о позитивном не говорю) отказаться от жизни, сказать: довольно, баста, больше не нужно, хочу уйти. В восприятии верующих христиан жизнь не является собственностью человека, она дана ему "в аренду", и никто не имеет права по своей воле избавляться от этого дара. Неверующих и последователей других религий это предписание не касается. И опять проблема святости жизни, святости как таковой. Тревожные сигналы поступают от мятежных теологов. Например, Ханс Кюнг, защищая эвтаназию, утверждает, что свобода, данная ему Богом, позволяет покончить с жизнью в согласии с личной волей, а не с волей Божьей, ибо Богу не угодно наше унижение, сопутствующее умиранию. В рыцарском кодексе чести есть понятие "выстрел из милосердия" (по-немецки *Fangschuss*, по-французски *Coup de grâce*), обязывающее прекратить муки того, кого нельзя спасти: на войне умирающего добивал ближайший друг, чтобы тот не мучился долго и напрасно. Христианство утверждает, что мучение, страдание могут иметь смысл. Их можно переживать ради другого человека. Я отразил этот тезис в сцене из "Константы", где мать отказывается принимать морфий, принося свою боль в жертву сыну.

В ролях: Зофья Мрозовская, Тадеуш Брадецкий, Малгожата Зайончковская.

[▶ "Константа"]

У матери приступ. Витольд сидит рядом, готовый прийти на помощь. На столе лежат ампулы и шприц.

Витольд. Я позову Гражину. Она может прийти в любую минуту и сделать укол.

Мать взглядом дает понять, что это не нужно. Витольд настаивает.

Витольд. Но я же вижу, что тебе больно.

Мать так же смотрит на него, Витольд встает, но она делает знак, чтобы он сидел.

ВИТОЛЬД. Тебе станет легче.

МАТЬ *(тихо)*. Я не хочу.

ВИТОЛЬД. Ведь ты мучаешься.

МАТЬ. Да.

ВИТОЛЬД. Но зачем?

МАТЬ *(шепчет)*. Тебе во благо.

ВИТОЛЬД *(не понимает)*. Что ты такое говоришь?

Мать не слышит его. Она пытается справиться с болью. Ее глаза закрыты, и на сомкнутых веках видны слезы.

Ризница костела, который уже несколько раз мелькал в натурных сценах. Витольд в состоянии помрачения сознания, вызванного усталостью и постоянным напряжением. Ксендз слегка обескуражен его странным поведением.

КСЕНДЗ *(робко)*. Вы хотели о чем-то спросить?

ВИТОЛЬД. Да, я хотел, чтобы вы объяснили мне…

Витольд замолкает на полуслове. Стоит, опираясь на стул, и стучит им по полу. Стук усиливается. Обеспокоенный ксендз встает, но не решается подойти ближе. Витольд берет себя в руки. Отставляет стул в сторону. Берет сосуд со святой водой, рассеянно обмакивает в нее платок и вытирает лицо. Выжимает платок, капли падают на пол. Продолжает говорить.

ВИТОЛЬД *(придя в себя)*. Да, простите. Мать хотела, чтобы вы пришли к ней с последним помазанием.

КСЕНДЗ. Теперь это называется таинство соборования больных. Даже Церковь боится смерти.

Молодой врач в приемном покое, Витольд на лестнице, соседка сидит у койки.

ВИТОЛЬД *(врачу)*. Мать понимает, о чем говорят в ее присутствии?
ВРАЧ. Полагаю, что да. Неизвестно, как быстро прогрессирует болезнь. Наверное, понимает, поэтому нужно говорить так, чтобы она слышала.

Витольд заходит, садится у койки. Мать смотрит на него несколько отсутствующим взглядом. Сжимает его руку. Ее лицо приобретает отталкивающие черты, она не проявляет связи с внешним миром. Рука слабеет, мать отворачивается. На столе лежит недоеденный хлеб. Мать берет его и начинает жадно есть — неясно, улучшение это или новый симптом болезни. Бессильно правой рукой запихивает в рот рассыпающиеся крошки черного хлеба.

Ординаторская. Витольд и Гражина. Слышны ночные больничные шорохи. Витольд сидит на полу, Гражина наклоняется к нему и целует в макушку. Витольд внезапно вздрагивает и ударяет ее головой по носу. Вскакивает, извиняясь. Они обнимаются. Витольд закрывает глаза. Гражина снимает шапочку и гладит его по лицу. Они снова прижимаются друг к другу.

Звон колоколов. В комнате открыто окно, хотя на дворе зима. Соседки помогают уложить в гроб тело матери — она без обуви, в белой рубахе, с прямыми убранны-

ми волосами. Тело снимают с кровати и переносят в гроб. На лестнице стоит соседка, с ботинками и скромной черной рубашкой.

СОСЕДКА *(Витольду)*. Почему так?
ВИТОЛЬД. Она так хотела.

Кто-то закрывает крышку гроба. Берут свечки. Витольд гасит одну из них. Выносят гроб.

Кладбище, после похорон. Свежая могила. То же движение камеры, что в сцене на кладбище в Закопане, только здесь — мазовецкий пейзаж с заснеженными полями, раскинувшимися до самого горизонта. Витольд стоит над скромной могилой. Замерзшая Гражина — неподалеку, в глубине кадра.

[■]

Со смешанными чувствами я слушаю и читаю заявления людей, уверенных в том, что они никогда не допустят, чтобы их собственная жизнь или жизнь близких была искусственно прервана с помощью увеличенной дозы морфия или иных обезболивающих средств. Я понимаю христианский императив, обращенный к Богу, — "Да будет воля Твоя", — но понимаю и другое: иногда невозможно поверить в то, что Его волей становится безвинное страдание. В моральных дилеммах ощутимо дыхание Тайны. Излишняя уверенность в себе часто предвещает отчаяние. Как себе, так и другим я рекомендую быть осторожными в суждениях.

Независимо от религиозных убеждений я ищу рациональные аргументы в пользу того, что жизнь имеет смысл.

Пытаясь одним словом сформулировать, что является ее смыслом, я уверенно говорю: культура. Не только художественная — она лишь малая часть культуры, представляющей собой мерило человеческого развития. Культура поведения, культура чувств, умение жить благородно, бескорыстно, изящно, культура труда и развлечений, культура мышления и еды, культура души и тела — все, что имеет признаки развития, роста. На другом полюсе находятся варварство, примитивность, хамство, животность человека. Культура — это способность переступать через себя, через эгоизм и обстоятельства. Смысл жизни в том, чтобы расти духовно и физически (рост в телесной сфере тоже имеет значение). Важно техническое развитие и новые изобретения, которые могут сделать нашу жизнь более полной, чем во времена лучины и гусиного пера.

Выражение "культура чувств" напомнило мне о Японии, куда я поехал на стажировку, сняв первый полнометражный фильм. Перед вылетом из Варшавы ко мне обратился японский студент и попросил взять сувенир для бабушки с дедушкой, который нужно было отправить по почте из Токио. Несомненно, это был самый быстрый способ доставки. Я исполнил просьбу и получил в ответ очень странное письмо на японском языке, где была сложная для перевода фраза. В буквальном прочтении она гласила: отправители не смеют и мечтать о том, что моя тень когда-либо упадет на забор их скромного дома. Я спросил переводчика, как это понимать. Оказалось, дедушка и бабушка того студента приглашают меня в гости.

Я решил поехать и предварительно отправил телеграмму, поэтому встречать меня высыпала вся деревня — как выяснилось позднее, я был там первым белым человеком с тех пор, как в 1945 году один американский солдат прошел по их пляжу. Местные жители торжественно проводили меня от автобусной остановки к скромному дому, построенному из дерева и обклеенному вощеной бумагой, как это принято в Японии. Старики ждали на пороге. Завидев меня, они упали на колени и поклонились до земли. В детстве мне привили уважение к старости, поэтому я понял, что должен сделать то же самое. Я рухнул на колени и поклонился в ответ, но, к сожалению, дверной проем был тесный, и, вставая, я повредил бумажную стену. Почувствовав себя очень глупо, я от смущения закрыл лицо руками, а пожилые хозяева тем временем до конца разорвали стену и таким образом дали понять, что ничего страшного не случилось.

Я постоянно рассказываю эту историю как пример высочайшей культуры, проявленной, кстати, простыми людьми, которые смогли понять мои чувства и прекрасно выразили это, сделав шаг навстречу.

Красивых поступков немало, но всегда найдутся люди, пытающиеся доказать, что везде кроется подвох, что благородство — лишь маска лицемерия, а каждый на самом деле печется только о своих интересах. Это крайность, и надо признать: настолько глубокое неверие в бескорыстное добро обедняет жизнь человека, исповедующего подобные взгляды.

Мой сосед по дому в Варшаве пережил личную драму: от него ушла жена. Через несколько лет он женился во второй раз, а первая жена умерла. Осталась не слишком приятная бывшая теща. Сосед, видя, как тяжело несчастной женщине одной, предложил ей переехать к нему и заботился о ней до самой ее смерти. Моя мать была свидетельницей этого акта неслыханного благородства и поделилась своим восхищением с уборщицей, работавшей и у соседа. Она пожала плечами и рассудила, что никакое это не благородство, и вообще такого в жизни не бывает — наверняка он рассчитывает получить после смерти бывшей тещи наследство. Наш сосед был зажиточным человеком, а у тещи могла найтись разве что какая-нибудь жалкая бижутерия. В общем, гипотеза уборщицы была идиотской, о чем и сказала ей мать. Та решительно парировала, что ее уже не провести, поскольку она смотрит телесериалы, видела "Бедняка, богача" и знает, что все в этом мире тянут одеяло на себя. Наверное, стоило рассказать ей, как мой студенческий друг, уехавший в Америку, сделал для меня кое-что, о чем я узнал лишь спустя тридцать лет. Так вот, сам еще только вставая в США на ноги, он купил мне билет до Нью-Йорка на фестиваль, куда взяли мой второй полнометражный фильм. Более того, он проследил, чтобы билет пришел от фестиваля и я не знал, кто его оплатил. Он поступил так, понимая, что мне будет неловко воспользоваться его долларами, заработанными тяжелым трудом. И ничего не ждал взамен.

Я утверждаю, что мы живем ради культуры, хотя все считают иначе — якобы ради счастья. Даже американская конституция гарантирует каждому человеку право на его поиски. О счастье написана не одна книга, и я не хочу разглагольствовать о том, насколько это мутное понятие, а лучше расскажу о приключении с Андреем Тарковским в Колорадо. Мы были там в 1980-е годы на кинофестивале: я с "Императивом", Андрей с "Ностальгией", — и вместе участвовали во встрече со зрителями. Рядом с Андреем сидел переводчик, я выступал модератором, ибо разговор человека из России с американцами был труден по мировоззренческим соображениям, и переводчика тут было явно недостаточно. В самом начале встречи Тарковскому задали из зала вопрос: что нужно делать, чтобы быть счастливым? Тарковский выдал на это целый ряд определений, увы, по-

нятных и без перевода на английский (такие слова, как иди-
от или кретин, универсальны). Я попросил Андрея сформулировать, почему, по его мнению, это глупый вопрос.
Андрей проворчал: "Чего он морочит голову, зачем он вообще об этом задумывается? Неважно, будет ли он счастлив". "А что же тогда важно? — спросил я. — Скажи, что
имеет в жизни значение, если счастье, по-твоему, не имеет".
Андрей пожал плечами и ответил: "Всем ведь известно, что
самое главное: нужно понять, зачем мы пришли в этот мир,
найти свое призвание и следовать ему, а по пути мы будем
то счастливы, то нет. Это несущественно".

Оставляю читателя с этой мыслью и еще раз вернусь
к размышлениям "зачем это все". Любой думающий человек задает себе этот вопрос. У меня наготове есть дежур-
ная история. В 1980-е годы я получил приглашение прочесть пару лекций в американском штате Оклахома. Зна-
комые американцы проявляли сочувствие: "Чего ты от них
ждешь? Там нет ничего, кроме картошки". Не испугавшись,
я поехал и два дня рассказывал что-то про авторское кино, истину в искусстве и духовность. Показывал с видео-
кассет фрагменты своих фильмов, и вот наконец пришло
время вопросов. Один смельчак поднял руку и выпалил:
"Почему вы не делаете нормальные фильмы?" "Что значит нормальные?" — спросил я. "Такие, в которых говорят по-английски". Тогда я осознал, что лекции, как и сам
мой приезд, были лишены смысла, поскольку слушатели
не умеют читать английские субтитры. И все же по прошествии двадцати лет жизнь заставила меня изменить отношение к этому случаю. Я озвучивал на лондонской ки-
ностудии *Pinewood* фильм "Брат нашего Бога". В коридоре мне встретился довольно молодой человек, спросивший,
не я ли приезжал в Оклахому с лекциями. Оказалось, он

попал туда совершенно случайно, однако я сильно повлиял на его дальнейшую судьбу. Он был сыном пастора и изучал право, отец называл кинематограф средоточием разврата и греха. От меня этот человек услышал, что в кино можно выразить душу, пошел учиться на режиссера и сегодня снимает в Голливуде весьма достойные фильмы. Не хочу без его ведома называть здесь имя, но благодаря этой встрече я понял: не нужно рассчитывать, что смысл жизни всегда будет нам понятен.

Эту идею иллюстрирует, по-моему, чудесный анекдот о сером, посредственном человеке, прожившем свою бесцветную жизнь и после смерти представшем перед апостолом Петром у райских врат. Петр проверил его документы и велел направляться в рай. Маленький человек поблагодарил, но, сделав несколько шагов, развернулся и спросил: нельзя ли еще узнать, зачем все это было, кому нужна была его жизнь? Святой Петр покопался в бумагах (в компьютере?) и сказал: "Помнишь, много лет назад ты был в горах на турбазе, и с тобой за столом сидели молодые люди. Одна девушка попросила тебя подать ей сахар. Ты подал. Вот, собственно, за этим ты и жил на земле".

Эта история учит нас смирению перед лицом Тайны. Стоит вспомнить теорию хаоса, образно представленную эффектом бабочки: один взмах ее крыльев в Шанхае может вызвать тайфун во Флориде. Все в мире связано единой сетью, понять которую нам не под силу, — и так будет до конца существования. Тайна вечна.

CORPUS 427

литературно-художественное издание

Кшиштоф Занусси

Как нам жить?

Мои стратегии

Главный редактор Варвара Горностаева

Художник Андрей Бондаренко

Редакторы Елена Барзова, Гаянэ Мурадян

Ответственный за выпуск Ольга Энрайт

Технический редактор Наталья Герасимова

Корректор Ирина Дьячкова

Верстка Марат Зинуллин

Настоящее издание не содержит возрастных ограничений,
предусмотренных федеральным законом "О защите детей
от информации, причиняющей вред их здоровью и развитию"
(№ 436-ФЗ)

Общероссийский классификатор продукции
ОК-005-93, том 2; 953000 — книги, брошюры

Подписано в печать 14.03.17. Формат 60×90 1/16
Бумага офсетная. Гарнитура *OriginalGaramondC*
Печать офсетная. Усл. печ. л. 21,0
Тираж 3000 экз. Заказ № 8482/17.

Отпечатано в соответствии с предоставленными материалами
в ООО "ИПК Парето-Принт", 170546, Тверская область,
Промышленная зона Боровлево-1, комплекс №3А, www.pareto-print.ru

ООО "Издательство АСТ"
129085, Москва, Звездный бульвар, д. 21, строение 3, комната 5
Наш электронный адрес: www.ast.ru
E-mail: info@corpus.ru

"Баспа Аста" деген ООО
129085, Мәскеу к., Жұлдызды гүлзар 21, 3 құрылым, 5 бөлме
Біздің электрондық мекенжайымыз: www.ast.ru
E-mail: info@corpus.ru

По вопросам оптовой покупки книг обращаться по адресу:
123317, Москва, Пресненская наб., д. 6, стр. 2, БЦ "Империя", а/я №5
Тел.: 8 (499) 951 6000, доб. 574

Қазақстан Республикасында дистрибьютор және өнім бойынша арыз-
талаптарды қабылдаушының өкілі "РДЦ-Алматы" ЖШС, 050039, Алматы к.,
Домбровский көш., 3 "а", литер Б, офис 1
Тел.: 8 (727) 251 5989, 90, 91, 92, факс: 8 (727) 251 5812, доб. 107
E-mail: RDC-Almaty@eksmo.kz
Өнімнің жарамдылық мерзімі шектелмеген

9 785170 951215